C000293041

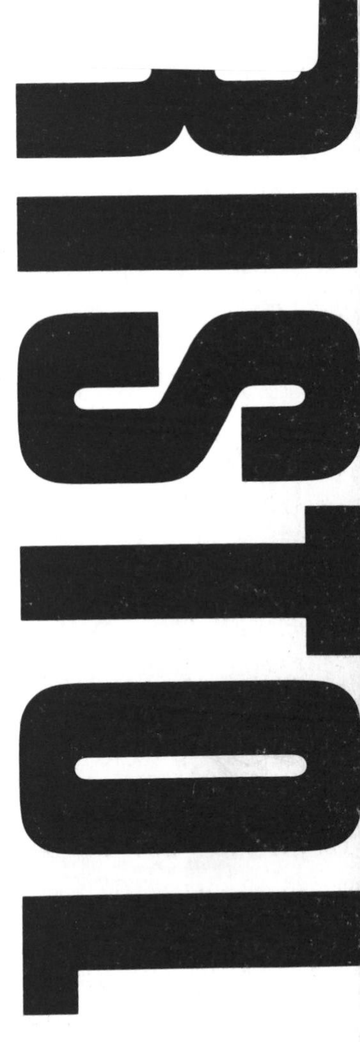

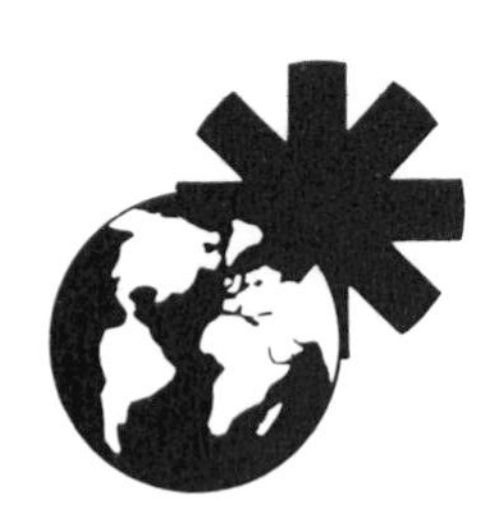

ESTATE PUBLICATIONS
Bridewell House,
Tenterden, Kent.
TN30 6EP
Tel: 01580 764225

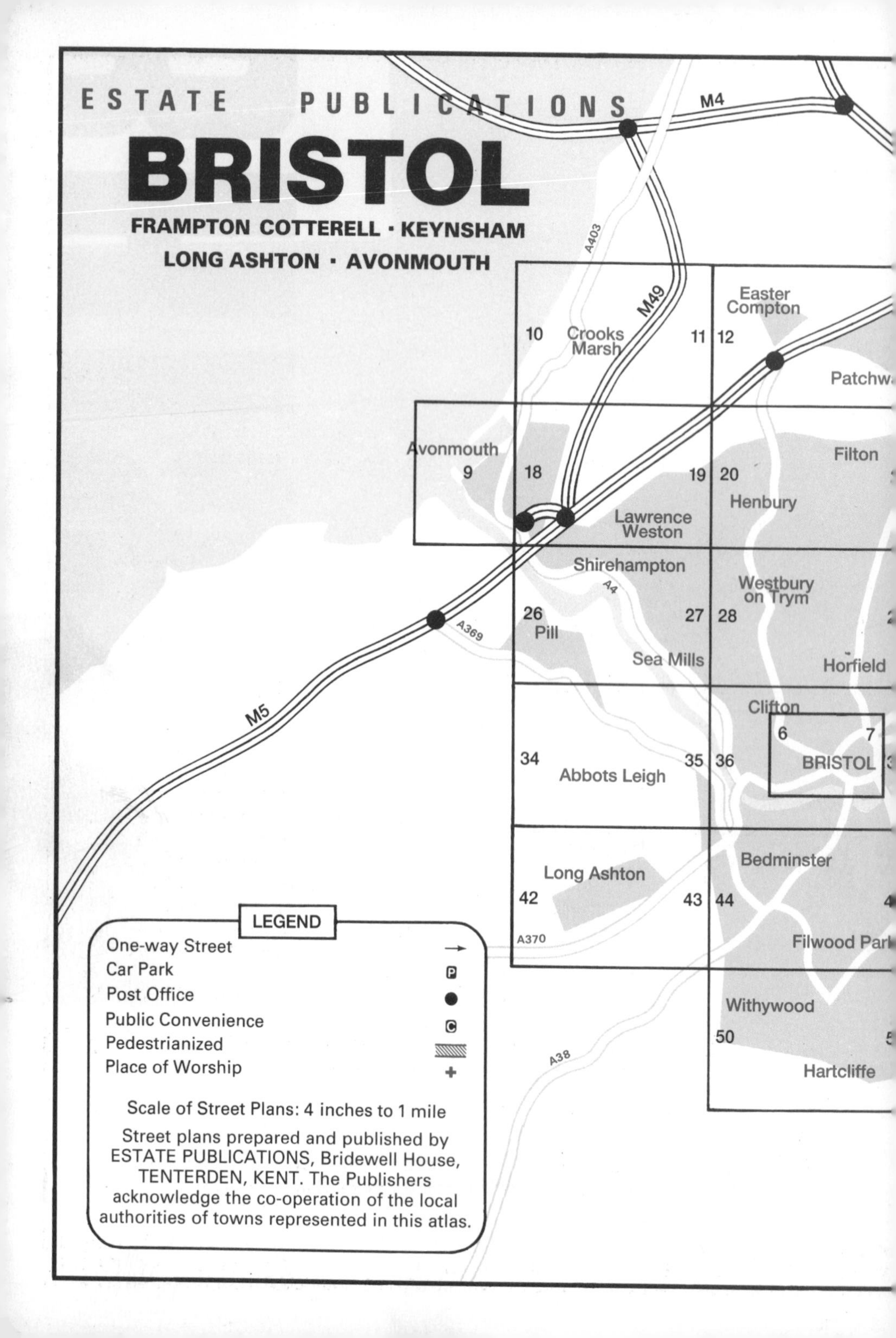

ESTATE PUBLICATIONS

BRISTOL

FRAMPTON COTTERELL · KEYNSHAM
LONG ASHTON · AVONMOUTH

M4

A403

M49

10 Crooks Marsh   11 12 Easter Compton

Patchwa

Avonmouth
9   18   19 20   Filton

Henbury

Lawrence Weston

Shirehampton

A4

26   27 28   Westbury on Trym
Pill

Sea Mills   Horfield

M5   A369

Clifton

34   35 36   6   7
Abbots Leigh   BRISTOL

Long Ashton   Bedminster

42   43 44

A370   Filwood Park

Withywood

50

A38   Hartcliffe

LEGEND

One-way Street	→
Car Park	Ⓟ
Post Office	●
Public Convenience	Ⓒ
Pedestrianized	▨
Place of Worship	✛

Scale of Street Plans: 4 inches to 1 mile

Street plans prepared and published by
ESTATE PUBLICATIONS, Bridewell House,
TENTERDEN, KENT. The Publishers
acknowledge the co-operation of the local
authorities of towns represented in this atlas.

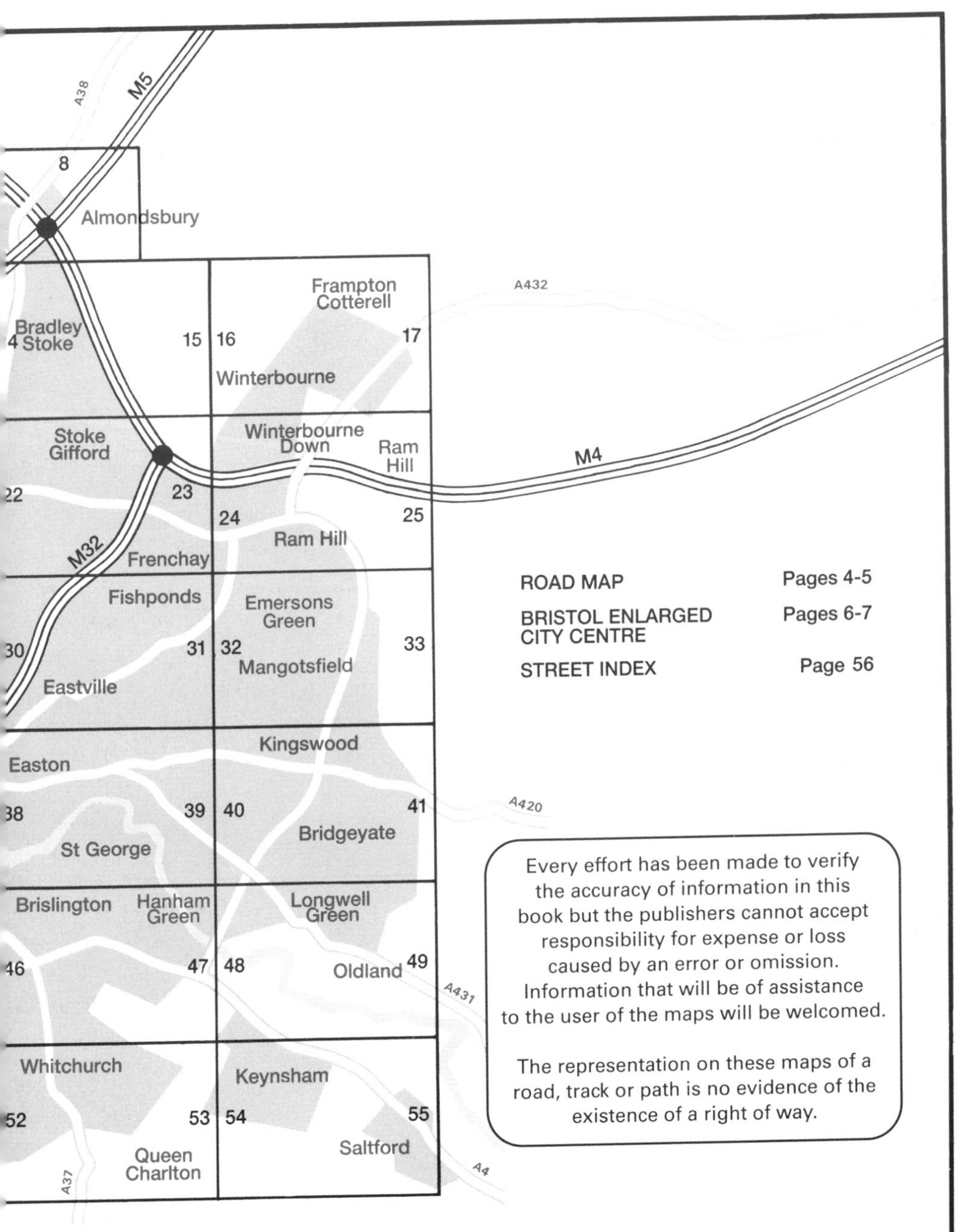

ROAD MAP   Pages 4-5

BRISTOL ENLARGED   Pages 6-7
CITY CENTRE

STREET INDEX   Page 56

Every effort has been made to verify
the accuracy of information in this
book but the publishers cannot accept
responsibility for expense or loss
caused by an error or omission.
Information that will be of assistance
to the user of the maps will be welcomed.

The representation on these maps of a
road, track or path is no evidence of the
existence of a right of way.

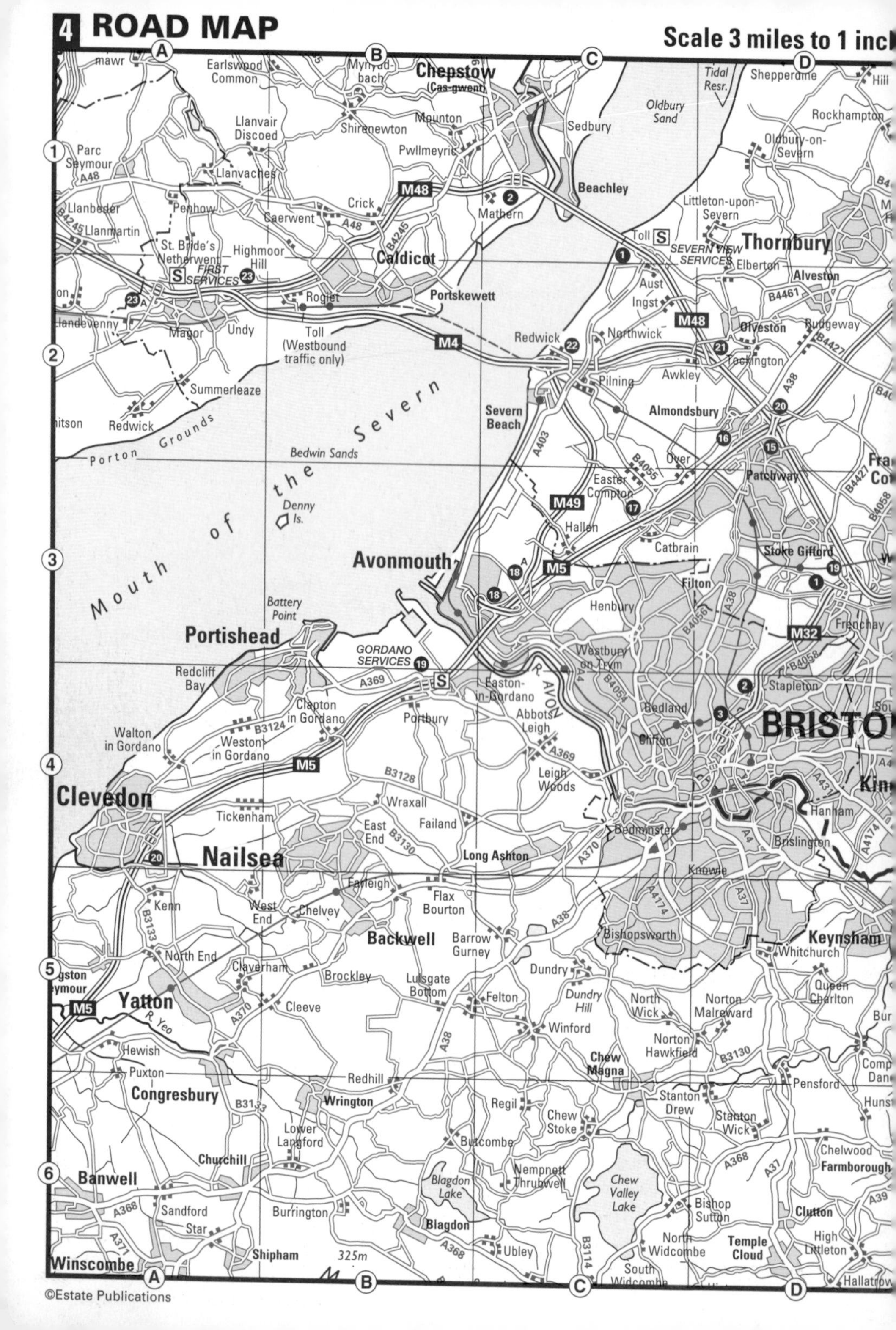
Scale 3 miles to 1 inc
A
B
C
D
1
2
3
4
5
6
Earlswood Common
Mynydd-bach
Chepstow
(Cas-gwent)
Tidal Resr.
Shepperdine
Hill
Oldbury Sand
Rockhampton
Sedbury
Llanvair Discoed
Shirenewton
Mounton
Pwllmeyric
Oldbury-on-Severn
Parc Seymour
A48
Llanvaches
M48
Beachley
Llanbeder
Penhow
Crick
Caerwent
A48
Mathern
Littleton-upon-Severn
B4245
Llanmartin
B4245
Toll
S
Thornbury
St. Bride's Netherwent
Highmoor Hill
Caldicot
SEVERN VIEW SERVICES
S
FIRST SERVICES
Elberton
Alveston
Aust
Rogiet
Portskewett
Ingst
B4461
Llandevenny
Magor
Undy
Toll (Westbound traffic only)
Redwick
Northwick
M48
Olveston
Rudgeway
M4
B4427
Tockington
Pilning
Awkley
Summerleaze
A38
Severn Beach
Almondsbury
Redwick
Porton Grounds
Mouth of the Severn
Bedwin Sands
A403
B4055
Over
Patchway
Easter Compton
M49
B4427
Denny Is.
Hallen
B4058
Catbrain
Avonmouth
Stoke Gifford
M5
Filton
Battery Point
Henbury
Portishead
B4056
A38
M32
Frenchay
GORDANO SERVICES
Westbury on Trym
Redcliff Bay
A369
S
Easton-in-Gordano
R. AVON
A4
B4054
B4058
Stapleton
Clapton in Gordano
Portbury
Abbots Leigh
Redland
BRISTO
Walton in Gordano
B3124
Weston in Gordano
Clifton
A369
M5
Leigh Woods
B3128
Clevedon
Wraxall
Tickenham
Failand
A431
Hanham
East End
B3130
Bedminster
Nailsea
Long Ashton
A370
A4
Brislington
A4174
Knowle
Farleigh
Kenn
West End
Chelvey
Flax Bourton
A4174
A37
B3133
A38
Backwell
Barrow Gurney
Bishopsworth
Keynsham
North End
Whitchurch
Claverham
Dundry
Brockley
Lulsgate Bottom
Queen Charlton
Yatton
M5
R. Yeo
A370
Cleeve
Felton
Dundry Hill
North Wick
Norton Malreward
Winford
A38
Norton Hawkfield
Hewish
Chew Magna
B3130
Puxton
Redhill
Pensford
Congresbury
B3133
Wrington
Regil
Stanton Drew
Chew Stoke
Stanton Wick
Lower Langford
Butcombe
Chelwood
Churchill
A368
A37
Farmborough
Banwell
Nempnett Thrubwell
Blagdon Lake
Chew Valley Lake
A368
Sandford
Burrington
Bishop Sutton
Clutton
Star
Blagdon
A368
B3114
North Widcombe
Temple Cloud
High Littleton
A371
Winscombe
Shipham
325m
Ubley
South Widcombe
Hallatrow

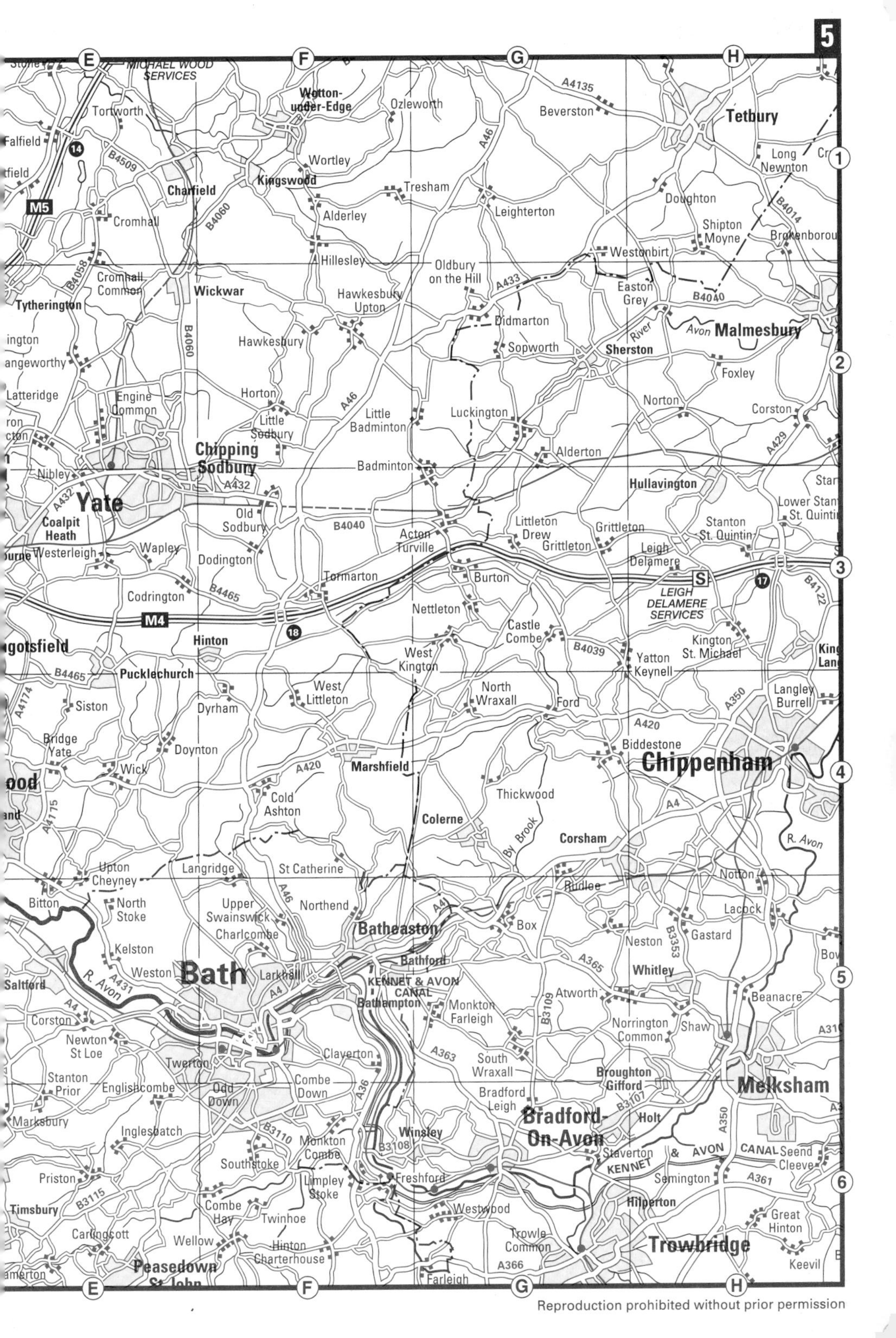
E
F
G
H
1
2
3
4
5
6
MICHAEL WOOD SERVICES
Wotton-under-Edge
Ozleworth
A4135
Beverston
Tetbury
Tortworth
Falfield
14
B4509
Wortley
A46
Long Newnton
M5
Charfield
Kingswood
Tresham
Doughton
B4060
Cromhall
Alderley
Leighterton
B4014
Shipton Moyne
Hillesley
Westonbirt
B4058
Cromhall Common
Oldbury on the Hill
A433
Easton Grey
Tytherington
Wickwar
Hawkesbury Upton
B4040
Didmarton
River Avon
Malmesbury
Hawkesbury
Sopworth
Sherston
Latteridge
Engine Common
Horton
Foxley
Little Sodbury
Little Badminton
Luckington
Norton
Corston
A429
Chipping Sodbury
Alderton
Nibley
Badminton
Hullavington
A432
Yate
Old Sodbury
Lower Stanton St. Quintin
Coalpit Heath
B4040
Acton Turville
Littleton Drew
Grittleton
Stanton St. Quintin
Westerleigh
Wapley
Dodington
Leigh Delamere
Burton
S
17
Tormarton
B4122
Codrington
B4465
LEIGH DELAMERE SERVICES
Nettleton
M4
Castle Combe
Hinton
18
B4039
Kington St. Michael
West Kington
Yatton Keynell
B4465
Pucklechurch
A4174
Siston
West Littleton
North Wraxall
Langley Burrell
Dyrham
Ford
A350
A420
Bridge Yate
Doynton
Biddestone
Wick
A420
Marshfield
Chippenham
Cold Ashton
Thickwood
A4175
Colerne
A4
By Brook
Corsham
R. Avon
Upton Cheyney
Langridge
St Catherine
Notton
Rudloe
Bitton
North Stoke
Upper Swainswick
A46
Northend
Lacock
Batheaston
A4
Box
Charlcombe
Kelston
Gastard
Neston
B3353
Bathford
Saltford
Weston
Bath
Larkhall
A365
Whitley
A431
KENNET & AVON CANAL
R. Avon
A4
Bathampton
Monkton Farleigh
Atworth
Beanacre
A4
Corston
B3109
Norrington Common
Shaw
Newton St Loe
Claverton
A363
South Wraxall
Twerton
Broughton Gifford
Stanton Prior
Englishcombe
Odd Down
Combe Down
A36
Melksham
Bradford Leigh
B3107
Marksbury
Bradford-On-Avon
Holt
A350
Inglesbatch
B3110
Winsley
Monkton Combe
B3108
Staverton
KENNET & AVON CANAL
Seend Cleeve
Southstoke
Priston
Limpley Stoke
Freshford
Semington
A361
B3115
Timsbury
Combe Hay
Westwood
Hilperton
Great Hinton
Twinhoe
Carlingcott
Wellow
Trowle Common
Hinton Charterhouse
Trowbridge
Peasedown St John
A366
Keevil
Farleigh

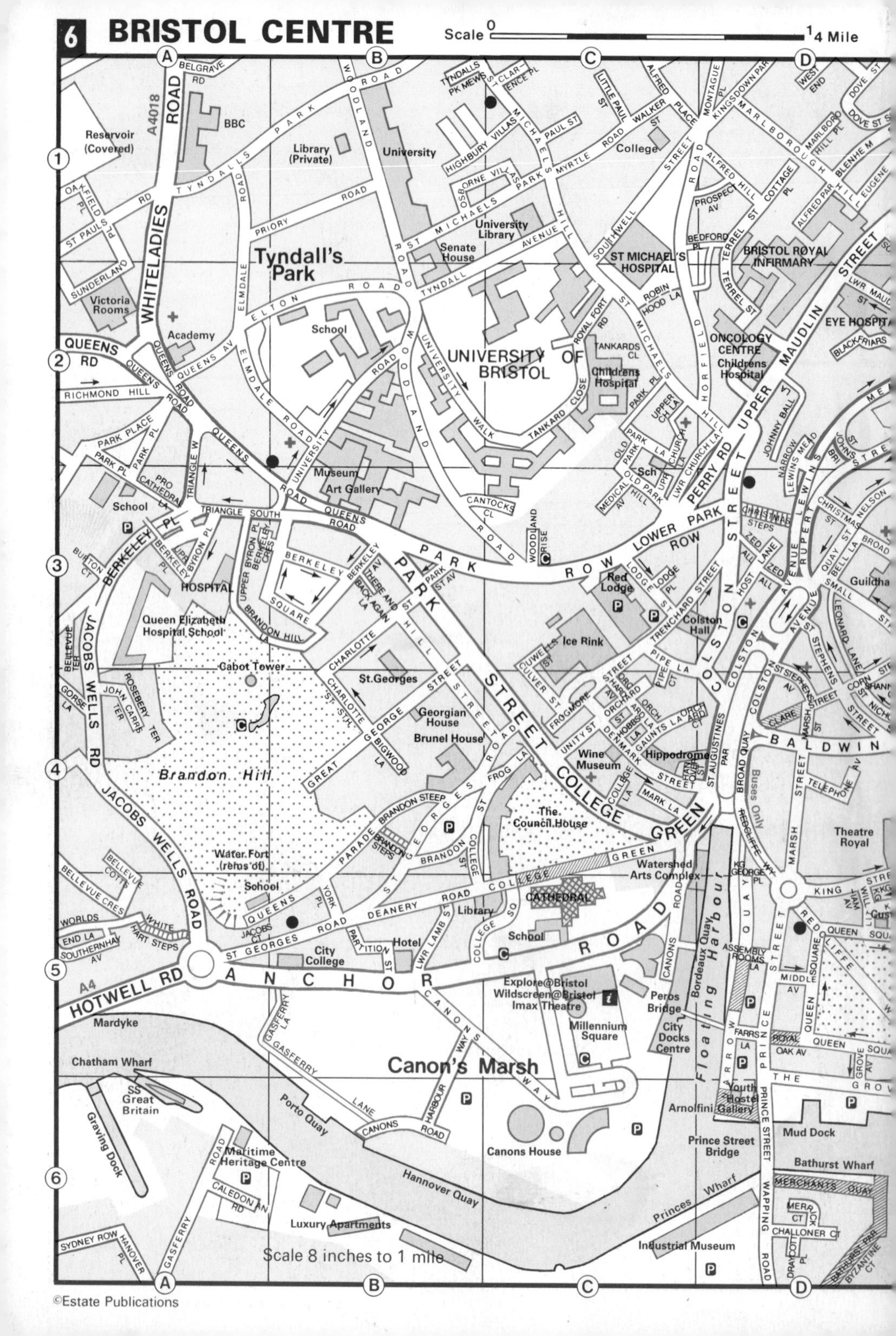

6 BRISTOL CENTRE

Scale 0 | 1/4 Mile

Scale 8 inches to 1 mile

©Estate Publications

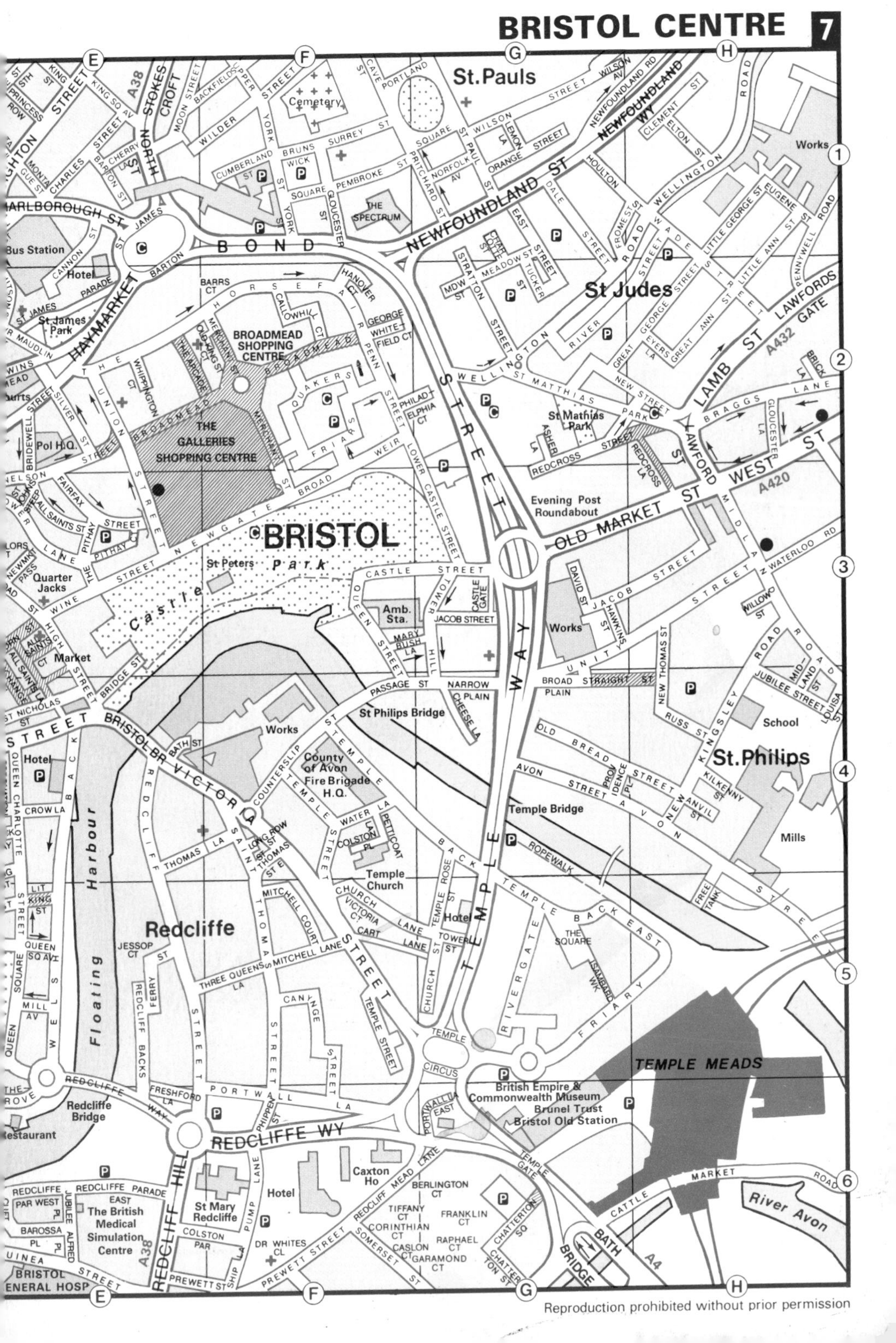
E
F
G
H
1
2
3
4
5
6
St.Pauls
Cemetery
Works
St Judes
BROADMEAD SHOPPING CENTRE
THE GALLERIES SHOPPING CENTRE
BRISTOL
Castle Park
St Peters
Bus Station
Hotel
St.James Park
Pol H.Q.
Quarter Jacks
Market
THE SPECTRUM
Evening Post Roundabout
St Mathias Park
Amb. Sta.
Works
School
St.Philips
Mills
St Philips Bridge
County of Avon Fire Brigade H.Q.
Temple Bridge
Temple Church
Redcliffe
Floating Harbour
Redcliffe Bridge
Restaurant
TEMPLE MEADS
British Empire & Commonwealth Museum
Brunel Trust
Bristol Old Station
Caxton Ho
St Mary Redcliffe
The British Medical Simulation Centre
BRISTOL GENERAL HOSP
River Avon
HAYMARKET
BOND ST
NEWFOUNDLAND ST
NEWFOUNDLAND WY
STOKES CROFT
NORTH ST
MARLBOROUGH ST
BROADMEAD
HORSEFAIR
UNION STREET
NEWGATE
WINE STREET
HIGH STREET
BRISTOL BR
VICTORIA ST
TEMPLE WAY
OLD MARKET ST
WEST ST
LAMB ST
LAWFORDS GATE
A432
A420
A38
A4
CASTLE STREET
JACOB STREET
UNITY ST
AVON STREET
TEMPLE BACK
TEMPLE CIRCUS
REDCLIFFE WY
REDCLIFF HILL
REDCLIFF STREET
PORTWALL LA
PREWETT ST
CATTLE MARKET ROAD
BATH BRIDGE
KINGSLEY ROAD
MIDLAND ROAD
WATERLOO RD
STRAIGHT ST
BROAD PLAIN
ROPEWALK
QUEEN SQUARE
WELSH BACK
REDCLIFFE PARADE

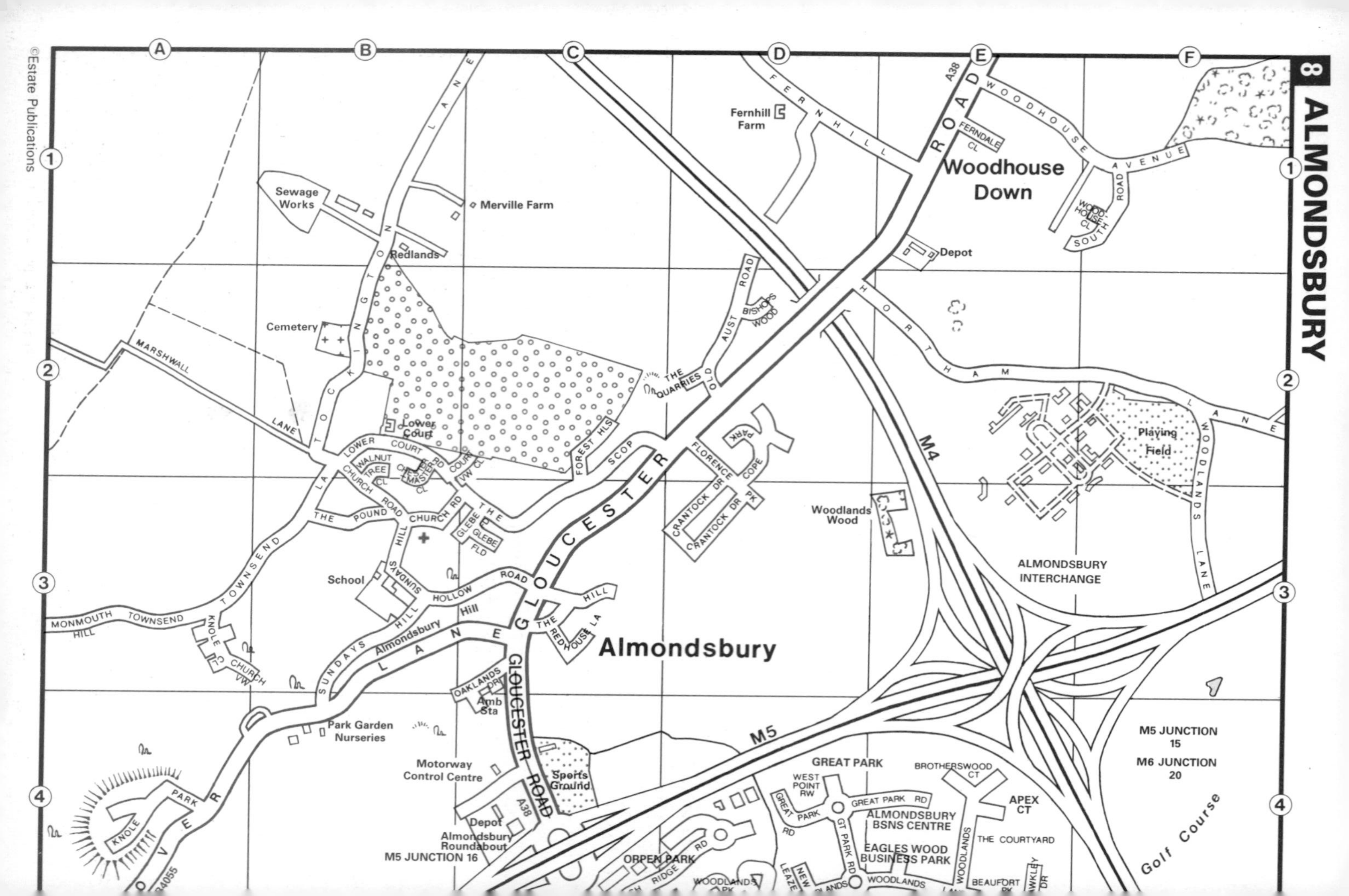

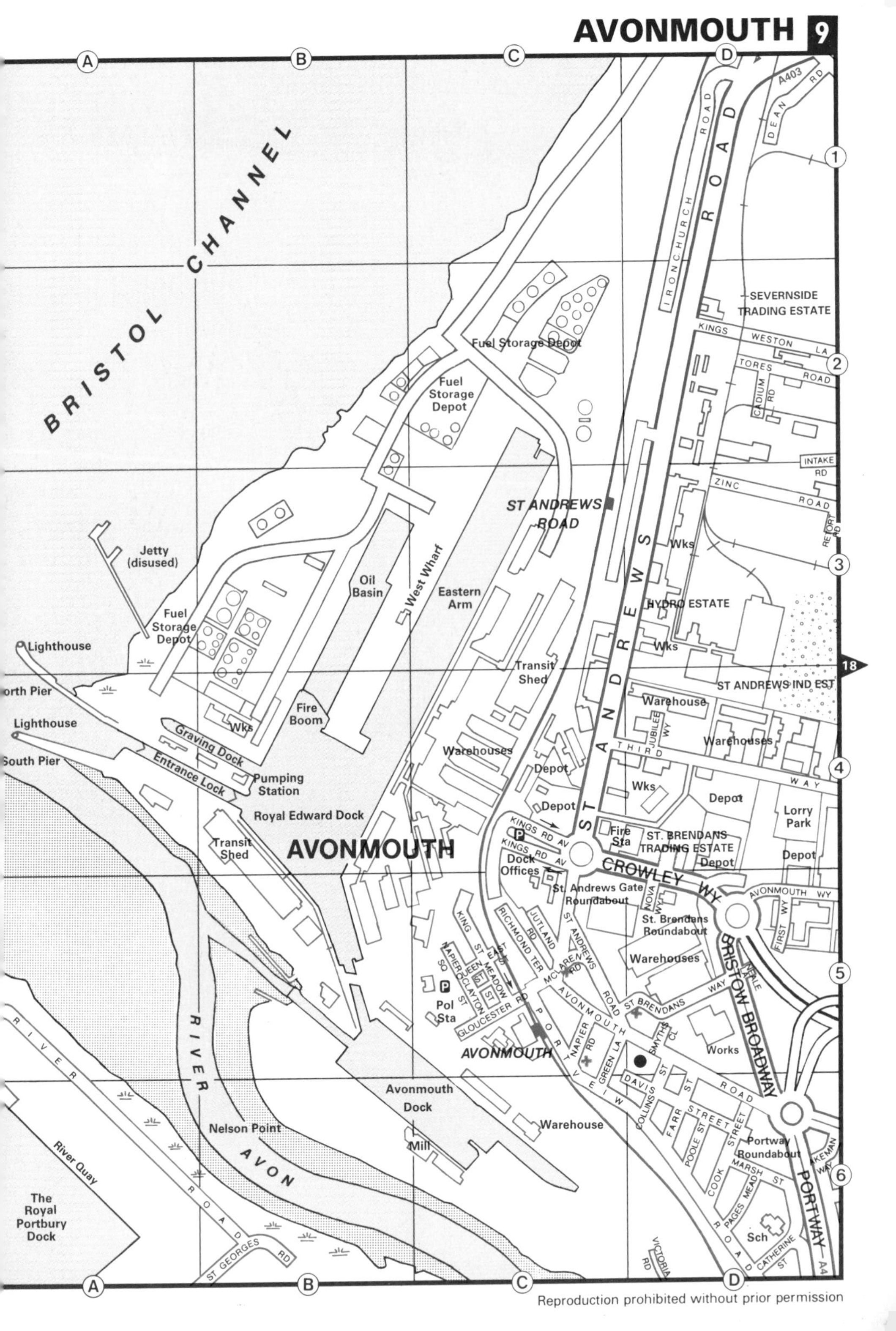

BRISTOL CHANNEL

Lighthouse
North Pier
Lighthouse
South Pier

Jetty
(disused)

Fuel
Storage
Depot

Fuel Storage Depot

Fuel
Storage
Depot

Oil
Basin

West Wharf

Eastern
Arm

ST ANDREWS
ROAD

SEVERNSIDE
TRADING ESTATE

KINGS WESTON LA

TORES

CIDIUM ROAD

INTAKE RD

ZINC ROAD

Wks

HYDRO ESTATE

Wks

ST ANDREWS IND EST

Warehouse

Warehouses

Transit
Shed

Wks
Graving Dock
Entrance Lock

Fire
Boom

Warehouses

JUBILEE WY

THIRD

WAY

Depot

Wks

Depot

Depot

Lorry
Park

Depot

Pumping
Station

Royal Edward Dock

AVONMOUTH

Transit
Shed

KINGS RD AV

KINGS RD AV

Dock
Offices

Fire
Sta

ST. BRENDANS
TRADING ESTATE

St Andrews Gate
Roundabout

CROWLEY WY

Depot

AVONMOUTH WY

FIRST WY

St. Brendans
Roundabout

NOVA

RICHMOND TER

KING ST

ST ANDREWS RD

St. Brendans
Roundabout

St. Brendans

Warehouses

NAPIER CLOSE

GREEN EAST

RUTLAND RD

GLOUCESTER RD

PORTBURY RD

MOREAVEN RD

Pol
Sta

AVONMOUTH

Works

AVONMOUTH

Y NAPIER RD

GREEN LA W

DAVIS W

COLLINGS ST

SMITHS CL

ST BRENDANS ST

FARR ST

POOLE ST

COOK ST

Portway
Roundabout

PAGES MEAD

MARSH ST

STREET

STREET

Sch

VICTORIA RD

CATHERINE ST

KENHAM WY

RIVER AVON

Nelson Point

Avonmouth
Dock

Mill

Warehouse

PORTWAY A4

RIVER ROAD

River Quay

The
Royal
Portbury
Dock

ST GEORGES RD

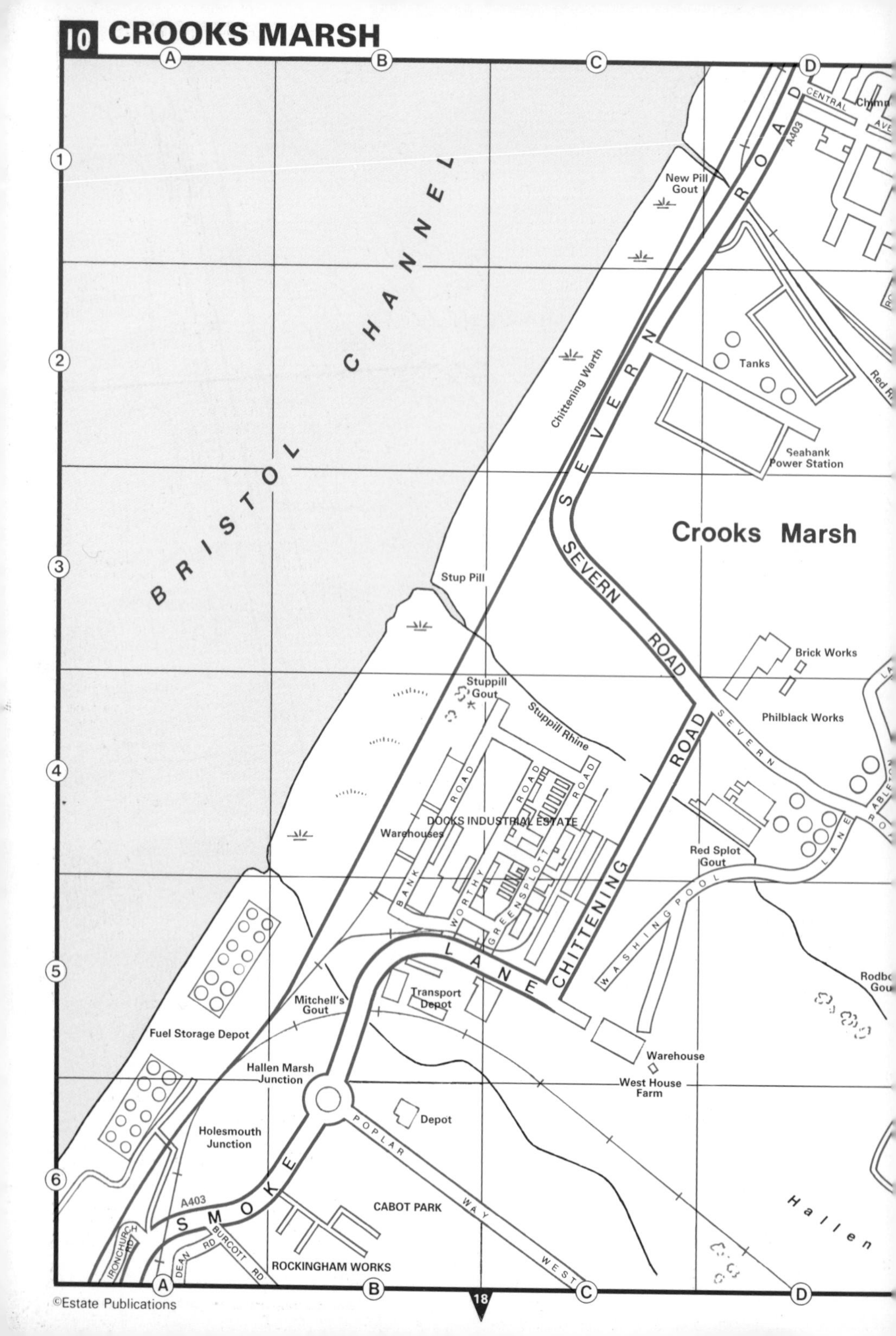

Crooks Marsh

BRISTOL CHANNEL

SEVERN ROAD

New Pill Gout

Chittening Warth

CENTRAL AVE

A403

Tanks

Seabank Power Station

Red Ri

Stup Pill

Stuppill Gout

Stuppill Rhine

Brick Works

Philblack Works

DOCKS INDUSTRIAL ESTATE

Warehouses

BANK ROAD

WORTHY ROAD

GREENSPOT ROAD

Red Splot Gout

CHITTENING ROAD

WASHING POOL LANE

Mitchell's Gout

Transport Depot

Fuel Storage Depot

Hallen Marsh Junction

Holesmouth Junction

LANE

Depot

Warehouse

West House Farm

Rodbo Gou

SMOKE LANE

POPLAR WAY

WEST

A403

IRONCHURCH

DEAN RD

BURCOTT RD

CABOT PARK

ROCKINGHAM WORKS

Hallen

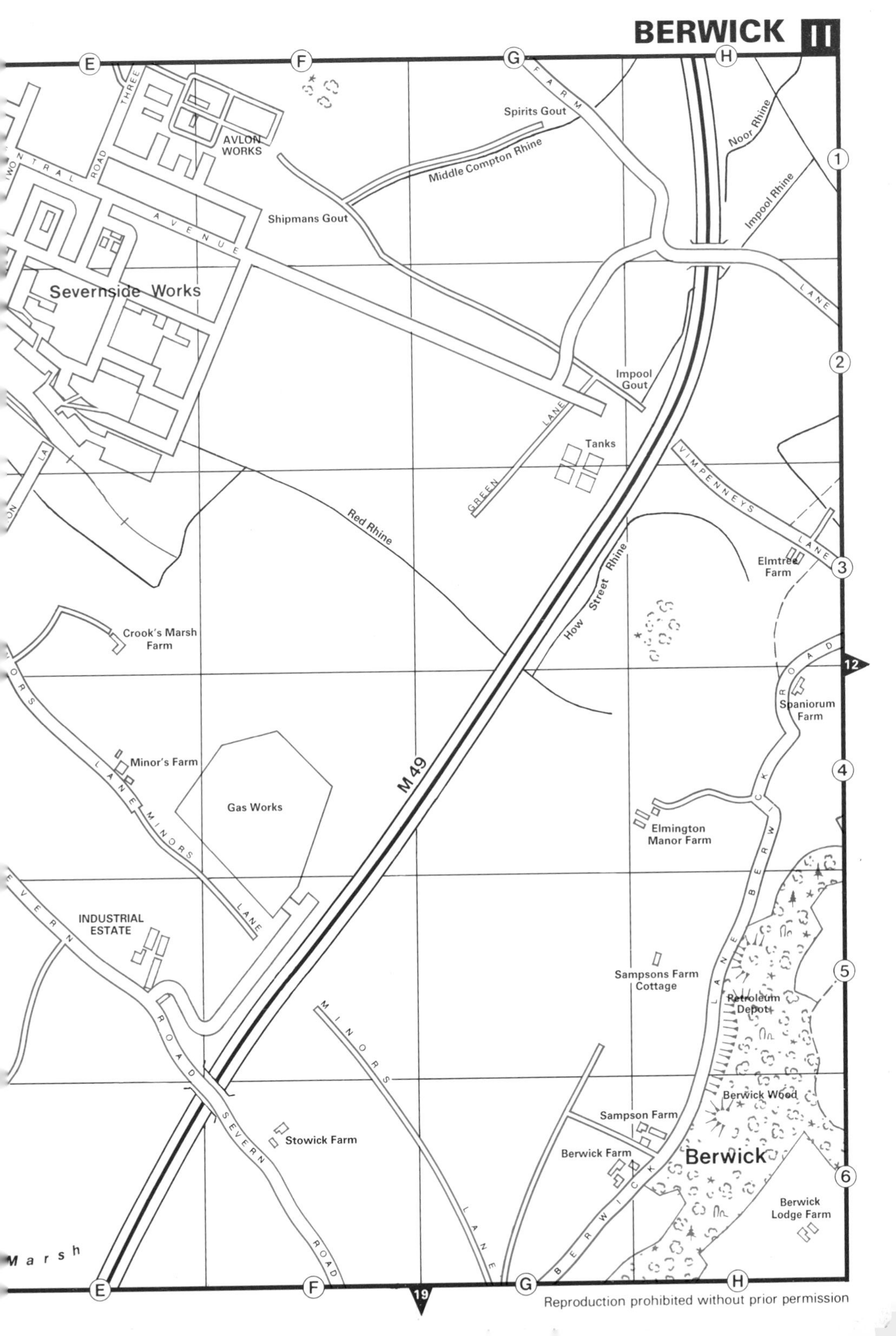
AVLON WORKS
Spirits Gout
Noor Rhine
Middle Compton Rhine
Impool Rhine
Shipmans Gout
Severnside Works
Impool Gout
Tanks
Red Rhine
Elmtree Farm
How Street Rhine
Crook's Marsh Farm
Spaniorum Farm
Minor's Farm
Gas Works
M49
Elmington Manor Farm
INDUSTRIAL ESTATE
Sampsons Farm Cottage
Petroleum Depot
Berwick Wood
Sampson Farm
Stowick Farm
Berwick Farm
Berwick
Berwick Lodge Farm
Marsh

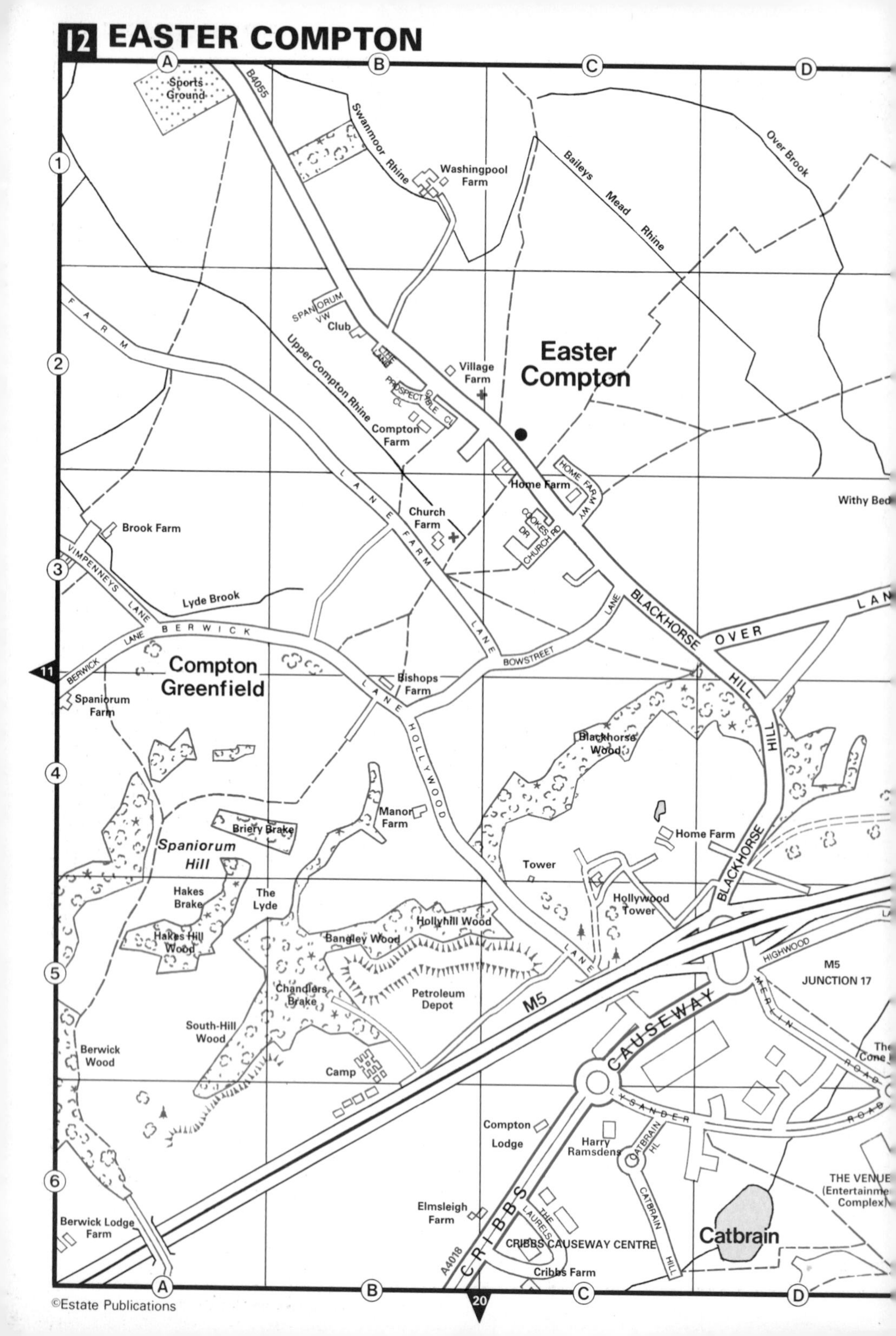

Sports Ground

Swanmoor Rhine

Washingpool Farm

Baileys Mead Rhine

Over Brook

B4055

FARM

Spaniorum VW Club

Upper Compton Rhine

Village Farm

Easter Compton

Compton Farm

PROSPECT PLACE CL

Withy Bed

Home Farm

HOME FARM WY

Brook Farm

Church Farm

CROMES OR CHURCH RD

VIMPENNEYS LANE

Lyde Brook

BERWICK

LANE FARM

LANE

11

BERWICK LANE

Compton Greenfield

Spaniorum Farm

Bishops Farm

BOWSTREET

LANE

BLACKHORSE

OVER

LANE

HILL

Blackhorse Wood

Manor Farm

HOLLYWOOD

LANE

Briery Brake

Spaniorum Hill

Home Farm

BLACKHORSE

Tower

Hollywood Tower

Hakes Brake

The Lyde

Hollyhill Wood

HIGHWOOD

M5 JUNCTION 17

Hakes Hill Wood

Bangley Wood

The Cone

MERLIN ROAD

Chandlers Brake

Petroleum Depot

M5

CAUSEWAY

South-Hill Wood

Berwick Wood

Camp

LYSANDER

Compton Lodge

Harry Ramsdens

CATBRAIN HL

THE VENUE (Entertainme Complex)

ROAD

Berwick Lodge Farm

CRIBBS

Elmsleigh Farm

A401B

LAUREL

CATBRAIN HILL

Catbrain

CRIBBS CAUSEWAY CENTRE

Cribbs Farm

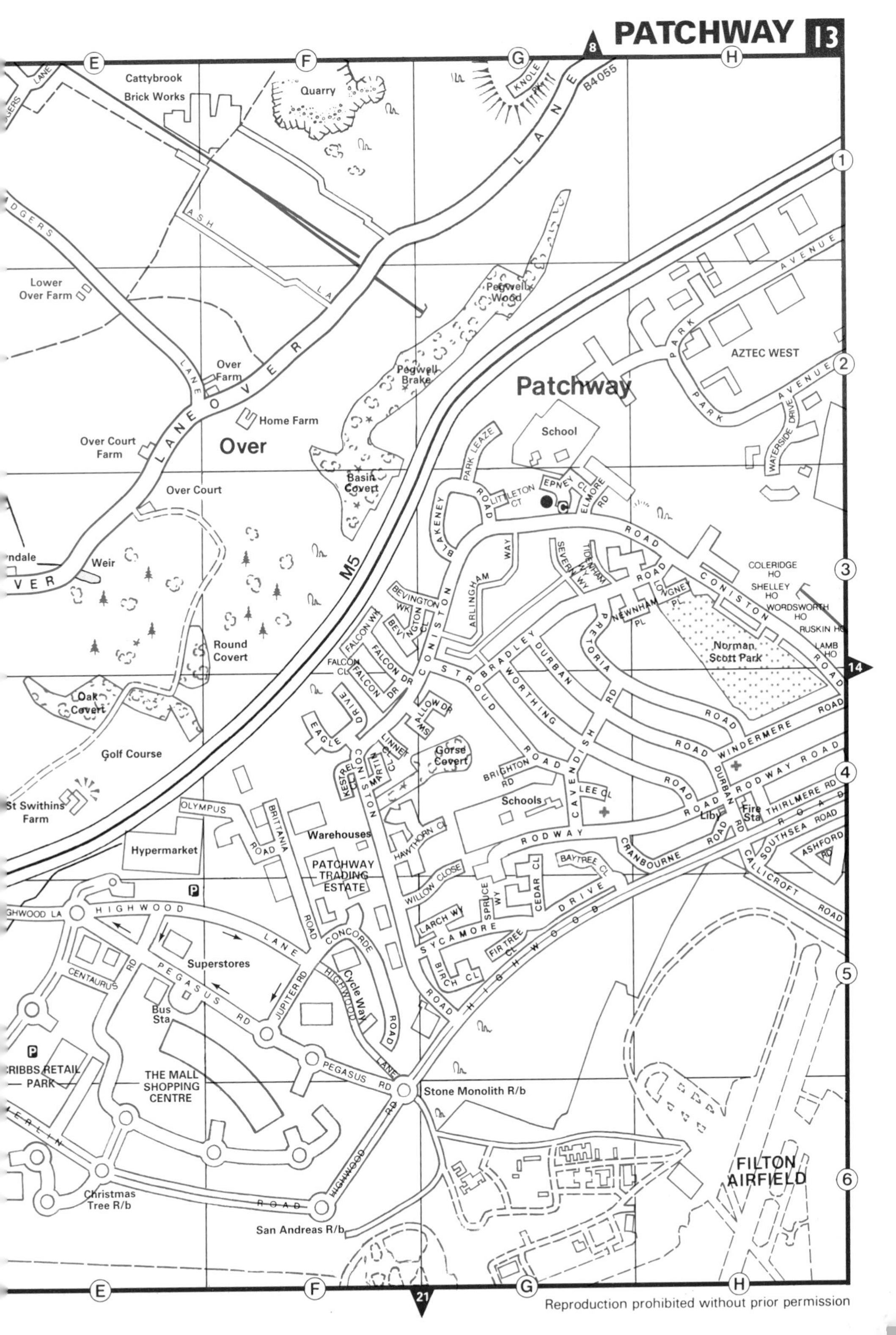
Cattybrook
Brick Works
Quarry
B4055
KNOLE PK
Lower
Over Farm
ASH LA
Pegwell Wood
Over Farm
Pegwell Brake
AZTEC WEST
PARK AVENUE
Patchway
Home Farm
Over Court Farm
Over
School
WATERSIDE DRIVE
Basin Covert
Over Court
PARK LEAZE
EPNEY CL
ELMORE RD
LITTLETON CT
BLAKENEY RD
ARLINGHAM WAY
SEVERN WY
TIDENHAM WY
CONISTON ROAD
COLERIDGE HO
SHELLEY HO
WORDSWORTH HO
RUSKIN HO
LAMB HO
Weir
M5
BEVINGTON WK
BEVINGTON CL
LONGNEY PL
NEWNHAM PL
PRETORIA RD
Norman Scott Park
Round Covert
FALCON WK
FALCON CL
FALCON DR
STROUD RD
BRADLEY
DURBAN
WORTHING
Oak Covert
EAGLE DRIVE
SWALLOW DR
WINDERMERE ROAD
Golf Course
KESTREL CL
MARTIN CL
LINNET CL
Gorse Covert
BRIGHTON RD
CAVENDISH ROAD
RODWAY ROAD
St Swithins Farm
OLYMPUS ROAD
BRITTANIA ROAD
Warehouses
Schools
LEE CL
Liby
Fire Sta
THIRLMERE RD
SOUTHSEA ROAD
ASHFORD RD
Hypermarket
PATCHWAY TRADING ESTATE
HAWTHORN CL
RODWAY
CRANBOURNE ROAD
CALLICROFT ROAD
WILLOW CLOSE
SPRUCE WY
CEDAR CL
BAYTREE CL
HIGHWOOD LA
HIGHWOOD LANE
CONCORDE
LARCH WY
SYCAMORE
FIR TREE CL
HIGHWOOD DRIVE
CENTAURUS RD
PEGASUS RD
Superstores
JUPITER RD
Cycle Way
BIRCH CL
Bus Sta
CRIBBS RETAIL PARK
THE MALL SHOPPING CENTRE
PEGASUS RD
Stone Monolith R/b
HIGHWOOD RD
MERLIN
FILTON AIRFIELD
Christmas Tree R/b
ROAD
San Andreas R/b
E F G H
1 2 3 4 5 6
8 14 21

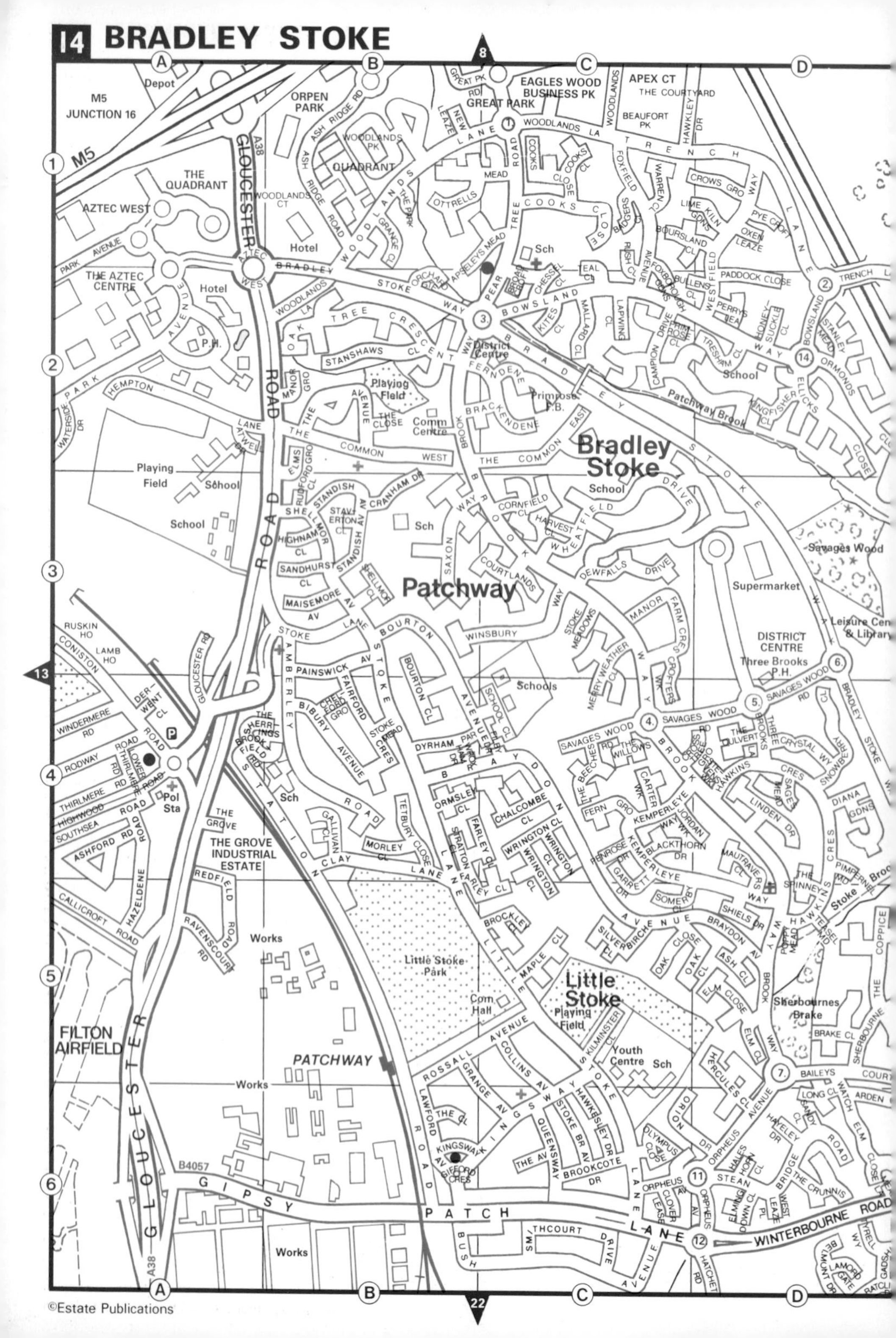
14
BRADLEY STOKE
M5 JUNCTION 16
M5
Depot
ORPEN PARK
WOODLANDS PK
QUADRANT
THE QUADRANT
AZTEC WEST
WOODLANDS CT
Hotel
THE AZTEC CENTRE
PARK AVENUE
GREAT PARK
EAGLES WOOD BUSINESS PK
APEX CT
THE COURTYARD
BEAUFORT PK
WOODLANDS LA
TRENCH LANE
GLOUCESTER ROAD
A38
BRADLEY STOKE WAY
District Centre
Playing Field
Comm Centre
THE COMMON WEST
THE COMMON EAST
Bradley Stoke
School
Patchway
Supermarket
Savages Wood
Leisure Cen & Library
DISTRICT CENTRE
Three Brooks P.H.
Schools
Sch
Primrose F.B.
Patchway Brook
THE GROVE INDUSTRIAL ESTATE
Works
Little Stoke Park
Com Hall
Little Stoke
Playing Field
Youth Centre
PATCHWAY
FILTON AIRFIELD
B4057
GIPSY PATCH LANE
WINTERBOURNE ROAD
Pol Sta
Sherbournes Brake
Stoke Brook
©Estate Publications

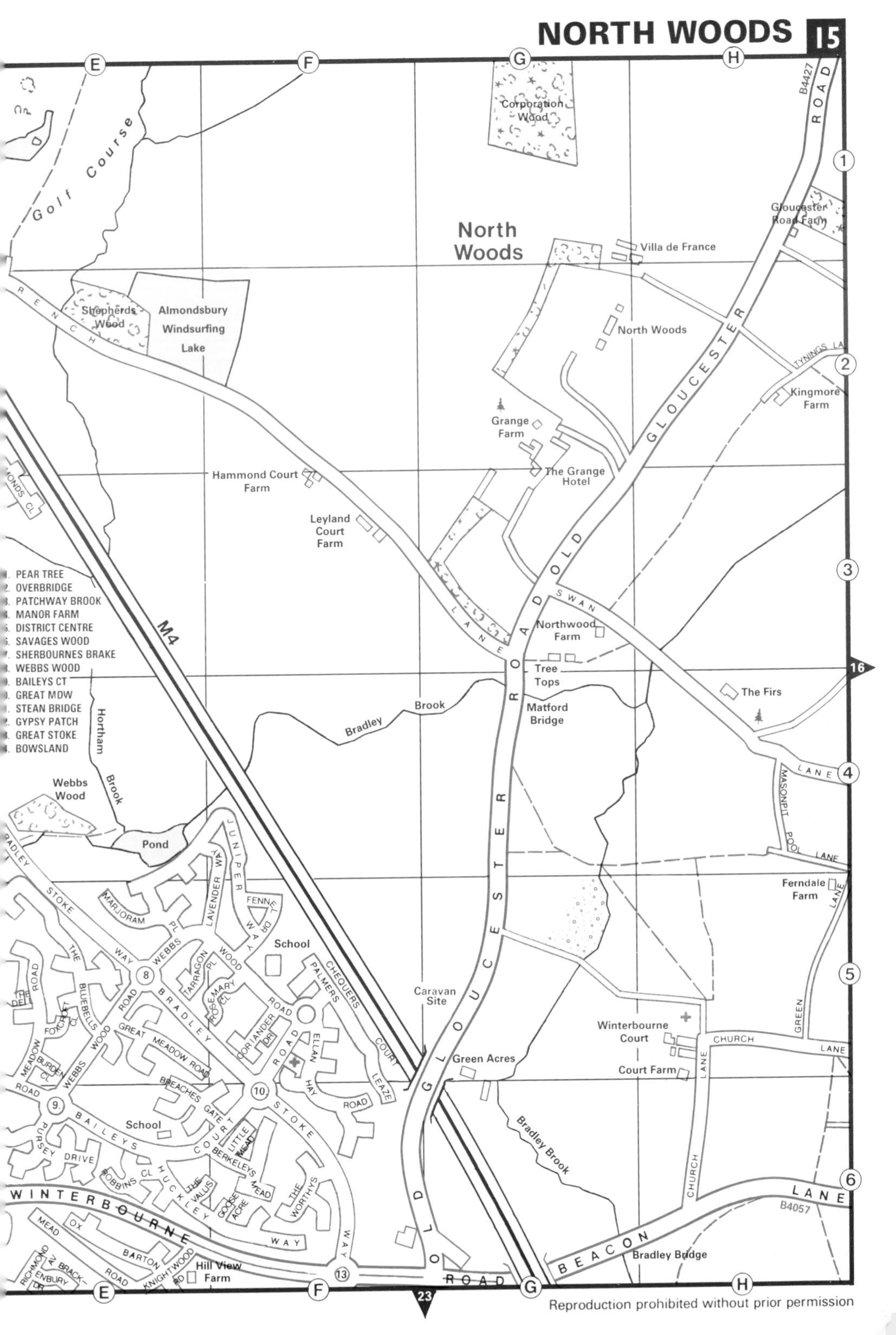

E F G H

B4427 ROAD

① Corporation Wood

Gloucester Road Farm

North Woods

Villa de France

TYNINGS LA ②

Kingmore Farm

Shepherds Wood

Almondsbury Windsurfing Lake

North Woods

GLOUCESTER

Grange Farm

The Grange Hotel

Hammond Court Farm

Leyland Court Farm

③

1. PEAR TREE
2. OVERBRIDGE
3. PATCHWAY BROOK
4. MANOR FARM
5. DISTRICT CENTRE
6. SAVAGES WOOD
7. SHERBOURNES BRAKE
8. WEBBS WOOD
9. BAILEYS CT
10. GREAT MDW
11. STEAN BRIDGE
12. GYPSY PATCH
13. GREAT STOKE
14. BOWSLAND

OLD SWAN

Northwood Farm

Tree Tops

16

M4

Bradley Brook

Matford Bridge

The Firs

LANE

④

Hortham Brook

POOL LANE

Webbs Wood

Ferndale Farm

LANE

Pond

Webbs Wood

⑤

JUNIPER WAY

School

GREEN

CHURCH

Caravan Site

Winterbourne Court

Court Farm

Green Acres

LANE

CHURCH

GLOUCESTER

8

9

School

10

Bradley Brook

⑥

WINTERBOURNE

BEACON LANE

B4057

Hill View Farm

13

OLD ROAD

Bradley Bridge

E F G H

23

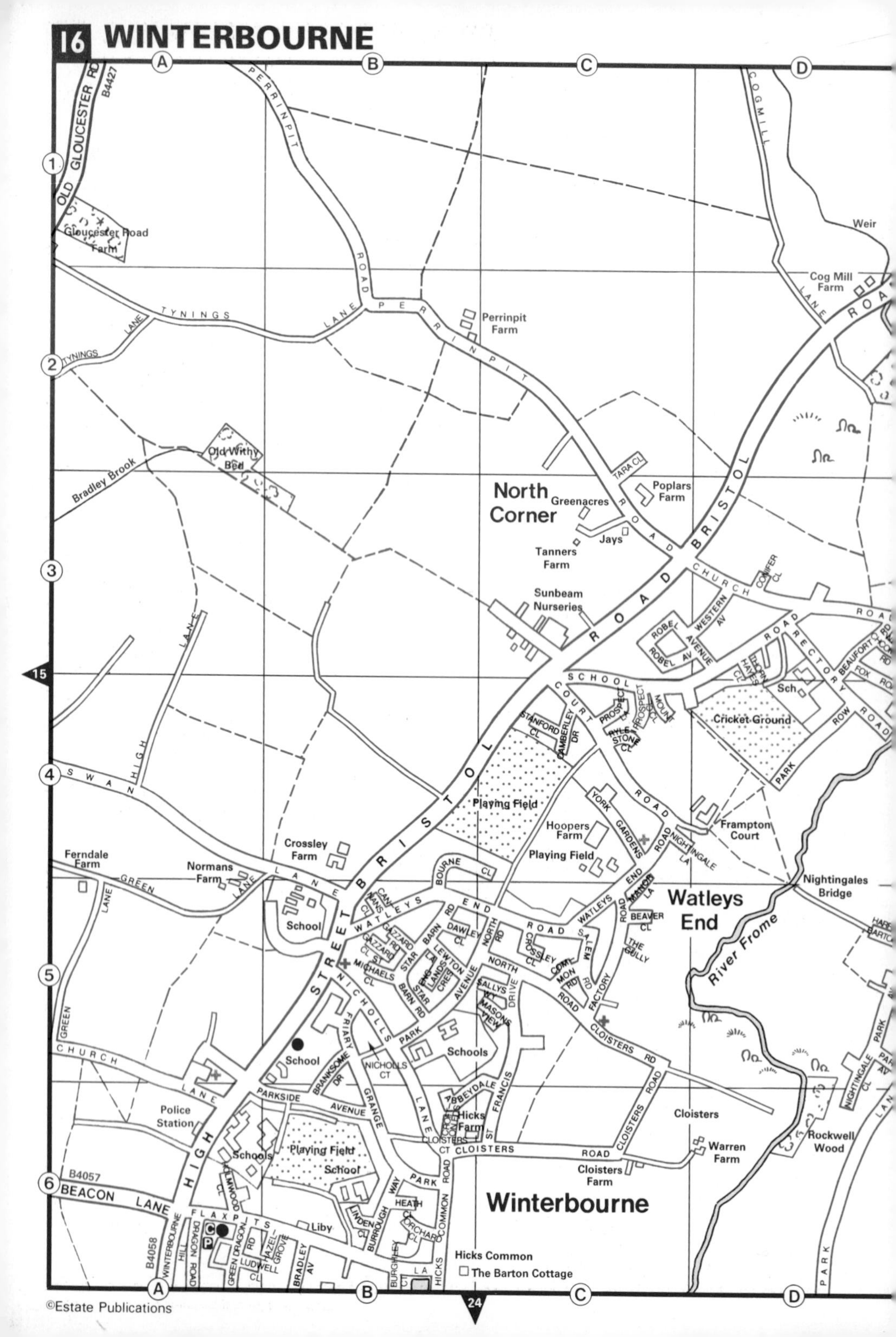

A
B
C
D
1
2
3
4
5
6
15
24
OLD GLOUCESTER RD
B4427
PERRINPIT ROAD
COGMILL LANE
Gloucester Road Farm
Weir
Cog Mill Farm
TYNINGS LANE
TYNINGS
PERRINPIT LANE
Perrinpit Farm
Old Withy Bed
Bradley Brook
North Corner
Greenacres
Poplars Farm
TARA CL
Jays
Tanners Farm
Sunbeam Nurseries
BRISTOL ROAD
CHURCH ROAD
CONIFER CL
ROBEL AVENUE
ROBEL AV
WESTERN AV
RECTORY ROAD
BEAUFORT RD
FOX
THORN HAYES CL
Sch
Cricket Ground
ROW ROAD
PARK ROW
SCHOOL COURT ROAD
STANFORD CL
CAMBERLEY DR
PROSPECT LA
PROSPECT CL
MOUNT
RYLESTONE CL
HIGH LANE
SWAN LANE
Playing Field
YORK GARDENS
Hoopers Farm
Playing Field
NIGHTINGALE LA
Frampton Court
Crossley Farm
Normans Farm
Ferndale Farm
GREEN LANE
Nightingales Bridge
Watleys End
River Frome
BOURNE CL
CANTRANS CL
WATLEYS END ROAD
MANOR LA
BEAVER CL
THE GULLY
SALEM RD
School
GAZZARD RD
GAZZARD CL
ST MICHAELS CL
STAR BARN RD
DAWLEY CL
LEWTON CRES
ENGLANDS CRES
NORTH RD
NORTH AVENUE
CROSSLEY CL
COMMON RD
FACTORY ROAD
SALLYS WY
MASONS VIEW
DRIVE
NICHOLLS PARK
FRIARY
School
Schools
CHURCH LANE
BRANKSOME DR
NICHOLLS CT
GRANGE AVENUE
PARKSIDE AVENUE
ABBEYDALE
Hicks Farm
FRANCIS ST
CLOISTERS RD
CLOISTERS ROAD
Cloisters
Police Station
Schools
Playing Field
School
CLOISTERS CT
Warren Farm
Cloisters Farm
Rockwell Wood
NIGHTINGALE CL
PARK AV
B4057
BEACON LANE
ELMWOOD CL
FLAXPITS LA
Liby
HEATH CL
ORCHARD CL
WAY PARK
LINDEN CL
BURROUGH WAY
Winterbourne
B4058
WINTERBOURNE HILL
DRAGON ROAD
GREEN DRAGON RD
HAZEL GROVE
LUDWELL CL
BRADLEY AV
BURGHLEY CL
HICKS COMMON ROAD
LA
Hicks Common
The Barton Cottage
PARK

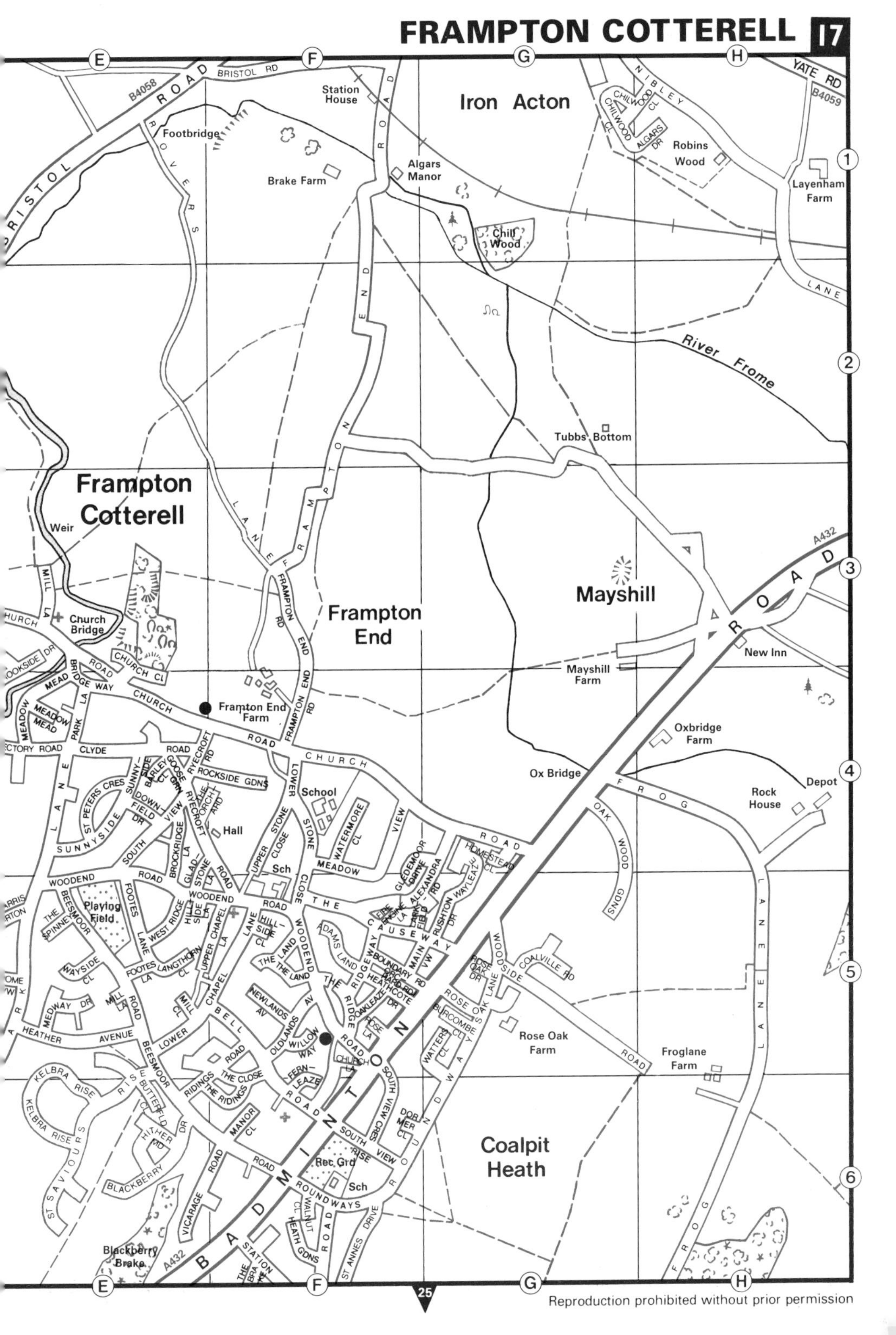
Iron Acton
Frampton Cotterell
Frampton End
Mayshill
Coalpit Heath
Station House
Brake Farm
Algars Manor
Chill Wood
Robins Wood
Layenham Farm
River Frome
Tubbs Bottom
Footbridge
Weir
Church Bridge
Framton End Farm
Mayshill Farm
New Inn
Oxbridge Farm
Ox Bridge
Rock House
Depot
School
Hall
Sch
Playing Field
Rose Oak Farm
Froglane Farm
Rec Grd
Blackberry Brake
BRISTOL ROAD
YATE RD
B4058
B4059
A432
BADMINTON ROAD
FRAMPTON END RD
ROVERS LANE
CHURCH ROAD
FROG LANE
25

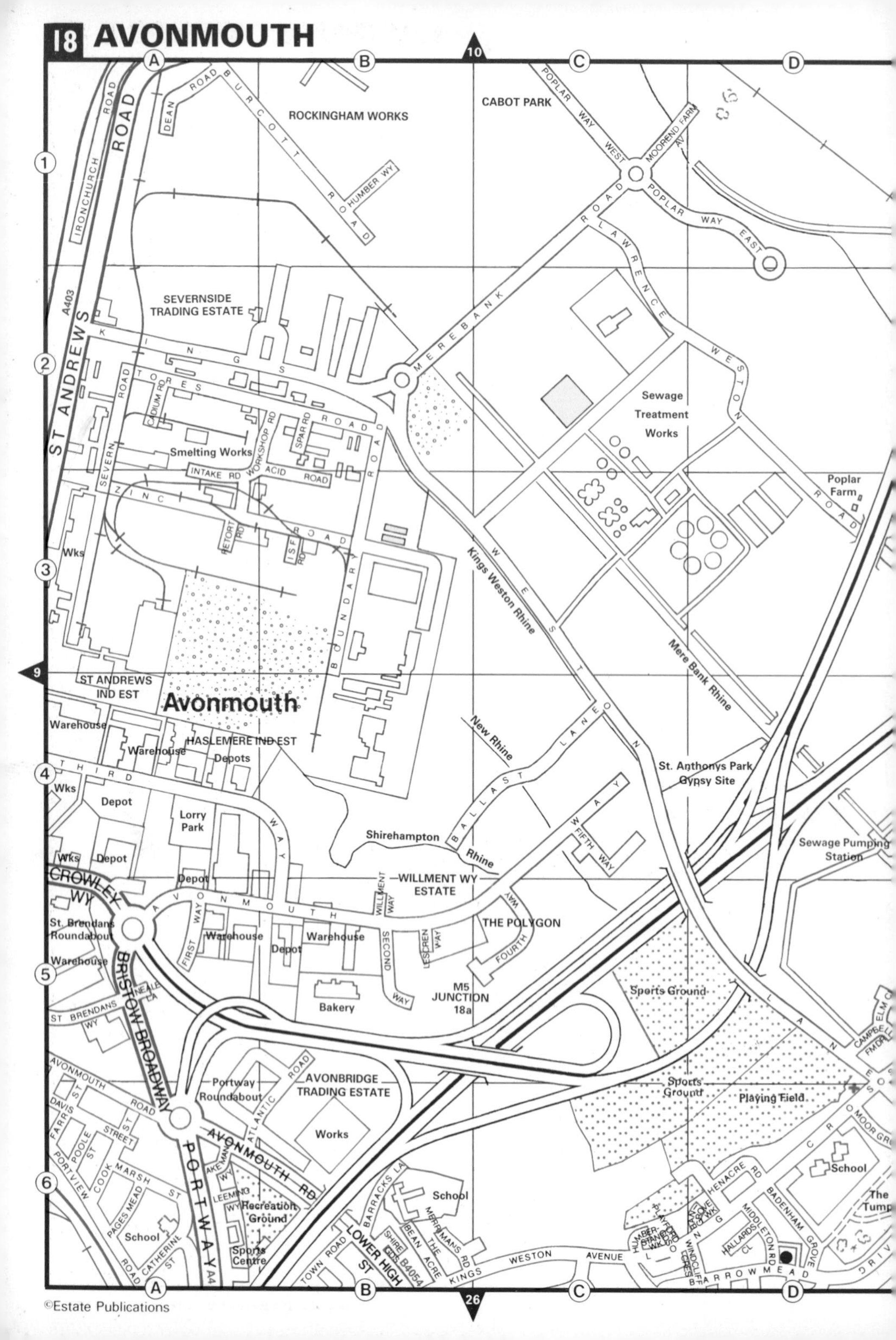
ROCKINGHAM WORKS
CABOT PARK
SEVERNSIDE TRADING ESTATE
Smelting Works
Sewage Treatment Works
Poplar Farm
Kings Weston Rhine
Mere Bank Rhine
New Rhine
ST ANDREWS IND EST
Avonmouth
HASLEMERE IND EST
St. Anthonys Park Gypsy Site
Shirehampton Rhine
Sewage Pumping Station
WILLMENT WY ESTATE
THE POLYGON
St. Brendans Roundabout
M5 JUNCTION 18a
Sports Ground
Playing Field
Portway Roundabout
AVONBRIDGE TRADING ESTATE
Works
Bakery
School
Recreation Ground
Sports Centre
ST ANDREWS ROAD
IRONCHURCH ROAD
BURCOTT ROAD
DEAN ROAD
HUMBER WY
POPLAR WAY WEST
POPLAR WAY EAST
MOOREND FARM AV
MEREBANK ROAD
LAWRENCE WESTON ROAD
KINGS WESTON LANE
BALLAST LANE
KINGS WESTON AVENUE
AVONMOUTH WAY
BRISTOW BROADWAY
PORTWAY
AVONMOUTH RD
AVONMOUTH ROAD
CROWLEY WY
ST BRENDANS WY
BARROWMEAD DR
LOWER HIGH ST
©Estate Publications

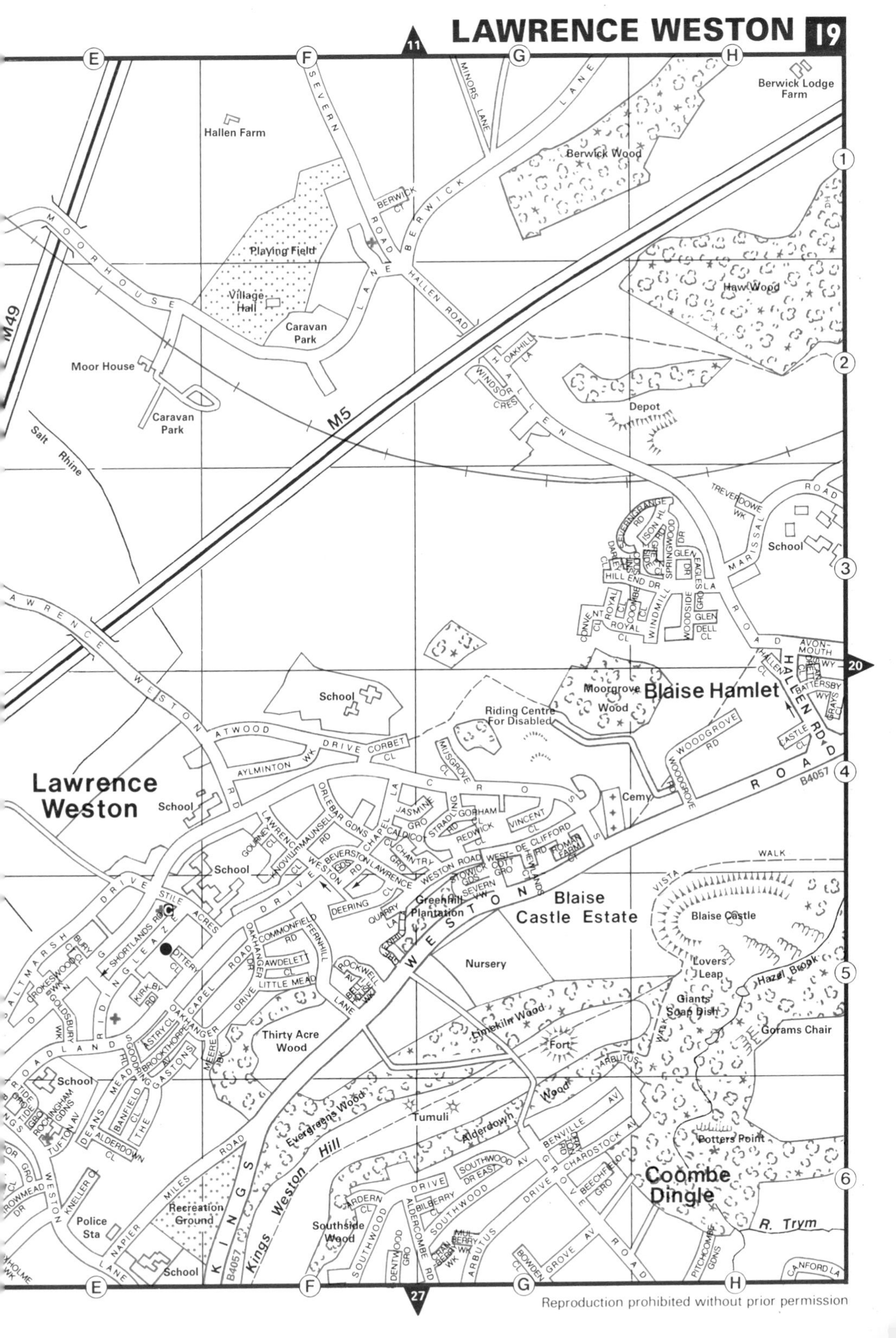
Lawrence Weston
Blaise Hamlet
Blaise Castle Estate
Coombe Dingle
Berwick Wood
Haw Wood
Hallen Farm
Berwick Lodge Farm
Playing Field
Village Hall
Caravan Park
Moor House
Salt Rhine
M5
M49
Depot
School
Riding Centre For Disabled
Moorgrove Wood
Cemy
Blaise Castle
Lovers Leap
Giants Soap Dish
Gorams Chair
Hazel Brook
Nursery
Limekiln Wood
Fort
Thirty Acre Wood
Evergreens Wood
Tumuli
Kings Weston Hill
Greenhill Plantation
Potters Point
Southside Wood
Recreation Ground
Police Sta
R. Trym
B4057

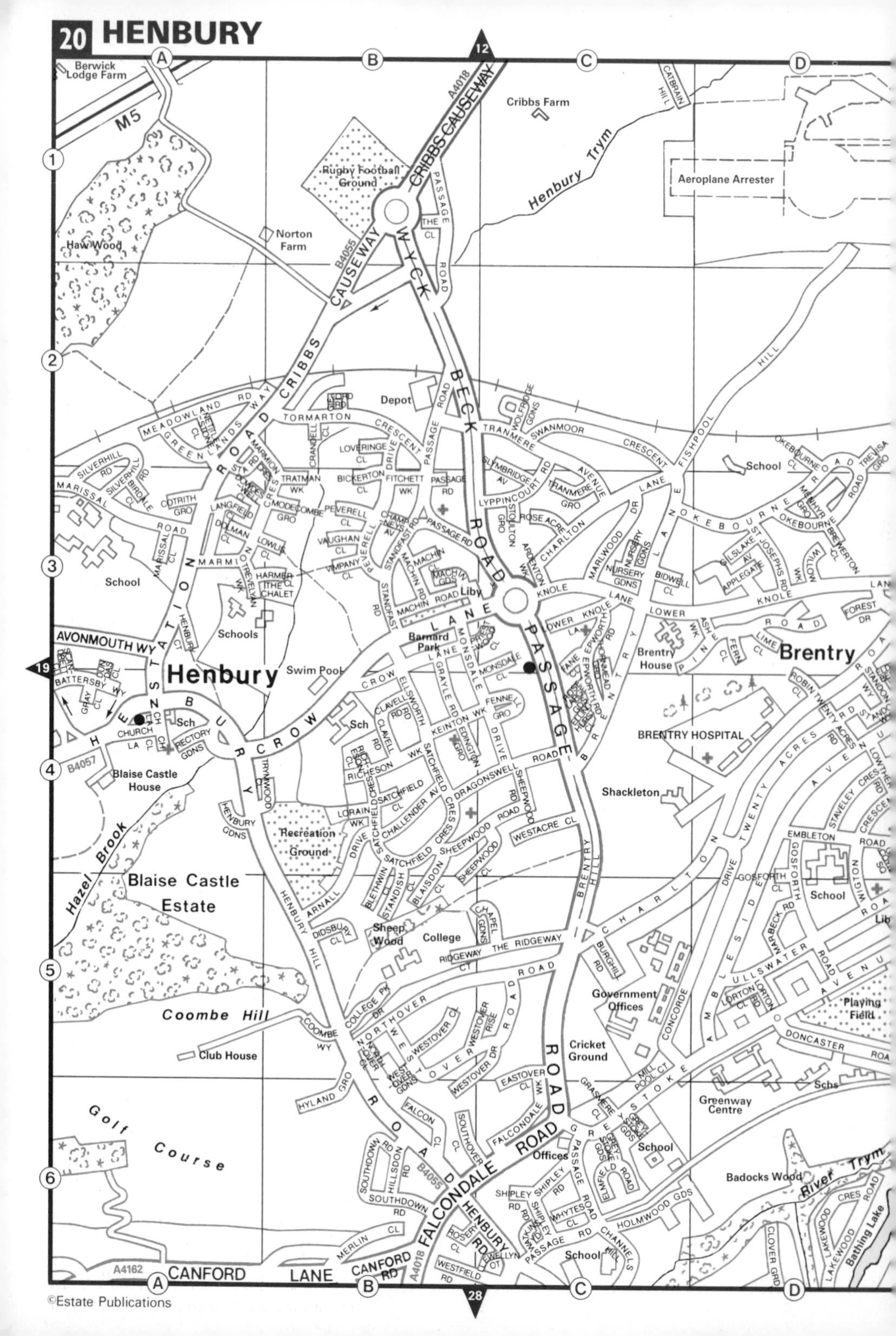
Berwick Lodge Farm
M5
Haw Wood
Norton Farm
Rugby Football Ground
Cribbs Farm
Henbury Trym
Aeroplane Arrester
CRIBBS CAUSEWAY
A4018
B4055
CAUSEWAY
WYCK
PASSAGE
THE CL
ROAD
BECK ROAD
CRIBBS
Depot
TORMARTON
CRESCENT
MEADOWLAND RD
GREENLANDS
WAY
LOVERINGE CL
DRIVE
TRANMERE
SWANMOOR
CRESCENT
FISHPOOL
HILL
School
OKEBOURNE
SILVERHILL RD
MARISSAL
BIRDALE CL
COTRITH GRO
TRATMAN WK
BICKERTON CL
FITCHETT WK
PASSAGE RD
SLYMBRIDGE AV
LYPPINCOURT RD
TRANMERE GRO
AVENUE
LANGFIELD
MODECOMBE GRO
PEVERELL CL
STOULTON GRO
ROSE ACRE
CHARLTON
MARLWOOD DR
NURSERY GDNS
LANE
ROAD
MARISSAL
DOLMAN CL
LOWLIS CL
VAUGHAN CL
MACHIN
MACHIN RD
MACHIN GDNS
ARDENTON WK
KNOLE
BIDWELL CL
GILSLAKE AV
APPLEGATE
JOSEPHS RD
WILLOW
BREWERTON CL
School
MARMION
HARMER CL
THE CHALET
VIMPANY CL
STANDFAST RD
MACHIN ROAD
Liby
KNOLE LANE
LOWER
ROAD
FOREST DR
STATION
Schools
AVONMOUTH WY
Barnard Park
LOWER KNOLE LA
EPWORTH RD
PINE
LIME CL
FERN CL
Brentry House
Brentry
Henbury
Swim Pool
CROW LANE
MONSDALE
GRAYLE RD
MONSDALE CL
BATTERSBY WY
GRAY CL
CHURCH LA
Sch
RECTORY GDNS
HENBURY
CROW
Sch
KEINTON WK
EDINGTON GRO
FENNELL GRO
DRIVE
ROBIN CL
TWENTY ACRES RD
BRENTRY HOSPITAL
B4057
Blaise Castle House
RICHESON WK
SATCHFIELD CL
DRAGONSWELL ROAD
SHEEPWOOD RD
Shackleton
TRYMWOOD
HENBURY GDNS
LORAIN WK
CHALLENDER AV
SATCHFIELD CRES
WESTACRE CL
TWENTY ACRES
STAVELEY CRES
Hazel Brook
Recreation Ground
SHEEPWOOD ROAD
BRENTRY HILL
CHARLTON
DRIVE
EMBLETON ROAD
Blaise Castle Estate
HENBURY HILL
ARNALL DRIVE
BLETHWIN CL
STANDISH CL
BLAISDON CL
SHEEPWOOD CL
GOSFORTH CL
School
Sheep Wood
College
CHAPEL GDNS
DIDSBURY CL
RIDGEWAY CT
THE RIDGEWAY
BURGHILL RD
MARBECK RD
ULLSWATER ROAD
ROAD
COLLEGE PK DR
NORTHOVER
WESTOVER CL
WESTOVER RISE
Government Offices
CONCORDE
LORTON CL
LORTON RD
Playing Field
Coombe Hill
COOMBE WY
Club House
WESTOVER DR
ROAD
Cricket Ground
DONCASTER
Schs
HYLAND GRO
EASTOVER CL
GRASMERE CL
MILL POOL CT
STOKE
Greenway Centre
Golf Course
FALCON CL
SOUTHOVER CL
FALCONDALE
ROAD
GREYSTOKE GDS
School
Badocks Wood
River Trym
SOUTHDOWN RD
HILLSDON RD
B4055
Offices
FALCONDALE ROAD
PASSAGE ROAD
ELMFIELD ROAD
SOUTHDOWN RD
SHIPLEY RD
WHYTES CL
HOLMWOOD GDS
CLOVER GRD
LAKEWOOD
CRES ROAD
Bathing Lake
MERLIN CL
HENBURY RD
ROSERY CL
WATKINS YD
PASSAGE RD
CHANNELS HILL
School
A4162
CANFORD LANE
CANFORD RD
A4018
WESTFIELD RD
A
B
C
D
1
2
3
4
5
6
12
19
28

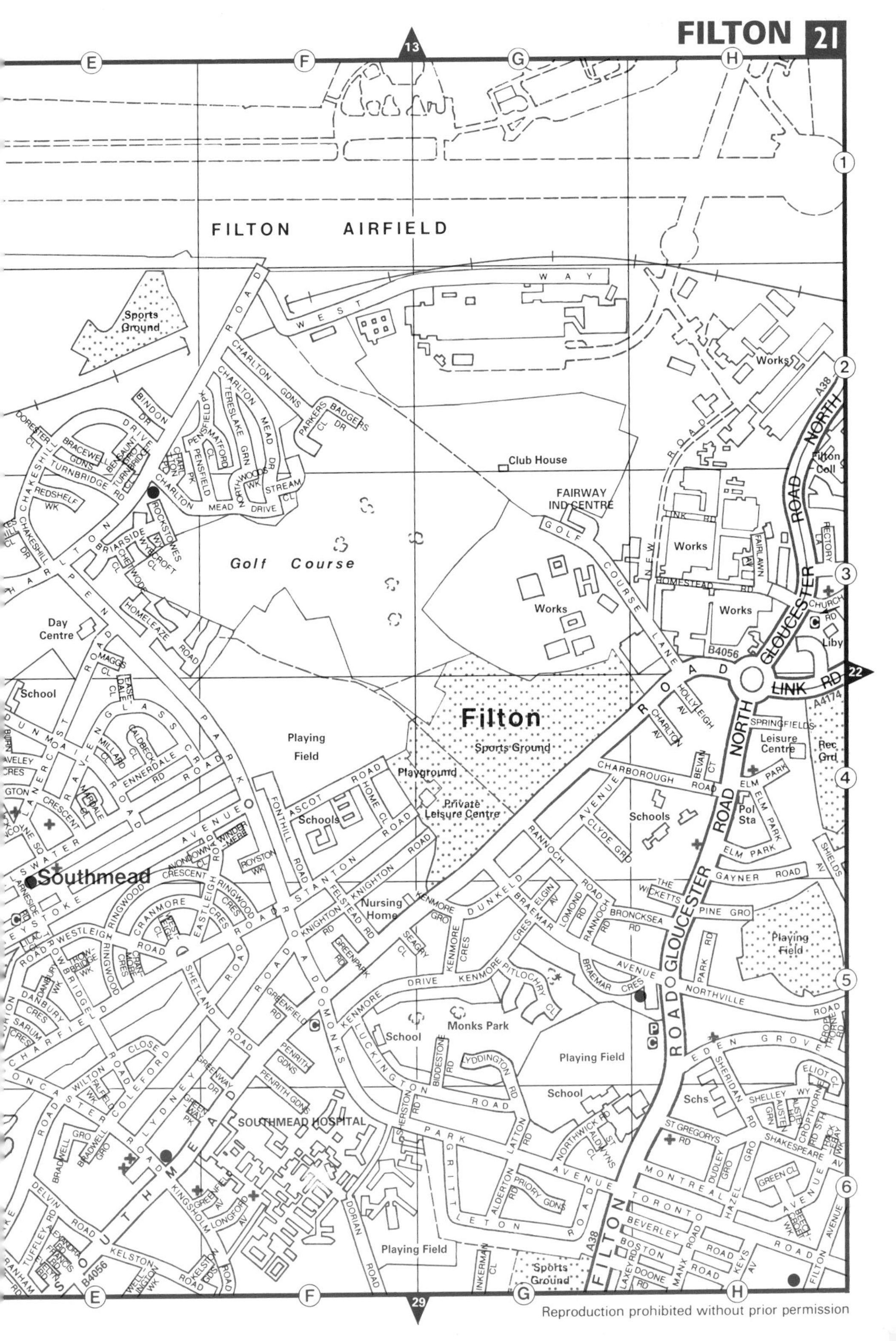
FILTON AIRFIELD
Sports Ground
Golf Course
Club House
FAIRWAY IND CENTRE
Works
Filton
Sports Ground
Playing Field
Playground
Private Leisure Centre
Schools
Nursing Home
Day Centre
School
Southmead
Monks Park
Playing Field
School
SOUTHMEAD HOSPITAL
Schs
Leisure Centre
Rec Grd
Pol Sta
Filton Coll
Liby
WEST WAY
CHARLTON ROAD
GLOUCESTER ROAD NORTH
LINK RD
FILTON ROAD
SOUTHMEAD ROAD
DOMONKS ROAD
FILTON AVENUE
GOLF COURSE LANE
MONKS PARK AVENUE
KENMORE DRIVE
EDEN GROVE
NORTHVILLE ROAD
GAYNER ROAD
ELM PARK
CHARBOROUGH ROAD
LUCKINGTON ROAD
B4056
A38
A4174
Reproduction prohibited without prior permission

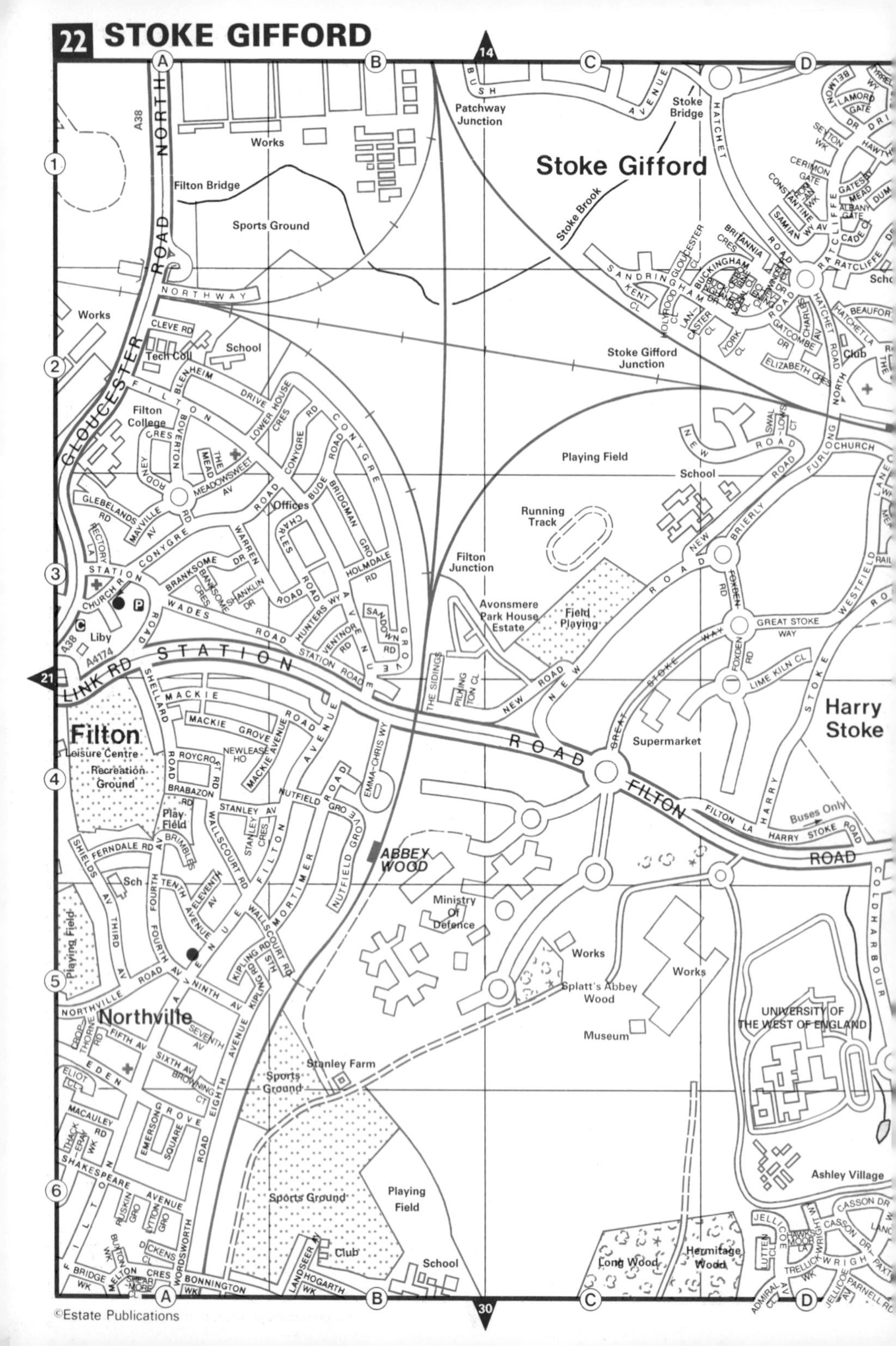

Stoke Gifford
Patchway Junction
Stoke Bridge
Stoke Brook
Works
Filton Bridge
Sports Ground
Northway
School
Tech Coll
Filton College
Offices
Stoke Gifford Junction
Playing Field
Running Track
Filton Junction
Avonsmere Park House Estate
Field Playing
Supermarket
Harry Stoke
Filton
Leisure Centre
Recreation Ground
Play Field
Abbey Wood
Ministry Of Defence
Splatt's Abbey Wood
Museum
Northville
Stanley Farm
Sports Ground
Playing Field
Club
School
Long Wood
Hermitage Wood
University of the West of England
Ashley Village
Gloucester Road North
Filton Road
Station Road
Link Rd
Filton Avenue
Great Stoke Way

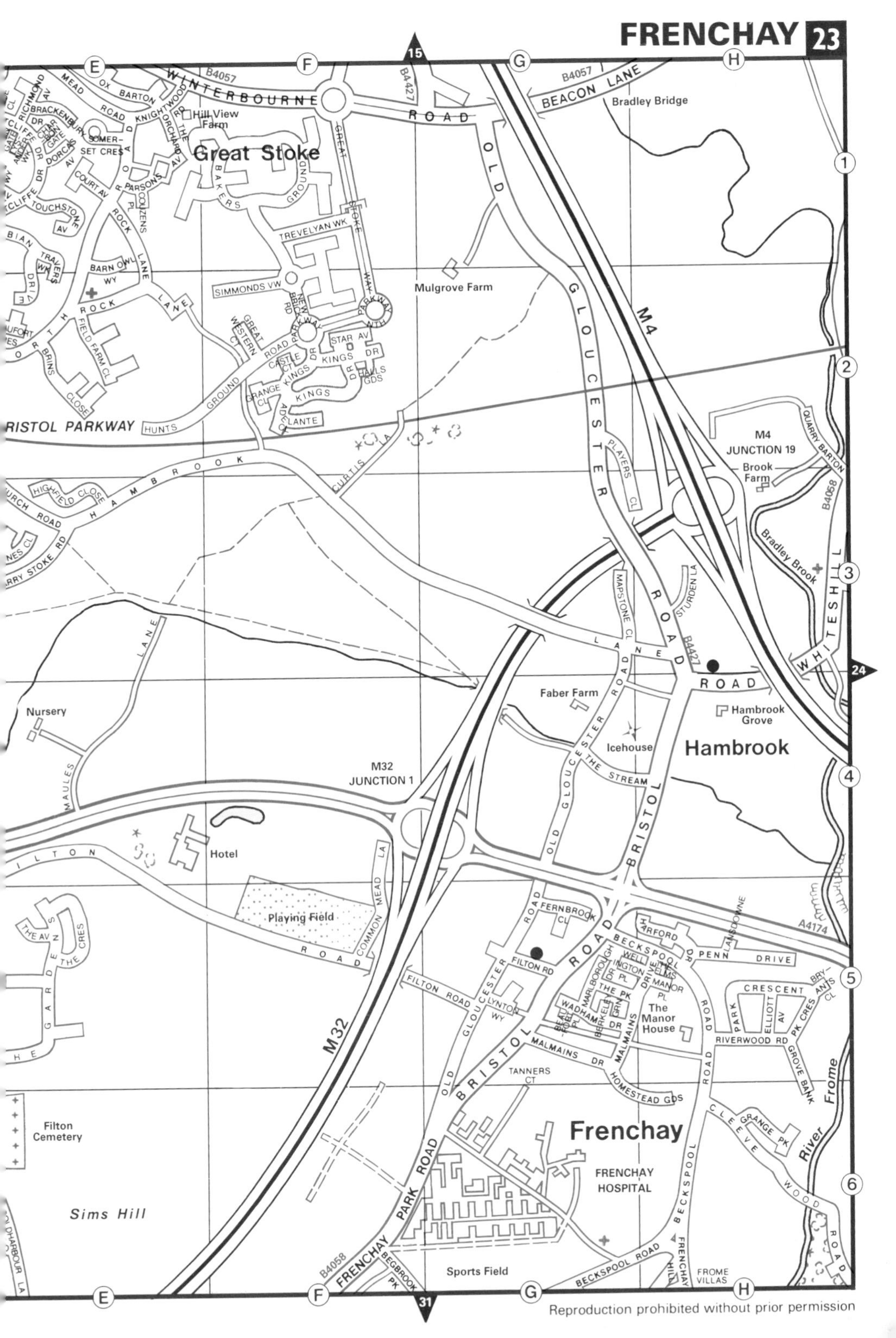
Great Stoke
Hambrook
Frenchay
Mulgrove Farm
Bradley Bridge
Hill View Farm
M4 JUNCTION 19
Brook Farm
Faber Farm
Icehouse
Hambrook Grove
M32 JUNCTION 1
Hotel
Playing Field
Nursery
Filton Cemetery
Sims Hill
The Manor House
FRENCHAY HOSPITAL
Sports Field
FROME VILLAS
River Frome
Bradley Brook
BRISTOL PARKWAY
WINTERBOURNE ROAD
BEACON LANE
OLD GLOUCESTER ROAD
HAMBROOK LANE
BRISTOL ROAD
FILTON ROAD
FRENCHAY PARK ROAD
BECKSPOOL ROAD
CLEEVE WOOD ROAD
WHITESHILL
M4
M32
A4174
B4057
B4427
B4058

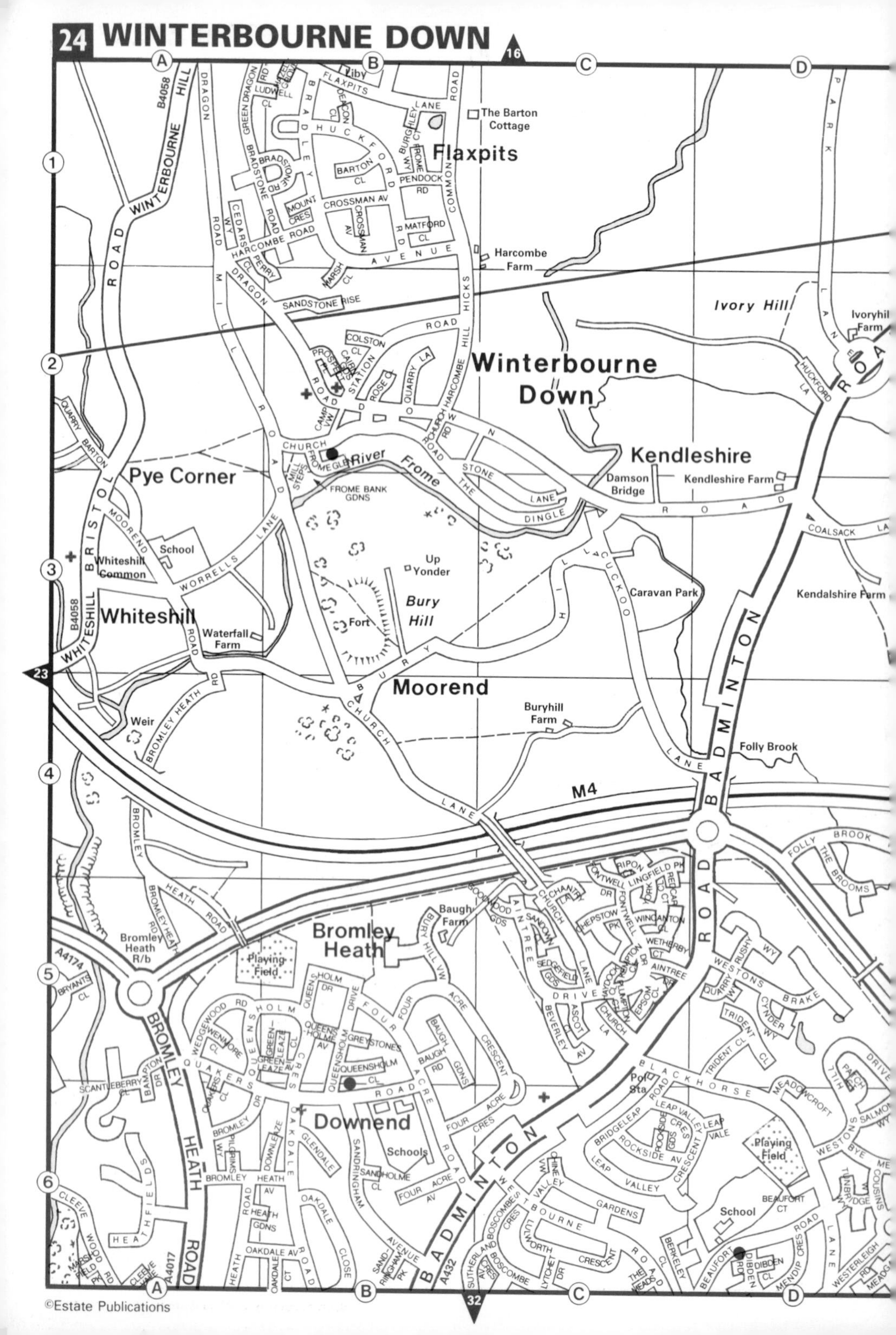

Flaxpits

The Barton Cottage

Harcombe Farm

Ivory Hill

Ivoryhil Farm

Winterbourne Down

Kendleshire

Pye Corner

River Frome

Kendleshire Farm

Damson Bridge

Coalsack La

Kendalshire Farm

School

Whiteshill Common

Up Yonder

Caravan Park

Whiteshill

Bury Hill

Waterfall Farm

Fort

Frome Bank Gdns

Weir

Moorend

Buryhill Farm

Folly Brook

M4

Bromley Heath R/b

Baugh Farm

Bromley Heath

Playing Field

The Brooms

Port Sta

Playing Field

Downend

Schools

School

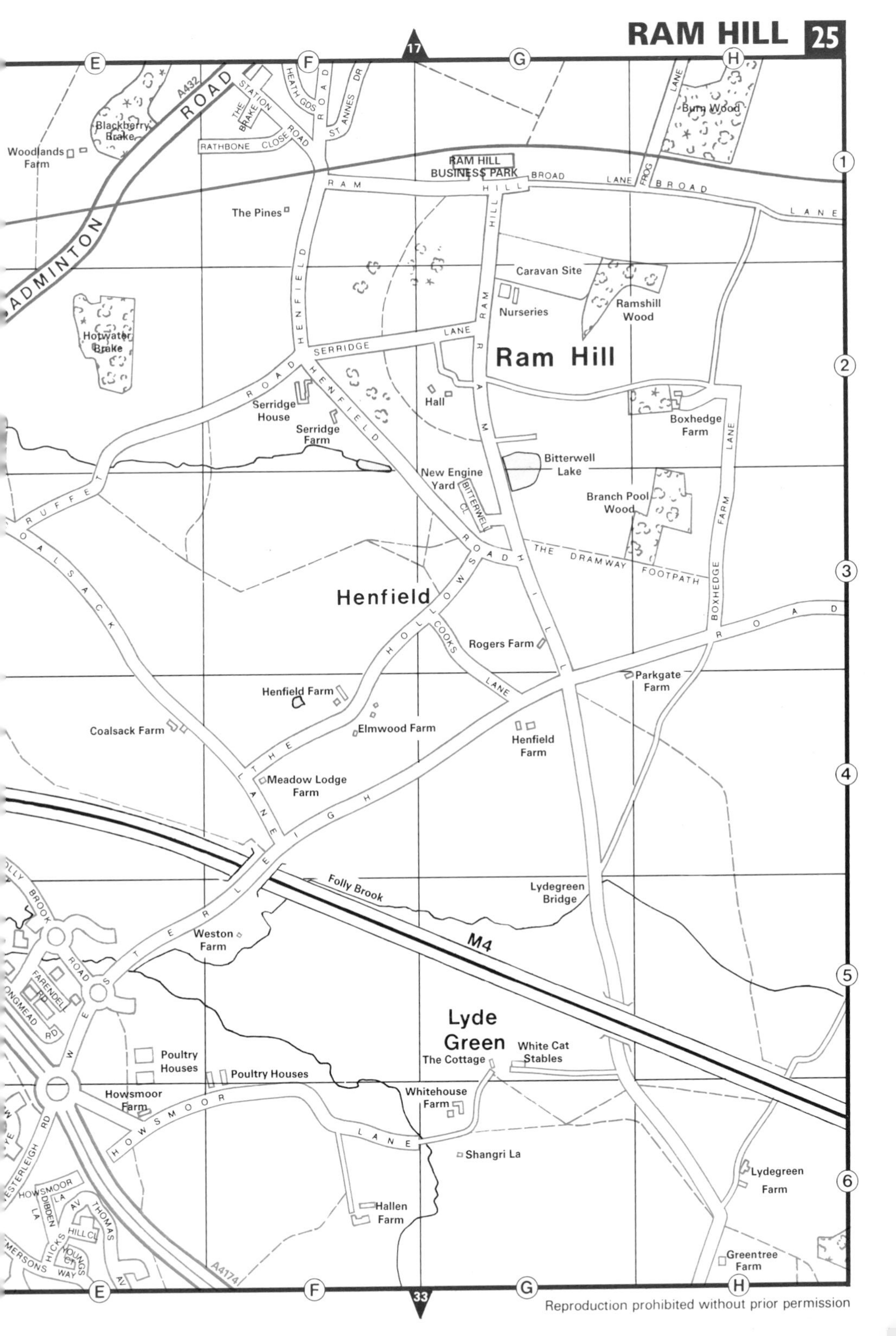

17
E
F
G
H
1
2
3
4
5
6
33
Ram Hill
Henfield
Lyde Green
Woodlands Farm
Blackberry Brake
Hotwater Brake
BADMINTON ROAD
A432
STATION ROAD
THE BRAKE
RATHBONE CLOSE
HEATH GDS
ST ANNES DR
Burn Wood
RAM HILL BUSINESS PARK
BROAD LANE
FROG LANE
The Pines
RAM HILL
Caravan Site
Nurseries
Ramshill Wood
HENFIELD ROAD
SERRIDGE LANE
Serridge House
Serridge Farm
Hall
Boxhedge Farm
Bitterwell Lake
New Engine Yard
BITTERWELL CL
Branch Pool Wood
BOXHEDGE FARM LANE
THE DRAMWAY FOOTPATH
RUFFET ROAD
COALSACK LANE
THE HOLLOWS
COOKS LANE
Rogers Farm
Parkgate Farm
Henfield Farm
Elmwood Farm
Coalsack Farm
Meadow Lodge Farm
HIGH ROAD
WESTERLEIGH ROAD
Folly Brook
Lydegreen Bridge
Weston Farm
M4
FOLLY BROOK ROAD
FARENDELL RD
LONGMEAD RD
Poultry Houses
The Cottage
White Cat Stables
Howsmoor Farm
HOWSMOOR LANE
Whitehouse Farm
Shangri La
Lydegreen Farm
Hallen Farm
Greentree Farm
HOWSMOOR LA
DIBDEN LA
THOMAS AV
HILL CL
HICKS
YOUNGS CT
EMERSONS WAY
A4174

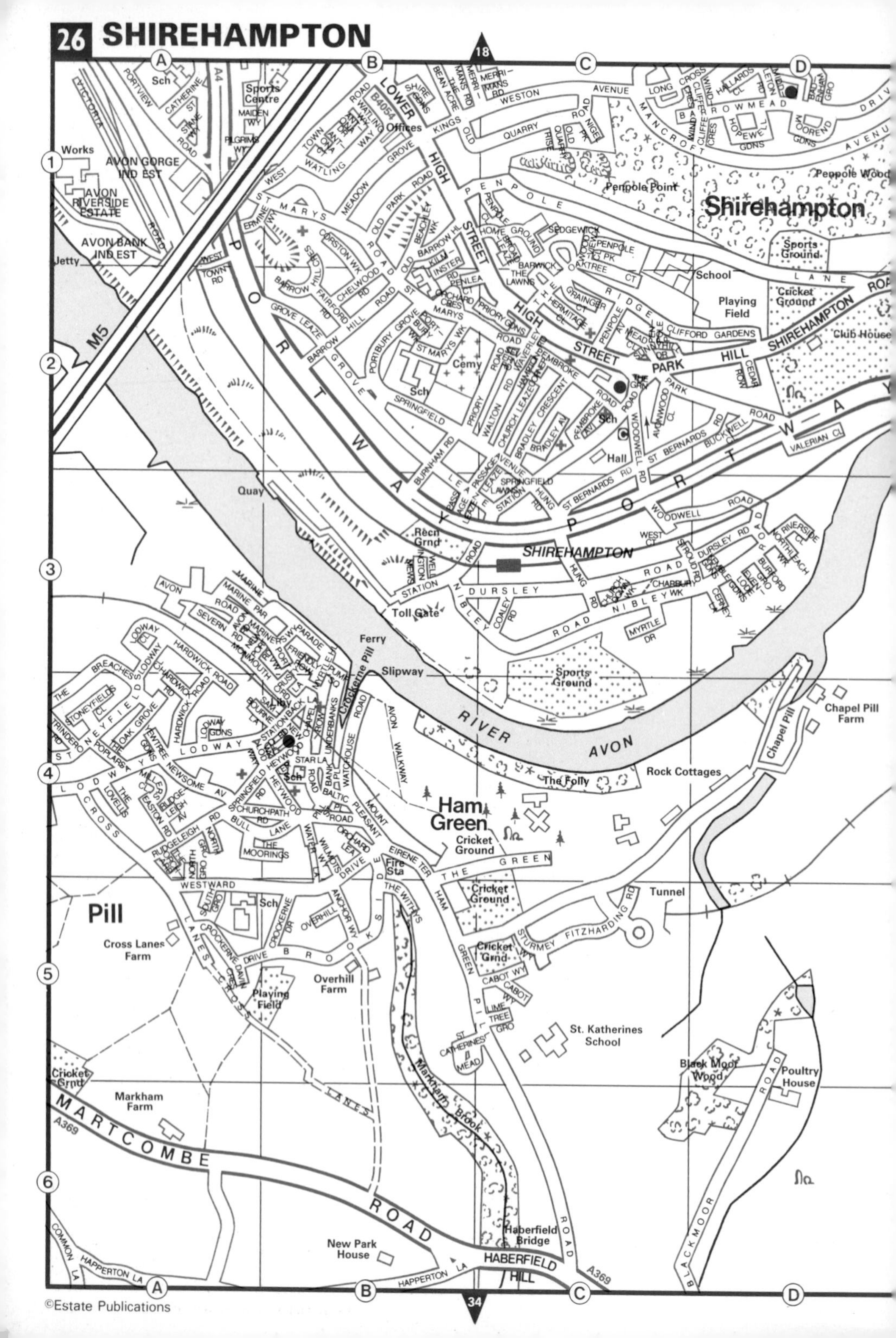

18
34
Shirehampton
SHIREHAMPTON
Pill
Ham Green
RIVER AVON
M5
A4
B4054
A369
Works
AVON GORGE IND EST
AVON RIVERSIDE ESTATE
AVON BANK IND EST
Jetty
Sch
Sports Centre
Offices
Penpole Point
Peppole Wood
Sports Ground
School
Playing Field
Cricket Ground
Club House
Cemy
Hall
Quay
Recn Grnd
Toll Gate
Ferry
Slipway
Crockerne Pill
Chapel Pill
Chapel Pill Farm
Rock Cottages
The Folly
Liby
Fire Sta
Tunnel
Cross Lanes Farm
Overhill Farm
Playing Field
St. Katherines School
Black Moor Wood
Poultry House
Cricket Grnd
Markham Farm
Markham Brook
New Park House
Haberfield Bridge
PORTWAY
HIGH STREET
LOWER HIGH STREET
PENPOLE LANE
SHIREHAMPTON ROAD
PARK HILL
ST BERNARDS RD
STATION ROAD
DURSLEY ROAD
NIBLEY ROAD
MARTCOMBE ROAD
HABERFIELD HILL
HAPPERTON LA
COMMON LA
BLACKMOOR ROAD
HAM GREEN
THE GREEN
EIRENE TER
MOUNT PLEASANT
WATCHHOUSE ROAD
AVON WALKWAY
LODWAY
WESTWARD
CROSS LANES
BROOKSIDE DRIVE
CROCKERNE DRIVE
STURMEY WY
FITZHARDING RD
CABOT WY
LIME TREE GRO
ST CATHERINES MEAD
THE WITHIES
WESTON AVENUE
MANCROFT AVENUE
QUARRY ROAD
KINGS WESTON ROAD
ST MARYS ROAD
BARROW HILL ROAD
GROVE LEAZE
PORTVIEW
VICTORIA
CATHERINE ST
MARINE PARADE
HARDWICK ROAD
NEWSOME AV
BULL LANE
THE MOORINGS
CHURCHPATH RD
HEYWOOD RD
SPRINGFIELD
CHURCH LEAZE
BRADLEY CRESCENT
WOODWELL RD
VALERIAN CL
MYRTLE DR

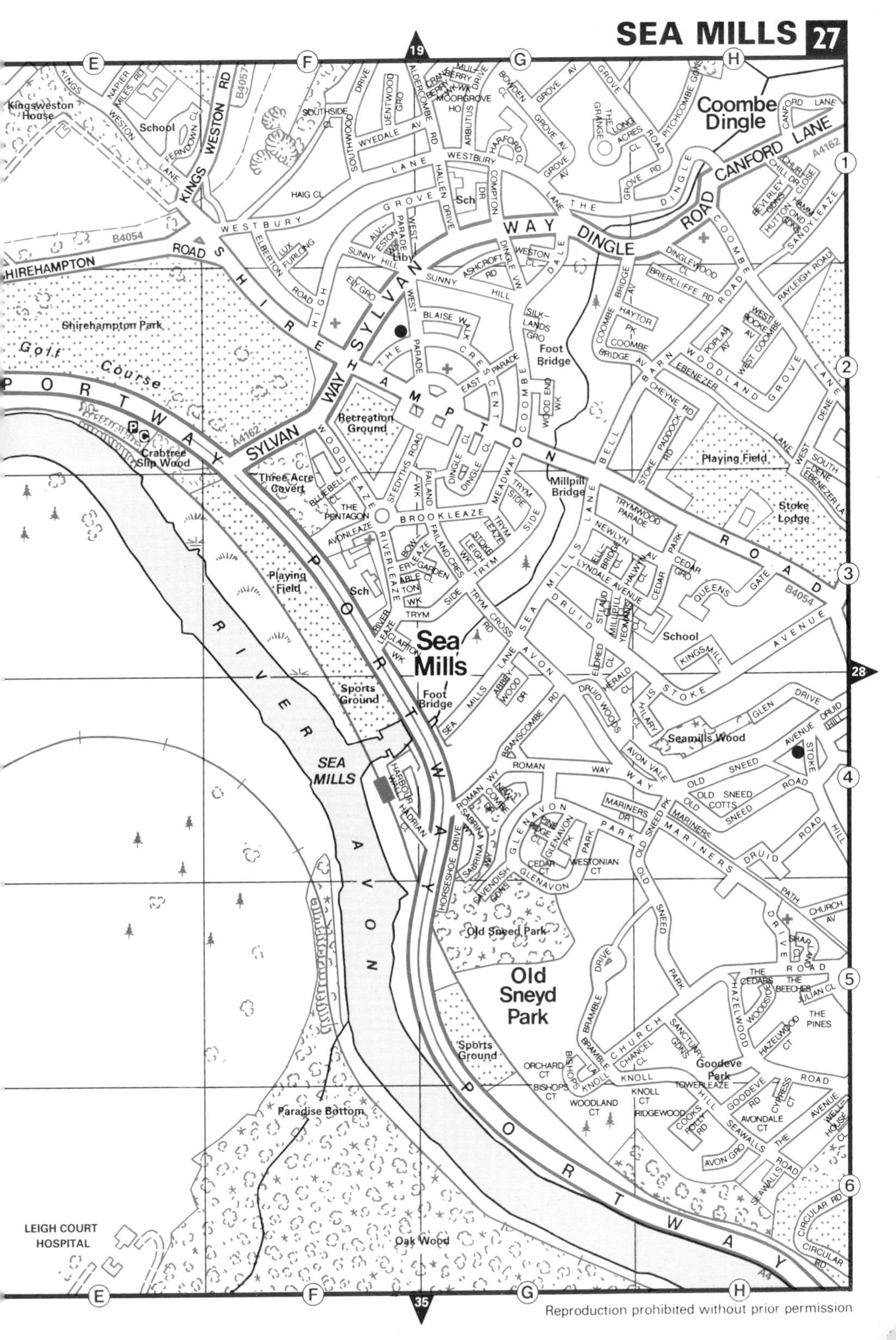
Coombe Dingle
Kingsweston House
School
Shirehampton Park
Golf Course
Crabtree Slip Wood
Three Acre Covert
Recreation Ground
Playing Field
Sports Ground
Sea Mills
SEA MILLS
Foot Bridge
Millpill Bridge
Stoke Lodge
Seamills Wood
Old Sneed Park
Old Sneyd Park
Goodeve Park
Paradise Bottom
Oak Wood
LEIGH COURT HOSPITAL
PORTWAY
RIVER AVON
SHIREHAMPTON ROAD
SYLVAN WAY
STOKE ROAD
CANFORD LANE
DINGLE ROAD
WESTBURY LANE

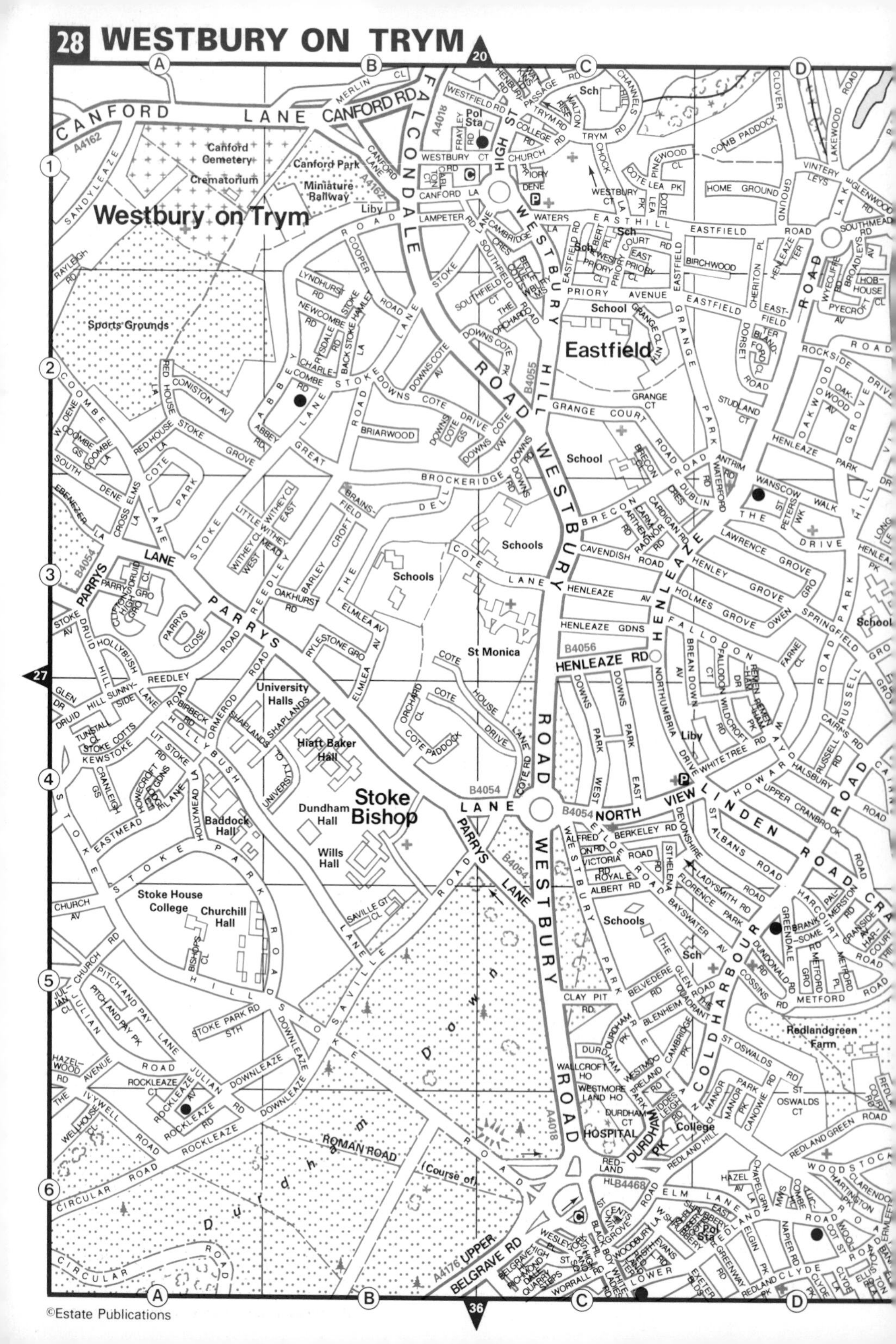

A
B
C
D
20
36
27
1
2
3
4
5
6
Westbury on Trym
Eastfield
Stoke Bishop
Canford Cemetery
Crematorium
Canford Park
Miniature Railway
Sports Grounds
Schools
St Monica
University Halls
Hiatt Baker Hall
Dundham Hall
Wills Hall
Baddock Hall
Stoke House College
Churchill Hall
Redlandgreen Farm
HOSPITAL
College
Liby
Pol Sta
Sch
School
CANFORD LANE
CANFORD RD
FALCONDALE ROAD
WESTBURY HILL
WESTBURY ROAD
HIGH ST
EASTFIELD ROAD
PRIORY AVENUE
GRANGE COURT ROAD
GRANGE PARK
HENLEAZE ROAD
HENLEAZE RD
HENLEAZE AV
HENLEAZE GDNS
HENLEAZE PARK
NORTHUMBRIA DRIVE
NORTH VIEW
LINDEN ROAD
COLDHARBOUR ROAD
REDLAND ROAD
PARRYS LANE
STOKE LANE
STOKE HILL
STOKE PARK ROAD
SAVILLE ROAD
DOWNLEAZE
ROCKLEAZE
CIRCULAR ROAD
ROMAN ROAD (Course of)
Durdham Down
UPPER BELGRAVE RD
DURDHAM PK
WESTBURY PARK
COTE LANE
COTE HOUSE LANE
DOWNS COTE DRIVE
BROCKERIDGE
ABBEY ROAD
CHURCH RD
CHURCH AV
JULIAN ROAD
PITCH AND PAY LANE
HOLLYBUSH LANE
REEDLEY ROAD
SANDYLEAZE
COOMBE LANE
LAKE ROAD
SPRINGFIELD ROAD
RUSSELL ROAD
A4162
A4018
B4054
B4055
B4056
A4176
B4468

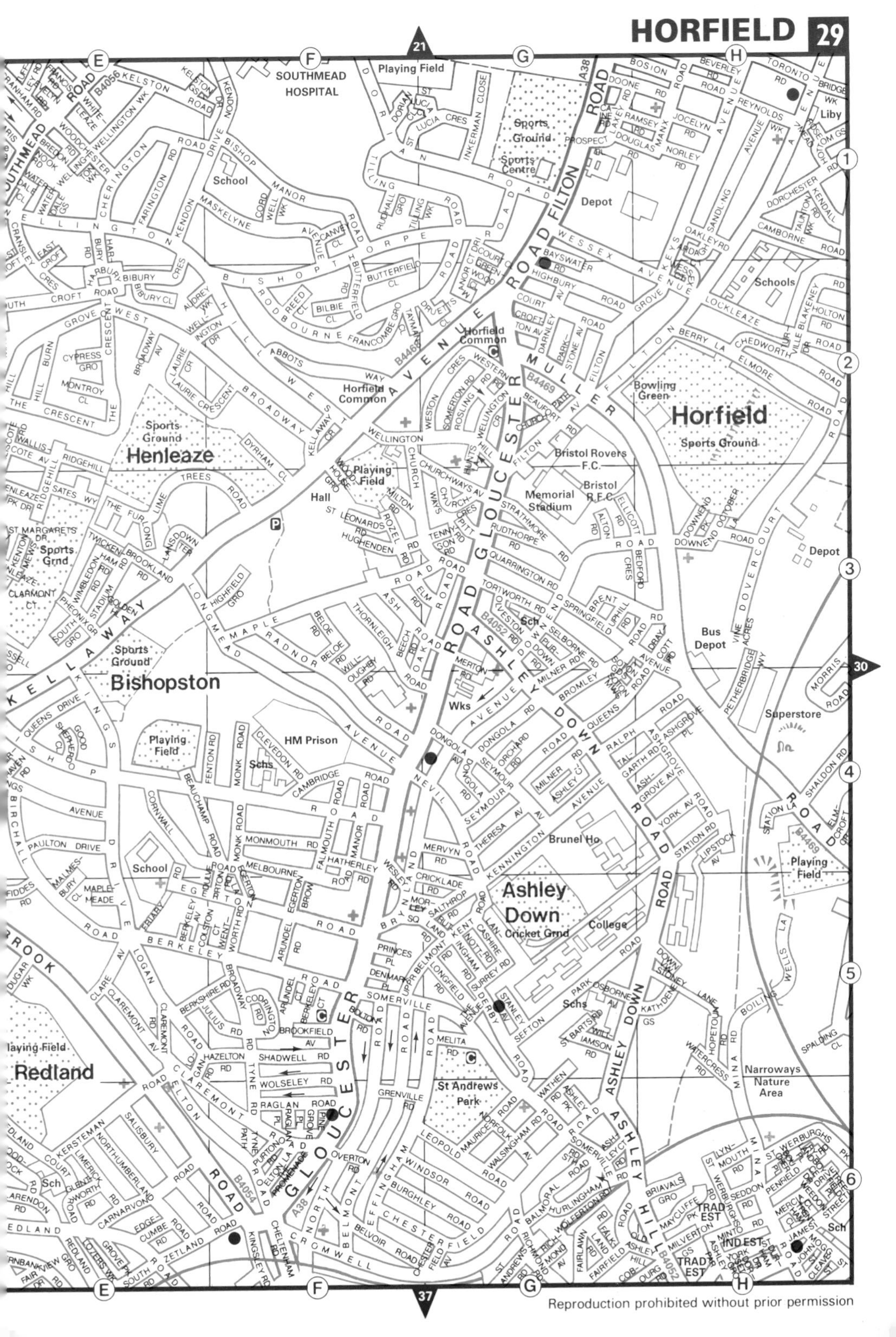
SOUTHMEAD HOSPITAL
Playing Field
Sports Ground
Sports Centre
School
Depot
Liby
Schools
Horfield Common
Bowling Green
Horfield
Sports Ground
Henleaze
Sports Ground
Bristol Rovers F.C.
Bristol R.F.C.
Memorial Stadium
Playing Field
Hall
Sports Grnd
Depot
Bus Depot
Sports Ground
Bishopston
Wks
Superstore
Playing Field
HM Prison
Schs
Brunel Ho
Playing Field
School
Ashley Down
Cricket Grnd
College
Schs
Redland
St Andrews Park
Narroways Nature Area
Sch
TRAD EST
IND EST
Sch
GLOUCESTER ROAD
FILTON ROAD
FILTON AVENUE
KELLAWAY AVENUE
ASHLEY DOWN ROAD
MULLER ROAD
LOCKLEAZE ROAD
ASHLEY HILL
CHESTERFIELD ROAD
CROMWELL ROAD
B4056
A38
B4469
B4052
B4054
E
F
G
H
1
2
3
4
5
6
21
30
37

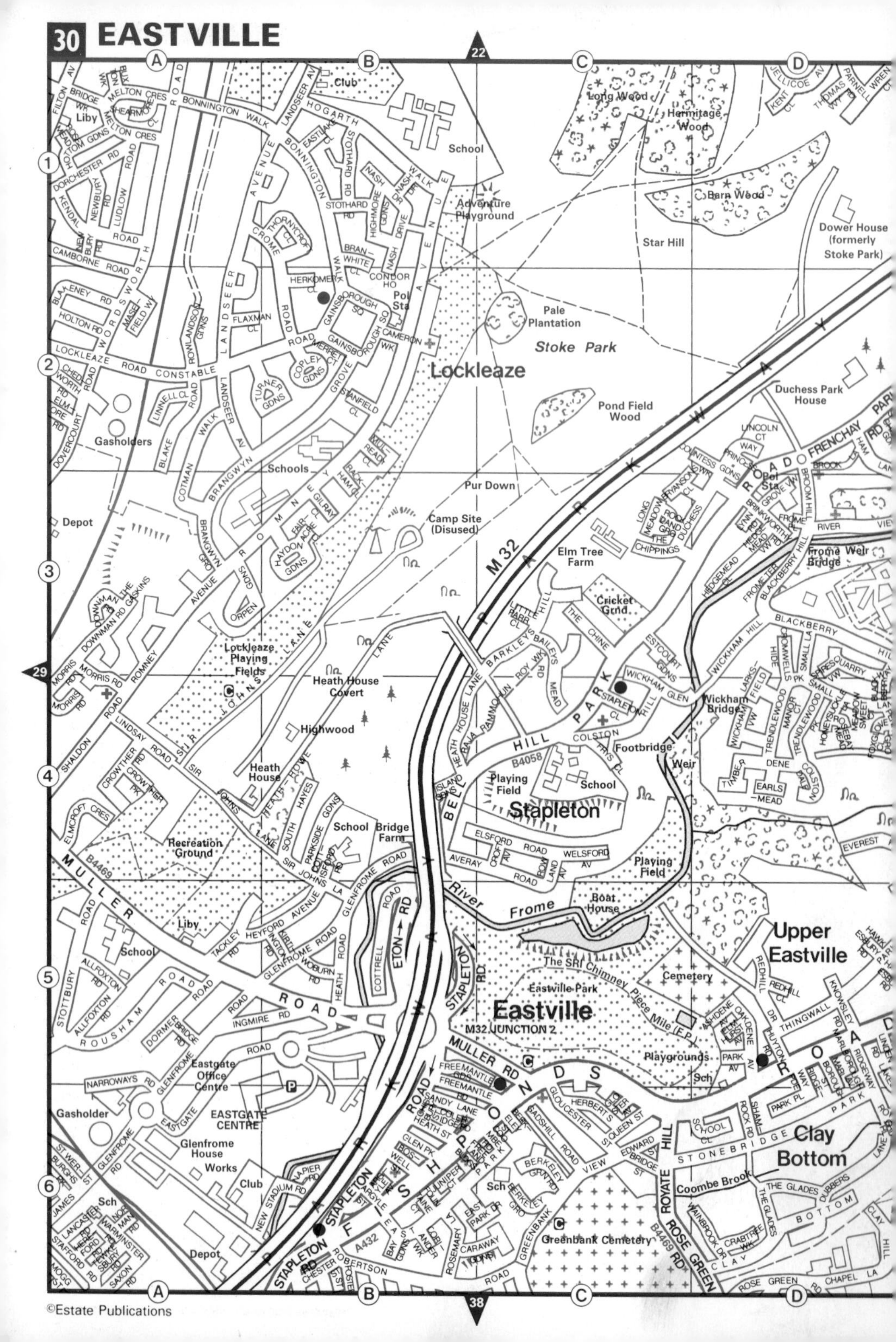

Lockleaze
Stoke Park
Stapleton
Eastville
Upper Eastville
Clay Bottom
Long Wood
Hermitage Wood
Barn Wood
Star Hill
Dower House (formerly Stoke Park)
Pale Plantation
Pond Field Wood
Duchess Park House
Pur Down
Camp Site (Disused)
Elm Tree Farm
Cricket Grnd
Heath House Covert
Highwood
Heath House
Lockleaze Playing Fields
Recreation Ground
Gasholders
Gasholder
Depot
Schools
School
Adventure Playground
Bridge Farm
Playing Field
River Frome
Boat House
Footbridge
Weir
Frome Weir Bridge
Wickham Bridge
Eastville Park
The SRI Chimney Piece Mile (F.P.)
Cemetery
Playgrounds
M32 JUNCTION 2
Eastgate Office Centre
EASTGATE CENTRE
Glenfrome House
Works
Club
Greenbank Cemetery
Coombe Brook
M32
MULLER ROAD
FISHPONDS ROAD
PARKWAY
STAPLETON ROAD

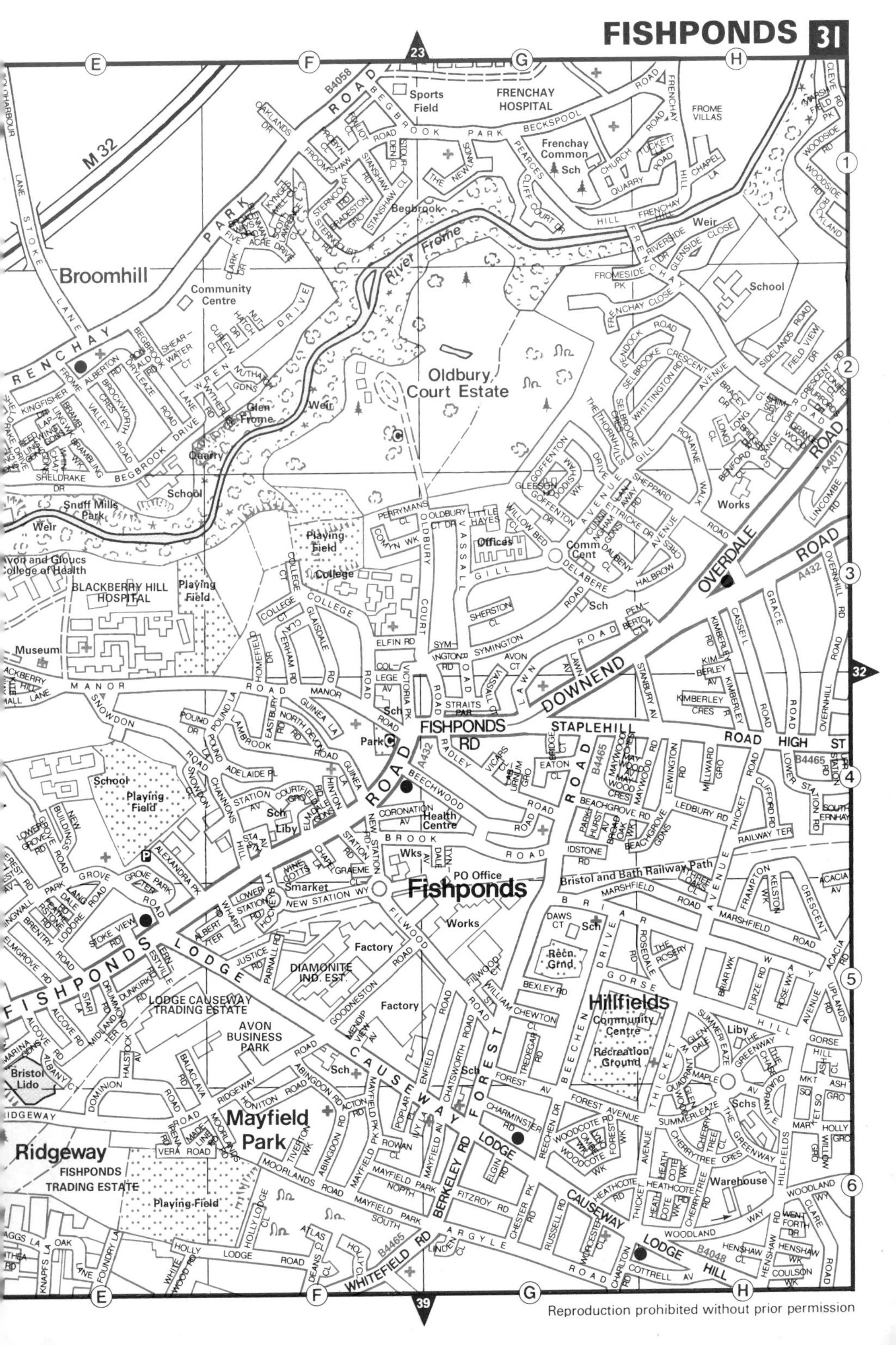
M 32
Broomhill
Community Centre
Sports Field
FRENCHAY HOSPITAL
Frenchay Common
FROME VILLAS
Begbrook
River Frome
Weir
Glen Frome
Quarry
School
Snuff Mills Park
Oldbury Court Estate
Avon and Gloucs College of Health
BLACKBERRY HILL HOSPITAL
Playing Field
Museum
College
Offices
Comm Cent
Works
OVERDALE
DOWNEND ROAD
FISHPONDS RD
STAPLEHILL ROAD
HIGH ST
MANOR ROAD
Park
Health Centre
Fishponds
PO Office
Smarket
Bristol and Bath Railway Path
Factory
DIAMONITE IND. EST.
LODGE CAUSEWAY TRADING ESTATE
AVON BUSINESS PARK
FISHPONDS ROAD
LODGE CAUSEWAY
Hillfields
Community Centre
Recreation Ground
Recn. Grnd
Liby
Schs
Warehouse
Mayfield Park
Ridgeway
FISHPONDS TRADING ESTATE
Bristol Lido
FOREST ROAD
BERKELEY RD
WHITEFIELD RD
LODGE HILL
A432
A4017
B4465
B4048
B4058
E
F
G
H
1
2
3
4
5
6
23
32
39

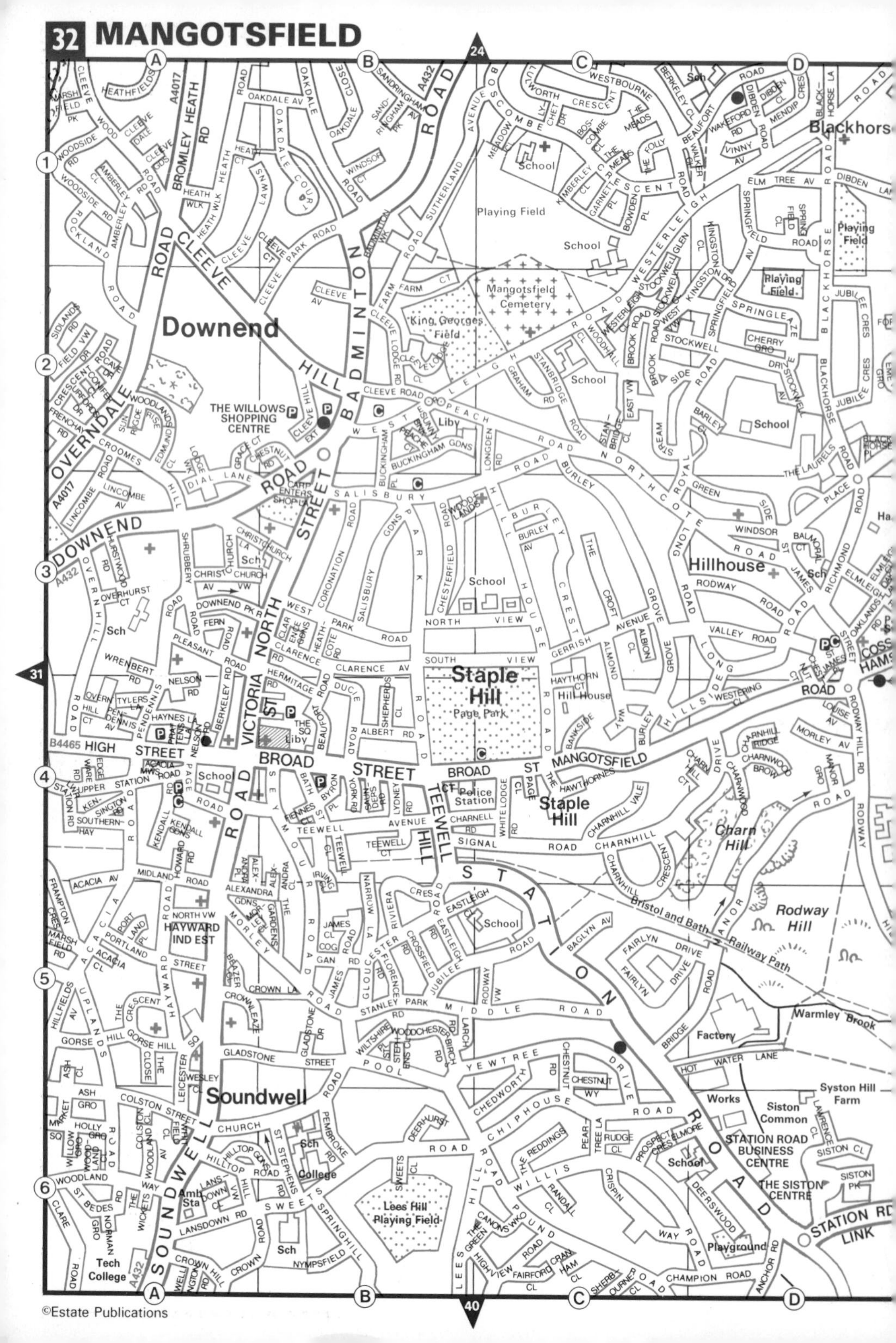

32
MANGOTSFIELD
24
31
40
A
B
C
D
1
2
3
4
5
6
Downend
Staple Hill
Page Park
Hillhouse
Blackhorse
Soundwell
Charn Hill
Rodway Hill
THE WILLOWS SHOPPING CENTRE
Mangotsfield Cemetery
King Georges Field
Playing Field
School
Police Station
HAYWARD IND EST
Bristol and Bath Railway Path
Warmley Brook
Factory
Works
Syston Hill Farm
Siston Common
STATION ROAD BUSINESS CENTRE
THE SISTON CENTRE
Lees Hill Playing Field
Tech College
College
Playground
CLEEVE HILL
BADMINTON ROAD
WESTERLEIGH ROAD
NORTHCOTE ROAD
BROAD STREET
HIGH STREET
VICTORIA STREET
NORTH STREET
DOWNEND ROAD
OVERNDALE ROAD
BROMLEY HEATH RD
CLEEVE ROAD
SALISBURY ROAD
TEEWELL HILL
MANGOTSFIELD ROAD
STATION ROAD
SOUNDWELL ROAD
MIDDLE ROAD
CHIPHOUSE ROAD
WILLIS ROAD
LONG ROAD
ROYAL ROAD
BLACKHORSE ROAD
ROCKLAND ROAD
ACACIA ROAD
UPLANDS ROAD
STATION ROAD LINK
HOT WATER LANE
CHARNHILL ROAD
ROAD RODWAY HILL RD
©Estate Publications

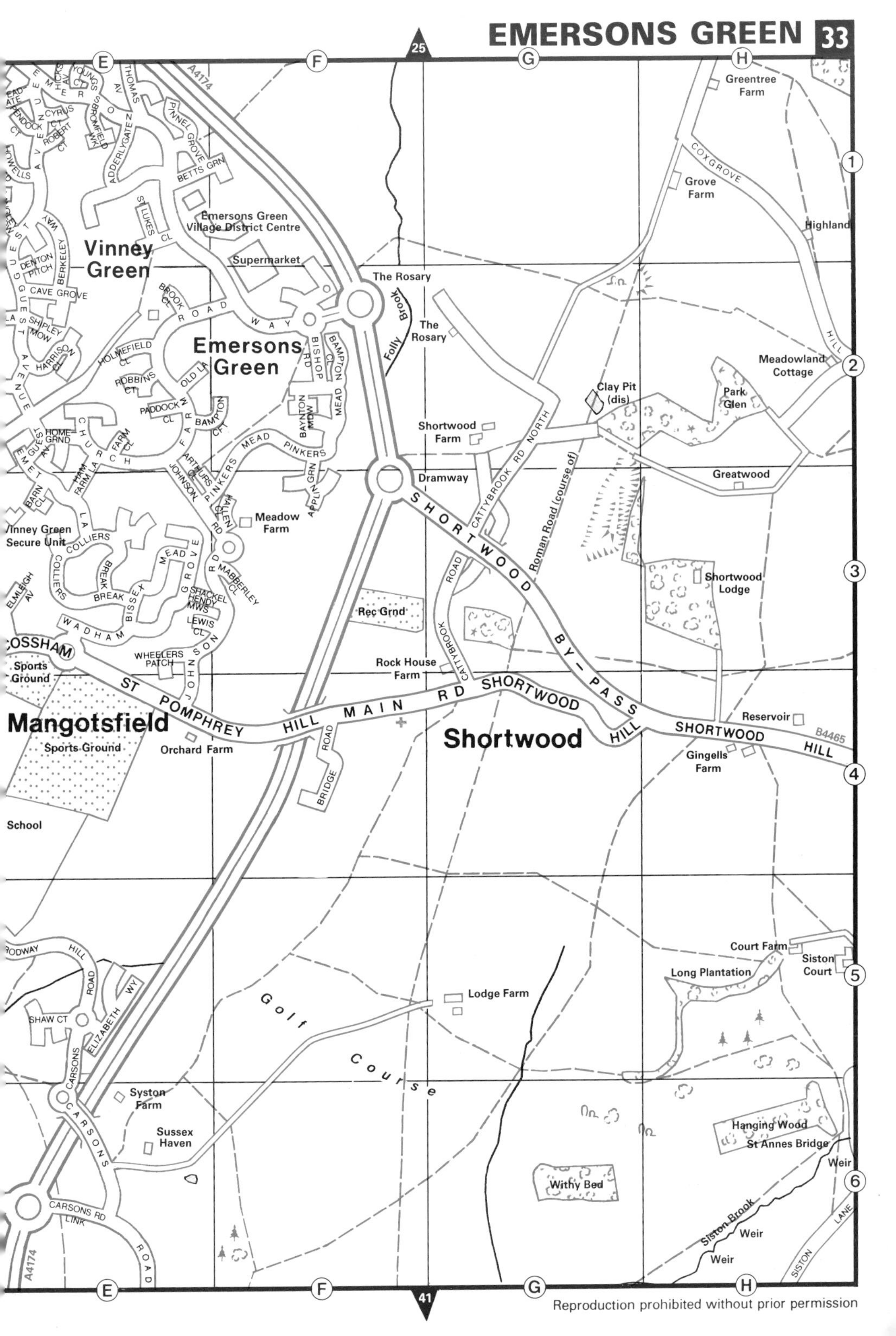

Greentree Farm

Grove Farm

Highland

Meadowland Cottage

Park Glen

Greatwood

Clay Pit (dis)

Shortwood Lodge

Vinney Green

Emersons Green Village District Centre

Supermarket

Emersons Green

The Rosary

The Rosary

Shortwood Farm

Dramway

Vinney Green Secure Unit

Meadow Farm

Rec Grnd

Rock House Farm

Mangotsfield

Sports Ground

Sports Ground

Orchard Farm

School

Shortwood

Reservoir

Gingells Farm

Lodge Farm

Golf Course

Court Farm

Siston Court

Long Plantation

Syston Farm

Sussex Haven

Withy Bed

Hanging Wood

St Annes Bridge

Weir

Weir

Weir

A4174

A4174

B4465

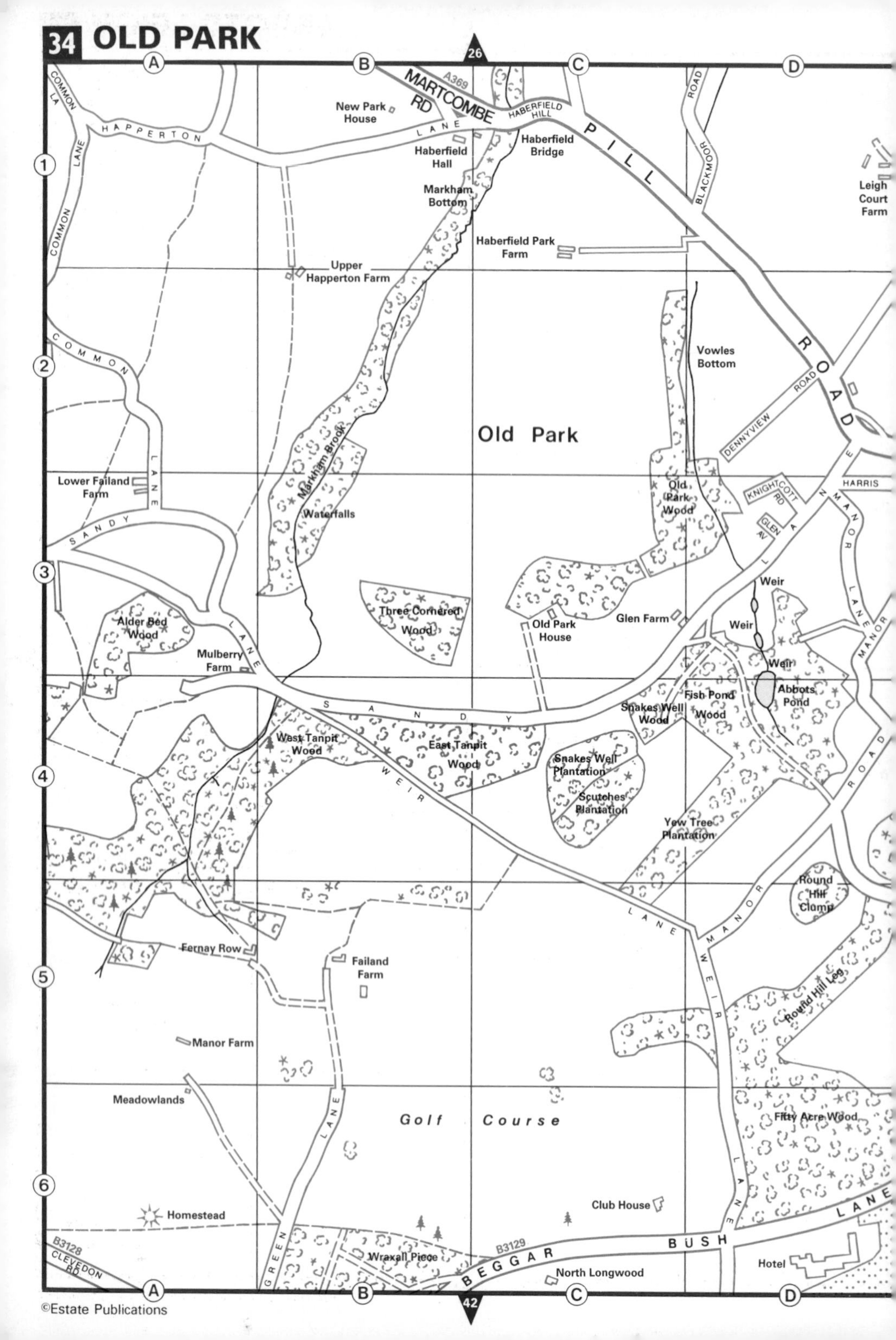
A
B
C
D
26
42
1
2
3
4
5
6
MARTCOMBE RD
A369
HABERFIELD HILL
PILL ROAD
COMMON LA
COMMON LANE
HAPPERTON LANE
BLACKMOOR ROAD
New Park House
Haberfield Hall
Haberfield Bridge
Markham Bottom
Haberfield Park Farm
Leigh Court Farm
Upper Happerton Farm
COMMON LANE
Vowles Bottom
DENNYVIEW ROAD
Old Park
Markham Brook
Lower Failand Farm
Waterfalls
Old Park Wood
KNIGHTCOTT RD
GLEN AV
HARRIS
MANOR LANE
SANDY LANE
Three Cornered Wood
Alder Bed Wood
Mulberry Farm
Old Park House
Glen Farm
Weir
Weir
Weir
Abbots Pond
Snakes Well Wood
Fish Pond Wood
West Tanpit Wood
East Tanpit Wood
Snakes Well Plantation
Scutches Plantation
Yew Tree Plantation
WEIR LANE
MANOR ROAD
Round Hill Clump
Fernay Row
Failand Farm
Round Hill Leg
Manor Farm
Meadowlands
Golf Course
Fifty Acre Wood
Homestead
Club House
GREEN LANE
B3128
CLEVEDON RD
Wraxall Piece
B3129
BEGGAR BUSH LANE
North Longwood
Hotel

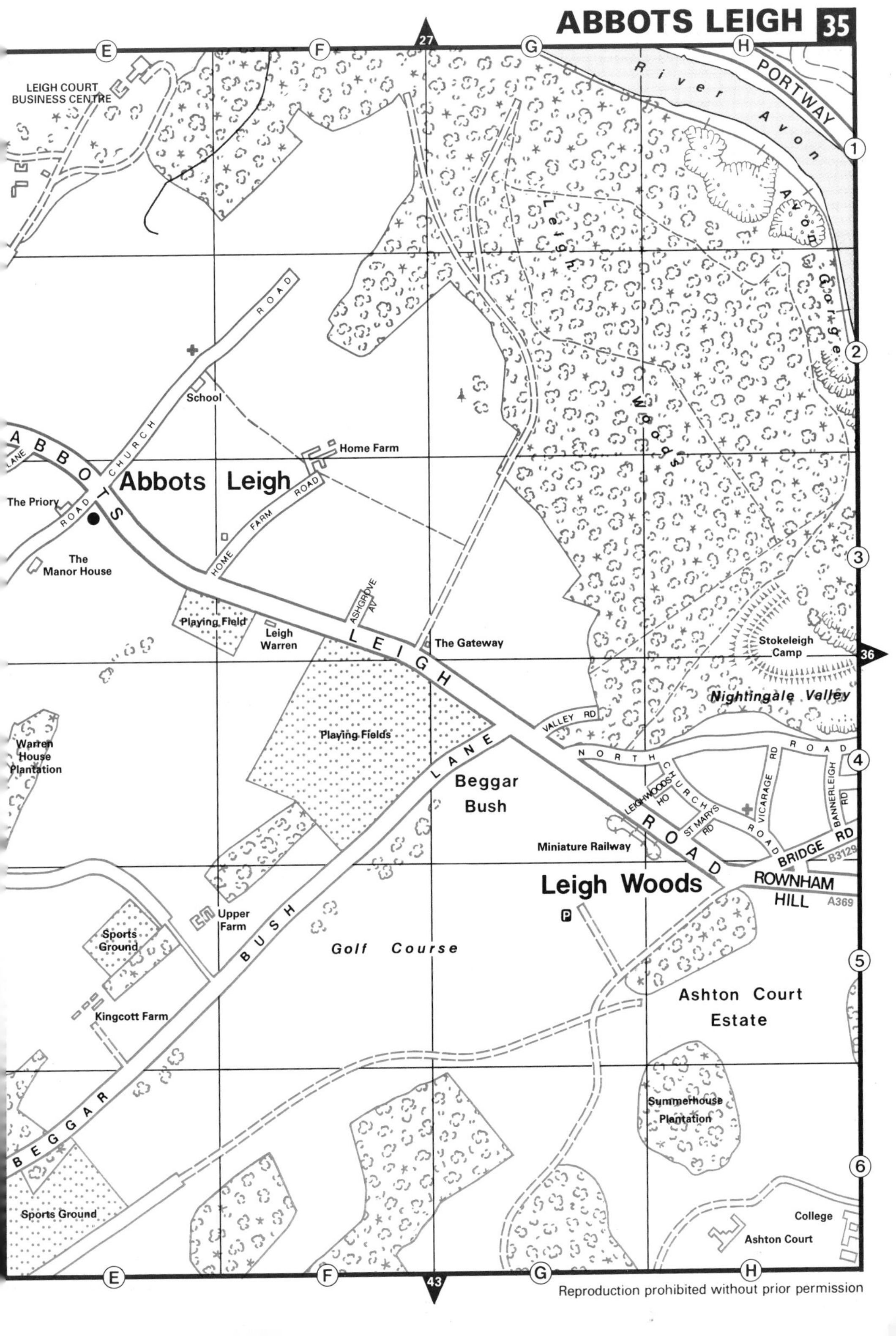
E
F
27
G
H
LEIGH COURT BUSINESS CENTRE
River Avon
PORTWAY
Avon Gorge
Leigh Woods
1
2
3
4
5
6
CHURCH ROAD
School
Home Farm
ABBOTS LANE
ABBOTS ROAD
Abbots Leigh
The Priory
The Manor House
HOME FARM ROAD
Playing Field
Leigh Warren
ASHGROVE AV
The Gateway
LEIGH ROAD
Stokeleigh Camp
36
Nightingale Valley
VALLEY RD
NORTH ROAD
Warren House Plantation
Playing Fields
LANE
Beggar Bush
CHURCH RD
VICARAGE RD
BANNERLEIGH RD
LEIGHWOODS HO
ST MARYS RD
Miniature Railway
BRIDGE RD
B3129
Leigh Woods
ROWNHAM HILL
A369
Upper Farm
BUSH
Golf Course
Sports Ground
Ashton Court Estate
Kingcott Farm
BEGGAR
Summerhouse Plantation
Sports Ground
College
Ashton Court
E
F
43
G
H

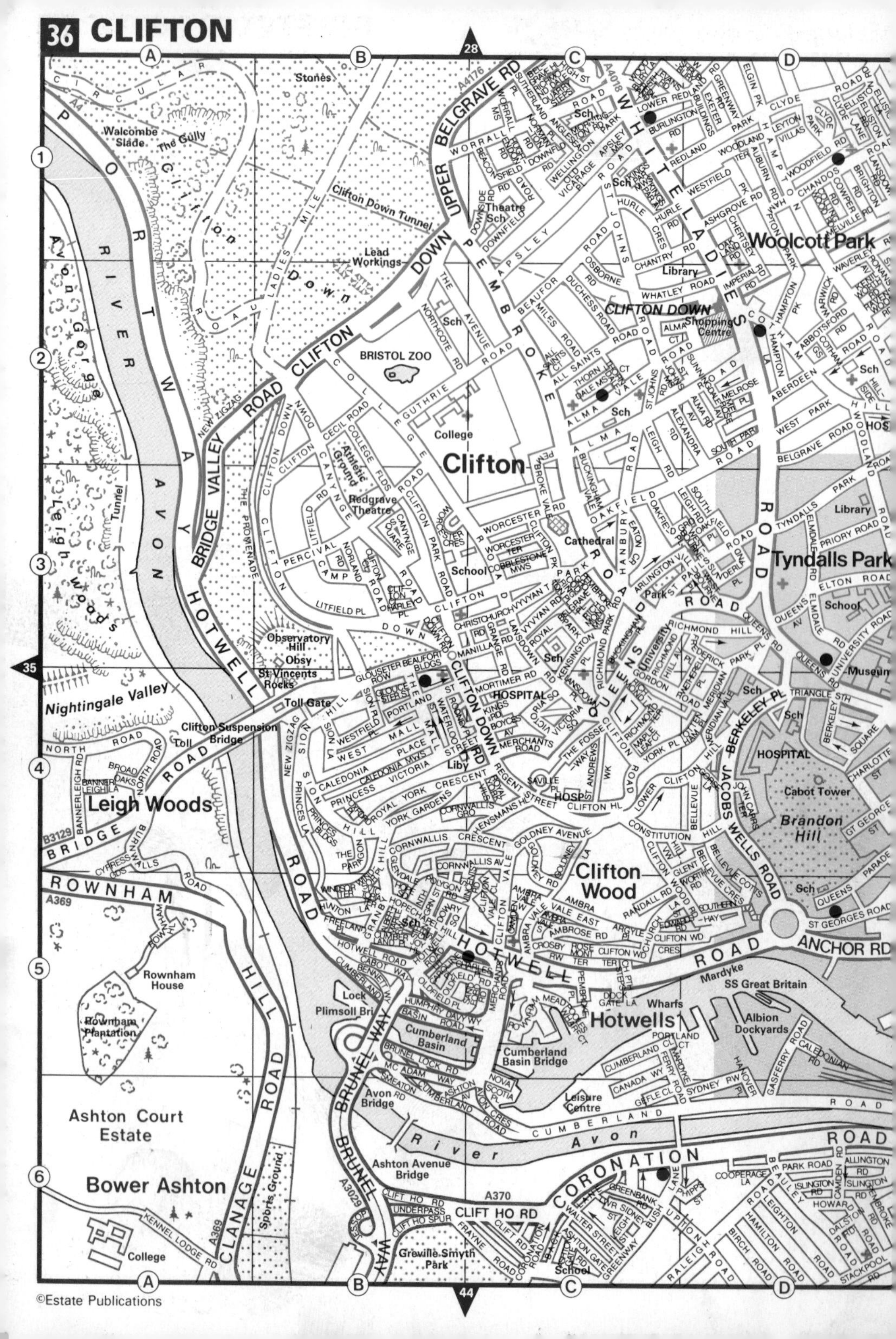
36
CLIFTON
Clifton
Woolcott Park
Tyndalls Park
Clifton Wood
Hotwells
Leigh Woods
Ashton Court Estate
Bower Ashton
Nightingale Valley
BRISTOL ZOO
College
Cathedral
Library
Museum
HOSPITAL
Cabot Tower
Brandon Hill
Clifton Suspension Bridge
Toll Gate
Observatory Hill
Obsy
St Vincents Rocks
Clifton Down Tunnel
Lead Workings
Walcombe Slade
The Gully
Stones
Rownham House
Rownham Plantation
Cumberland Basin
Cumberland Basin Bridge
Plimsoll Bri
Lock
Avon Bridge
Ashton Avenue Bridge
Mardyke
SS Great Britain
Wharfs
Albion Dockyards
Leisure Centre
Greville Smyth Park
CLIFTON DOWN Shopping Centre
Redgrave Theatre
Athletic Ground
Theatre
School
River Avon
PORTWAY
HOTWELL ROAD
BRIDGE VALLEY ROAD
UPPER BELGRAVE RD
WHITELADIES RD
QUEENS ROAD
PEMBROKE ROAD
CORONATION ROAD
CUMBERLAND ROAD
BRUNEL WAY
CLANAGE ROAD
ROWNHAM HILL
JACOBS WELLS ROAD
ANCHOR RD
A4
A4018
A4176
A369
A370
A3029
B3129
28
35
44
©Estate Publications

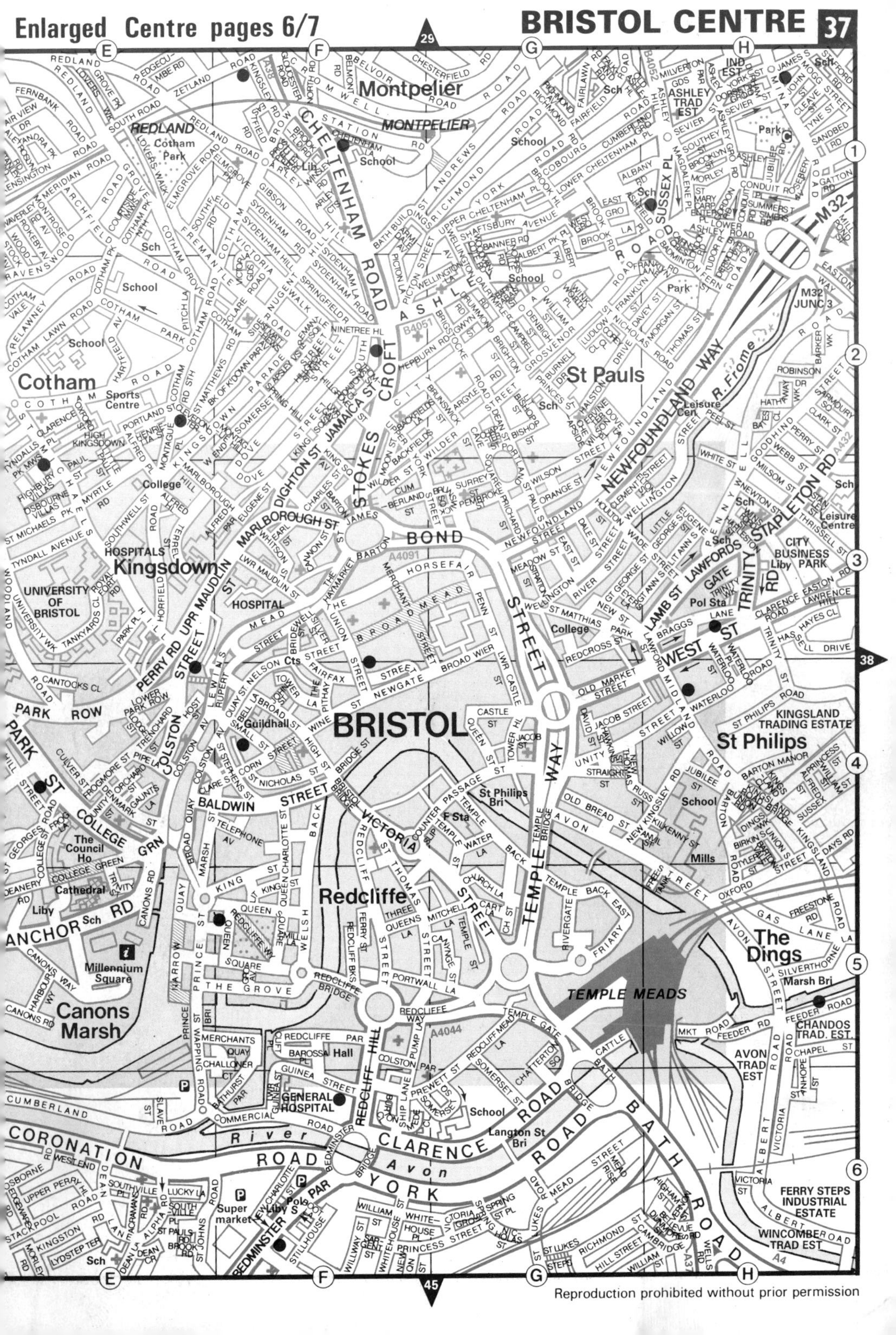
29
45
38
E
F
G
H
1
2
3
4
5
6
Montpelier
MONTPELIER
REDLAND
Cotham Park
Cotham
Sports Centre
Kingsdown
HOSPITALS
UNIVERSITY OF BRISTOL
HOSPITAL
St Pauls
St Philips
KINGSLAND TRADING ESTATE
CITY BUSINESS PARK
Leisure Cen
Leisure Centre
BRISTOL
Redcliffe
Guildhall
The Council Ho
Cathedral
Millennium Square
Canons Marsh
TEMPLE MEADS
The Dings
Marsh Bri
CHANDOS TRAD. EST.
AVON TRAD EST
FERRY STEPS INDUSTRIAL ESTATE
WINCOMBE TRAD EST
GENERAL HOSPITAL
Langton St Bri
St Philips Bri
Pol Sta
College
School
Park
M32
M32 JUNC 3
A4
A4044
A4091
B4051
A432
CHELTENHAM ROAD
STOKES CROFT
NEWFOUNDLAND WAY
R. Frome
BOND STREET
MARLBOROUGH ST
UPR MAUDLIN ST
PERRY RD
PARK ROW
PARK ST
COLLEGE GRN
ANCHOR RD
COLSTON AV
BALDWIN STREET
VICTORIA STREET
TEMPLE WAY
TEMPLE STREET
REDCLIFF HILL
CLARENCE ROAD
CORONATION ROAD
YORK ROAD
BATH ROAD
River Avon
STAPLETON RD
TRINITY RD
LAMB ST
LAWFORDS GATE
WEST ST
OLD MARKET STREET
Super market
Reproduction prohibited without prior permission

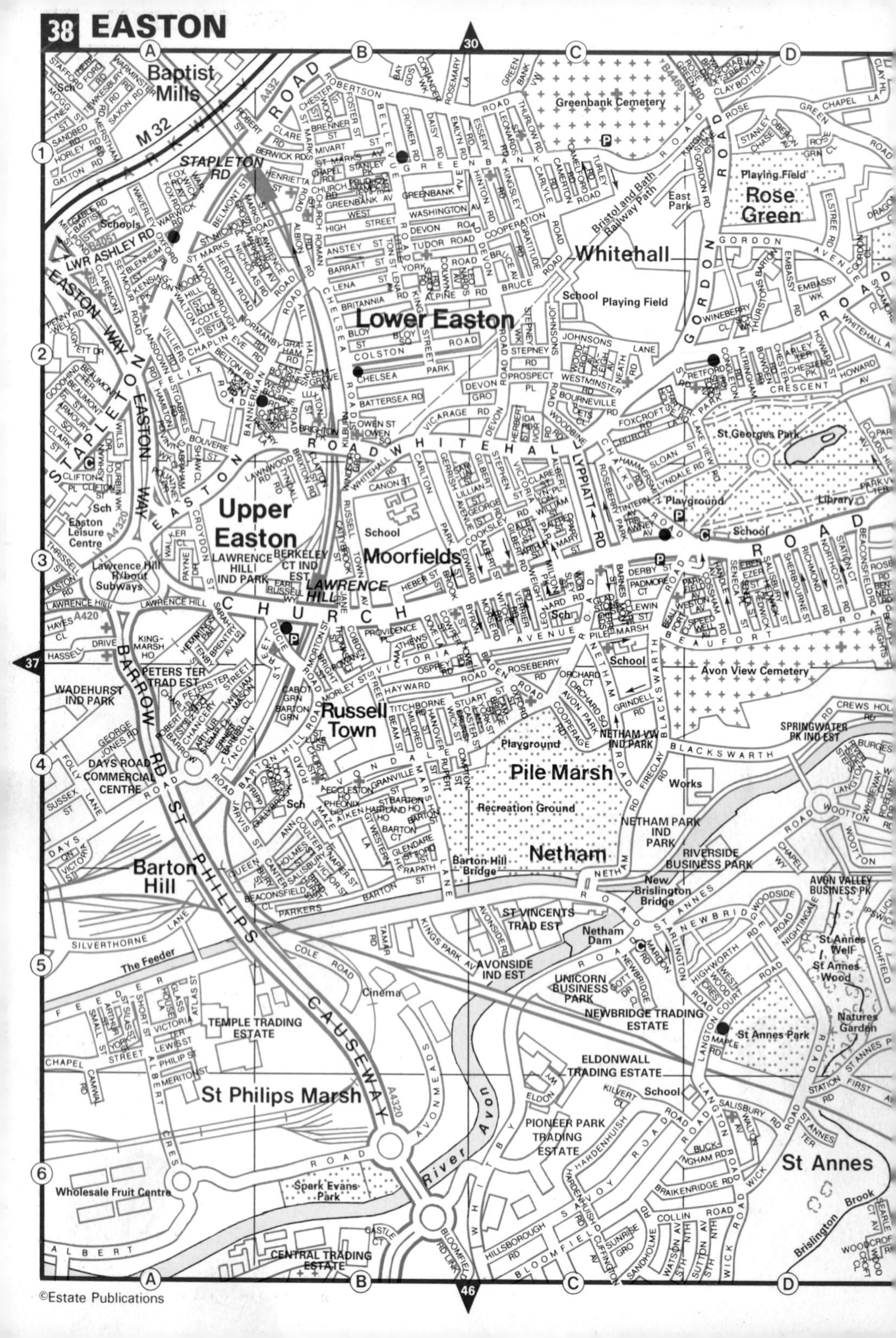

38
EASTON
Baptist Mills
M 32
STAPLETON RD
Whitehall
Rose Green
Lower Easton
Upper Easton
Moorfields
LAWRENCE HILL
Lawrence Hill R/bout Subways
Easton Leisure Centre
WHITEHALL ROAD
CHURCH ROAD
Greenbank Cemetery
St Georges Park
Avon View Cemetery
Russell Town
Pile Marsh
Recreation Ground
Netham
Barton Hill
The Feeder
CAUSEWAY
St Philips Marsh
Wholesale Fruit Centre
Spark Evans Park
River Avon
PIONEER PARK TRADING ESTATE
St Annes
St Annes Park
St Annes Wood
Natures Garden
Brislington Brook
TEMPLE TRADING ESTATE
CENTRAL TRADING ESTATE
ELDONWALL TRADING ESTATE
NEWBRIDGE TRADING ESTATE
UNICORN BUSINESS PARK
AVONSIDE IND EST
ST VINCENTS TRAD EST
RIVERSIDE BUSINESS PARK
AVON VALLEY BUSINESS PK
NETHAM PARK IND PARK
DAYS ROAD COMMERCIAL CENTRE
WADEHURST IND PARK
PETERS TER TRAD EST
SPRINGWATER PK IND EST
©Estate Publications

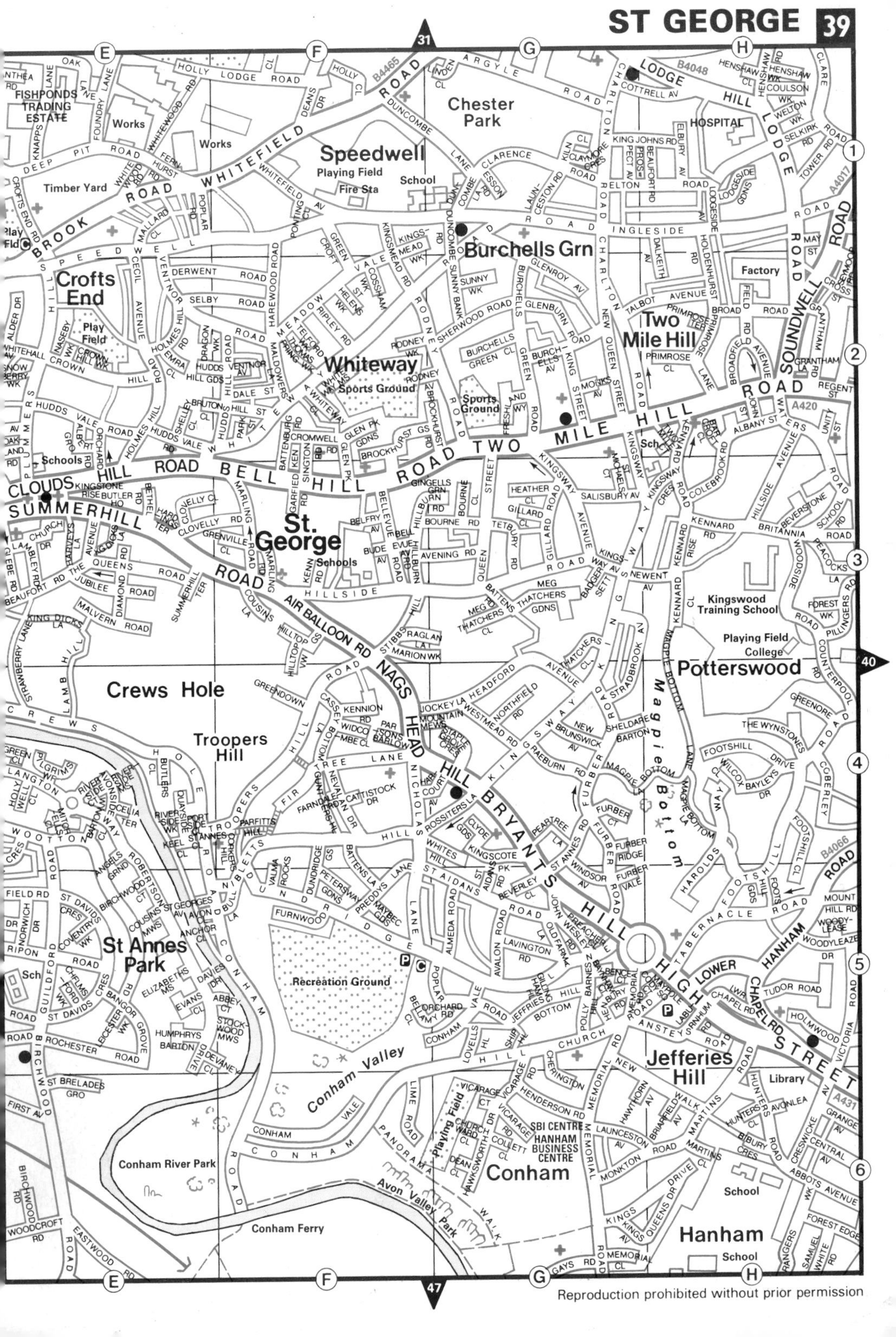

Fishponds Trading Estate
Works
Timber Yard
Chester Park
Speedwell
Playing Field
Fire Sta
School
Burchells Grn
Crofts End
Play Field
Whiteway
Sports Ground
Two Mile Hill
Hospital
Factory
Schools
St. George
Potterswood
Kingswood Training School
Playing Field
College
Crews Hole
Troopers Hill
Magpie Bottom
St Annes Park
Recreation Ground
Conham Valley
Conham River Park
Conham Ferry
Avon Valley Park
Conham
SBI CENTRE
HANHAM BUSINESS CENTRE
Jefferies Hill
Library
Hanham
WHITEFIELD ROAD
BROOK ROAD
LODGE ROAD
LODGE HILL
SOUNDWELL ROAD
TWO MILE HILL ROAD
BELL HILL ROAD
SUMMERHILL ROAD
CLOUDS HILL ROAD
AIR BALLOON RD
NAGS HEAD HILL
BRYANTS HILL
HIGH STREET
LOWER HANHAM
CHARLTON ROAD
KINGSWAY
CREWS HOLE
CONHAM ROAD
CONHAM HILL
CHURCH ROAD
MEMORIAL ROAD
CHAPEL RD

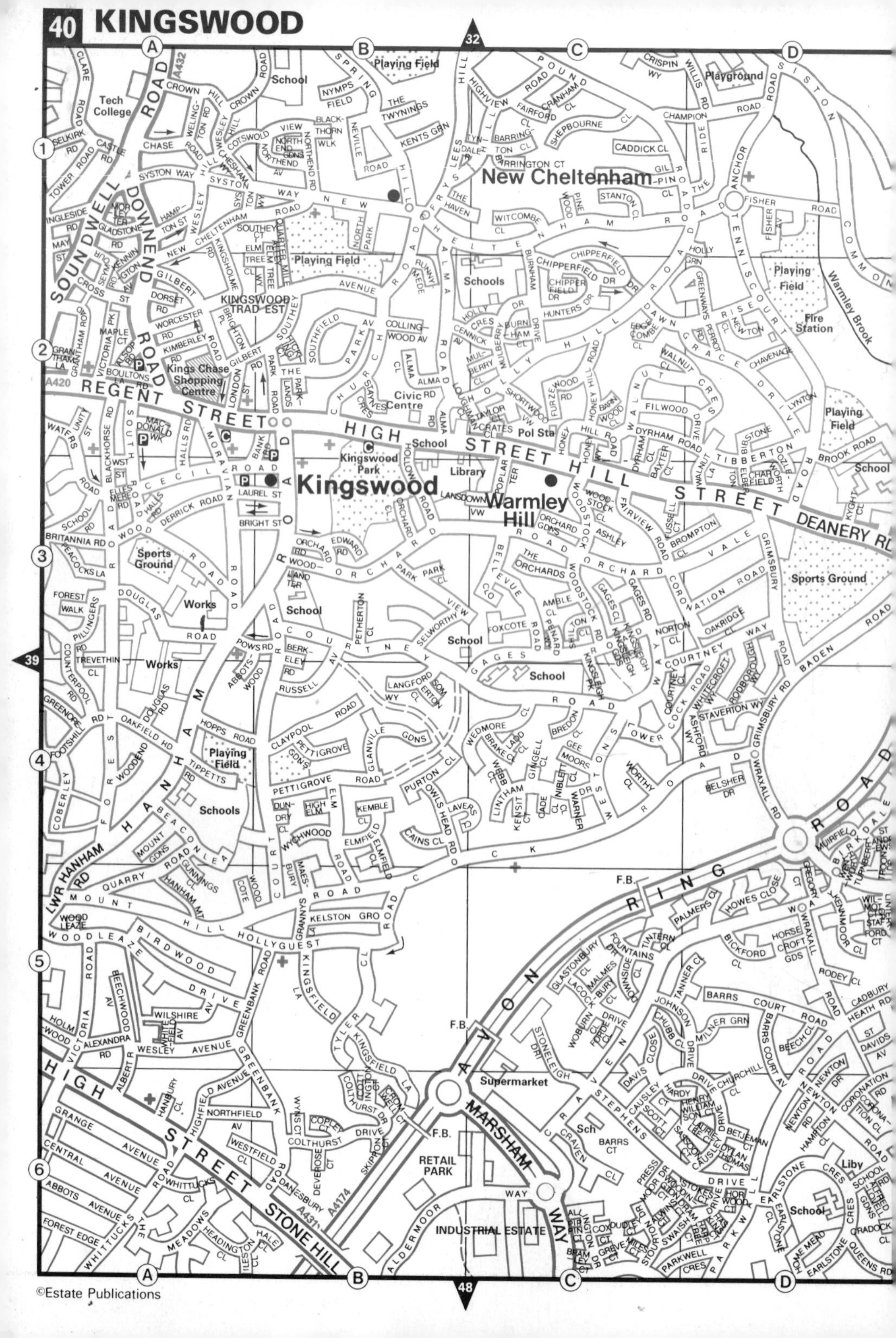

Kingswood
New Cheltenham
Warmley Hill
Tech College
School
Schools
Playing Field
Playground
Fire Station
Warmley Brook
Kings Chase Shopping Centre
KINGSWOOD TRAD EST
Civic Centre
Pol Sta
Library
Kingswood Park
Sports Ground
Works
Supermarket
RETAIL PARK
INDUSTRIAL ESTATE
Liby
Sch
F.B.
A432
A420
A4174
A431
REGENT STREET
HIGH STREET
HILL STREET
DEANERY RD
SOUNDWELL ROAD
DOWNEND ROAD
SYSTON WAY
NEW CHELTENHAM ROAD
CHELTENHAM ROAD
SISTON COMMON
ANCHOR ROAD
TENNIS COURT ROAD
HOLLY HILL ROAD
CHURCH ROAD
COURT ROAD
COURTNEY ROAD
COURTNEY WAY
ORCHARD ROAD
GAGES ROAD
LOWER COCK ROAD
RING ROAD
AVON RING ROAD
MARSHAM WAY
STONE HILL
HANHAM ROAD
MOUNT HILL ROAD
HOLLYGUEST RD
GRIMSBURY ROAD
BADEN ROAD
GRACE DRIVE
CROWN HILL
CROWN ROAD
CHASE ROAD
GILBERT ROAD
CECIL ROAD
DERRICK ROAD
DOUGLAS ROAD
PARKWALL
SELWORTHY
PETTIGROVE ROAD
BIRDWOOD
WOODLEAZE
GREENBANK ROAD
WESLEY AVENUE
HIGHFIELD AVENUE
GRANGE AVENUE
CENTRAL AVENUE
ABBOTS AVENUE
FOREST EDGE

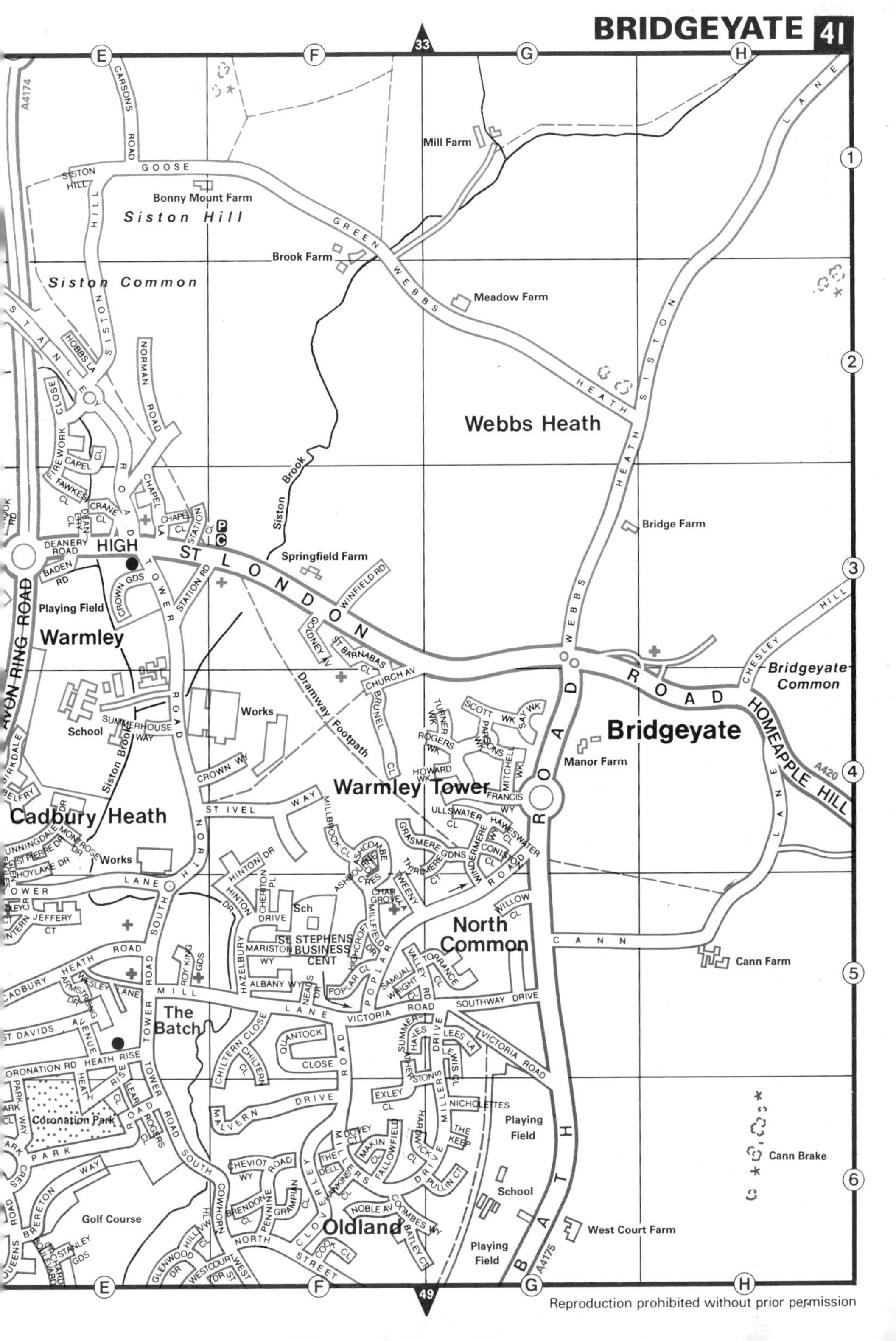
Siston Hill
Siston Common
Bonny Mount Farm
Mill Farm
Brook Farm
Meadow Farm
Webbs Heath
Bridge Farm
Springfield Farm
Siston Brook
Warmley
Playing Field
School
Works
Cadbury Heath
Warmley Tower
Bridgeyate
Bridgeyate Common
Manor Farm
Dramway Footpath
North Common
Cann Farm
St Stephens Business Cent
Sch
The Batch
Coronation Park
Golf Course
Oldland
Playing Field
School
West Court Farm
Cann Brake
GOOSE GREEN
WEBBS HEATH
SISTON LANE
HEATH SISTON
WEBBS HEATH ROAD
HIGH ST
LONDON ROAD
HOMEAPPLE HILL
A420
CHESLEY HILL
CANN LANE
BATH ROAD
A4175
AVON RING ROAD
A4174
CARSONS ROAD
SISTON HILL
NORMAN ROAD
STANLEY ROAD
HOBBS LA
FIREWORK CLOSE
CAPEL CL
FAWKES CL
CRANE CL
DEAN CL
CHAPEL LA
CHAPEL CL
STATION CL
STATION RD
DEANERY ROAD
BADEN RD
CROWN GDS
TOWER ROAD NORTH
TOWER ROAD SOUTH
WINFIELD RD
GOLDNEY AV
ST BARNABAS CL
CHURCH AV
BRUNEL CL
SUMMERHOUSE WAY
CROWN WY
ST IVEL WAY
TURNER WK
ROGERS WK
SCOTT WK
SAY WK
PARSONS WK
MITCHELL WK
HOWARD WK
FRANCIS WY
ULLSWATER CL
HAWESWATER
WINDERMERE RD
CONISTON CL
GRASMERE GDNS
THIRLMERE CT
MILLBROOK CL
ASHCOMBE CL
ASHBOURNE CRES
MEENY LA
CHAR GROVE
MILLFIELD DR
HIGHCROFT
POPLAR ROAD
POPLAR CL
WILLOW CL
HINTON DR
CHERITON PL
DRIVE
MARISTON WY
HAZELBURY
ALBANY WY
ROY KING GDS
NEADS DR
SAMUAL WRIGHT CL
VALLEY RD
TORRANCE CL
SOUTHWAY DRIVE
VICTORIA ROAD
MILL LANE
WESLEY LANE
ARMSTRONG DR
CADBURY HEATH ROAD
ST DAVIDS AVENUE
HEATH RISE
CORONATION RD
PARK WAY
PARK CRES
LEAR CL
ROGERS CL
BRERETON WAY
QUEENS ROAD
STANLEY GDS
BELFRY
KIRKDALE
SUNNINGDALE
MONTROSE DR
ST PIERRE DR
HOYLAKE DR
TOWER LANE
JEFFERY CT
QUANTOCK CLOSE
CHILTERN CLOSE
CHILTERN CL
MALVERN DRIVE
CHEVIOT WY
BRENDONE CL
PENNINE RD
GRAMPIAN CL
CLOVERLEY CL
HAWKINS CL
THE DELL
MILLERS DR
MAKIN CL
FALLOWFIELD
DOVEY CT
EXLEY CL
SUMMERHAYES
LEES LA
LEWIS CL
NICHOLETTES
HARDWICKE
THE KEEP
PULLIN CT
NOBLE AV
COOMBES WY
BATLEY CT
COOK CL
NORTH STREET
HILLVIEW
GLENWOOD DR
WESTCOURT DR
COWHORN HILL

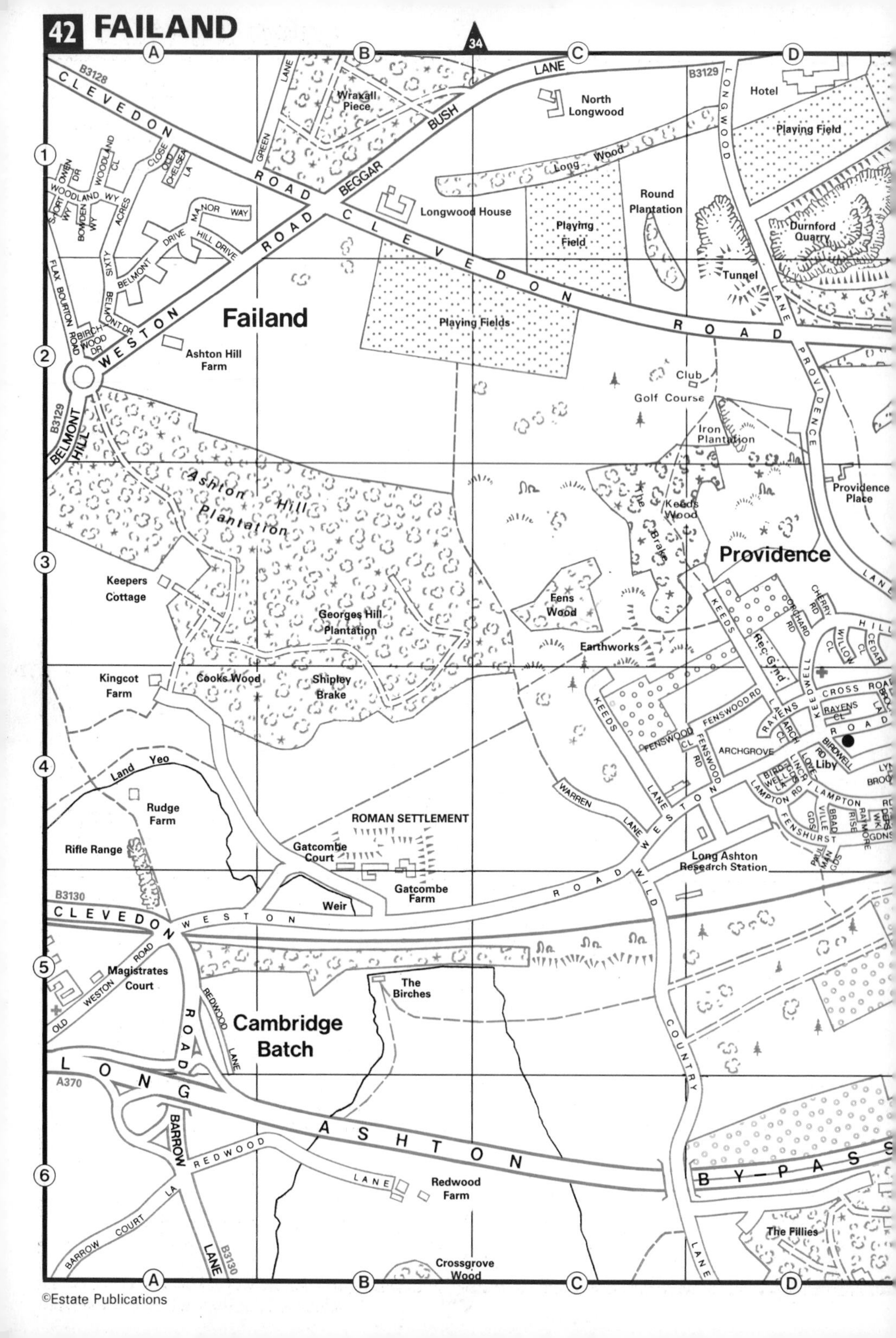

Failand
Providence
Cambridge Batch
Ashton Hill Farm
Ashton Hill Plantation
Keepers Cottage
Georges Hill Plantation
Kingcot Farm
Cooks Wood
Shipley Brake
Rudge Farm
Rifle Range
ROMAN SETTLEMENT
Gatcombe Court
Gatcombe Farm
Weir
Magistrates Court
The Birches
Redwood Farm
Crossgrove Wood
The Fillies
Long Ashton Research Station
Earthworks
Fens Wood
Keeds Wood
The Brake
Iron Plantation
Golf Course
Club
Providence Place
Longwood House
North Longwood
Long Wood
Round Plantation
Playing Field
Playing Fields
Tunnel
Durnford Quarry
Hotel
Wraxall Piece
Liby
Rec Grnd
CLEVEDON ROAD
BEGGAR BUSH LANE
WESTON ROAD
LONG ASHTON BY-PASS
COUNTRY LANE
WILD COUNTRY LANE
PROVIDENCE LANE
LONGWOOD LANE
KEEDS LANE
WARREN LANE
REDWOOD LANE
BARROW ROAD
BARROW COURT LA
OLD WESTON ROAD
BELMONT HILL
FLAX BOURTON ROAD
GREEN LANE
Land Yeo
B3128
B3129
B3130
A370

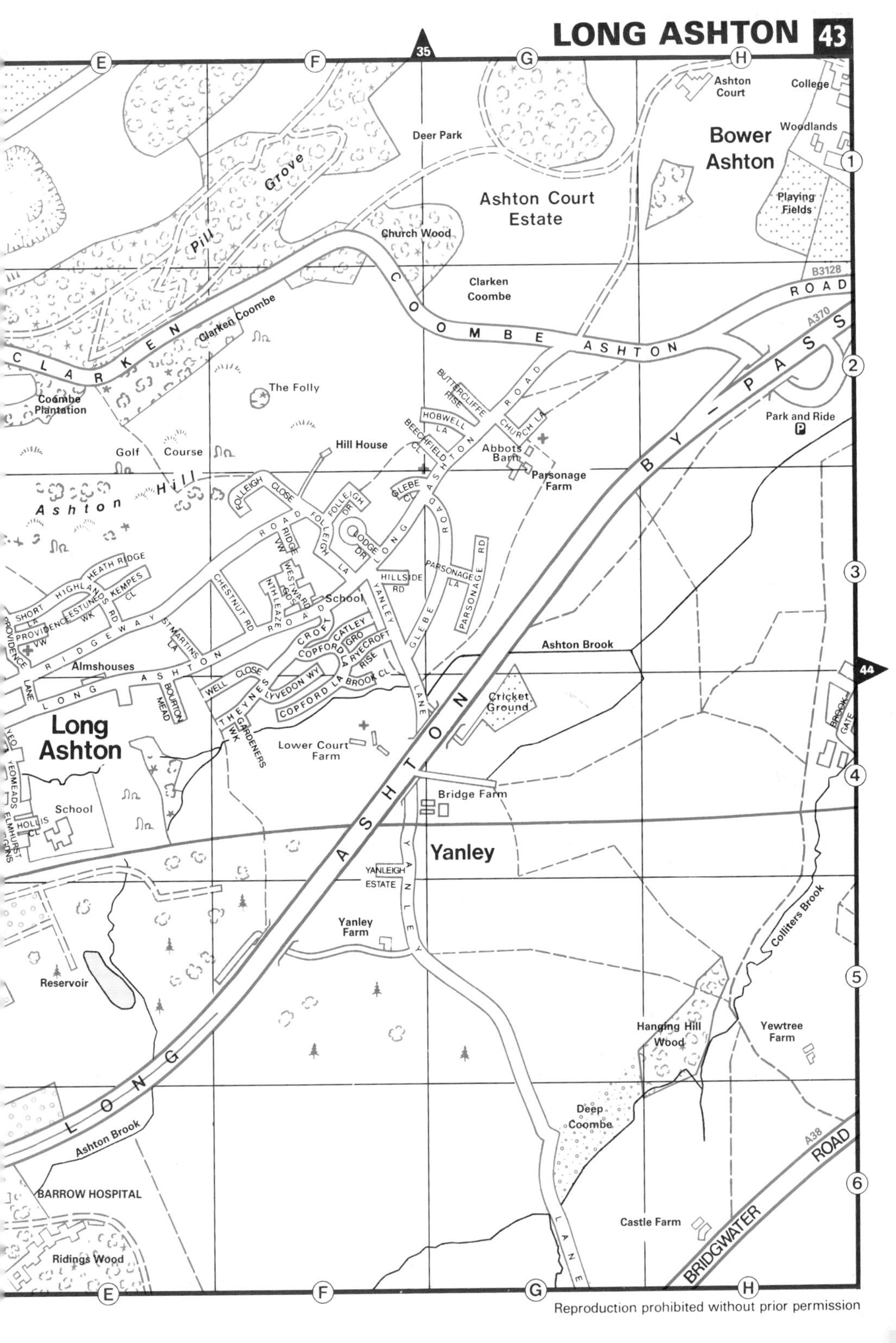

Deer Park
Ashton Court
College
Woodlands
Bower Ashton
Ashton Court Estate
Pill Grove
Church Wood
Playing Fields
B3128
Clarken Coombe
ROAD
COOMBE
ASHTON
A370
CLARKEN
Clarken Coombe
BY-PASS
Coombe Plantation
The Folly
Park and Ride
Hill House
Abbots Barn
Parsonage Farm
Golf Course
Ashton Hill
School
Ashton Brook
Almshouses
Cricket Ground
Long Ashton
Lower Court Farm
School
Bridge Farm
Yanley
YANLEIGH ESTATE
Yanley Farm
Reservoir
Colliters Brook
Hanging Hill Wood
Yewtree Farm
Deep Coombe
Ashton Brook
LONG ASHTON
BARROW HOSPITAL
Castle Farm
BRIDGWATER ROAD
A38
Ridings Wood

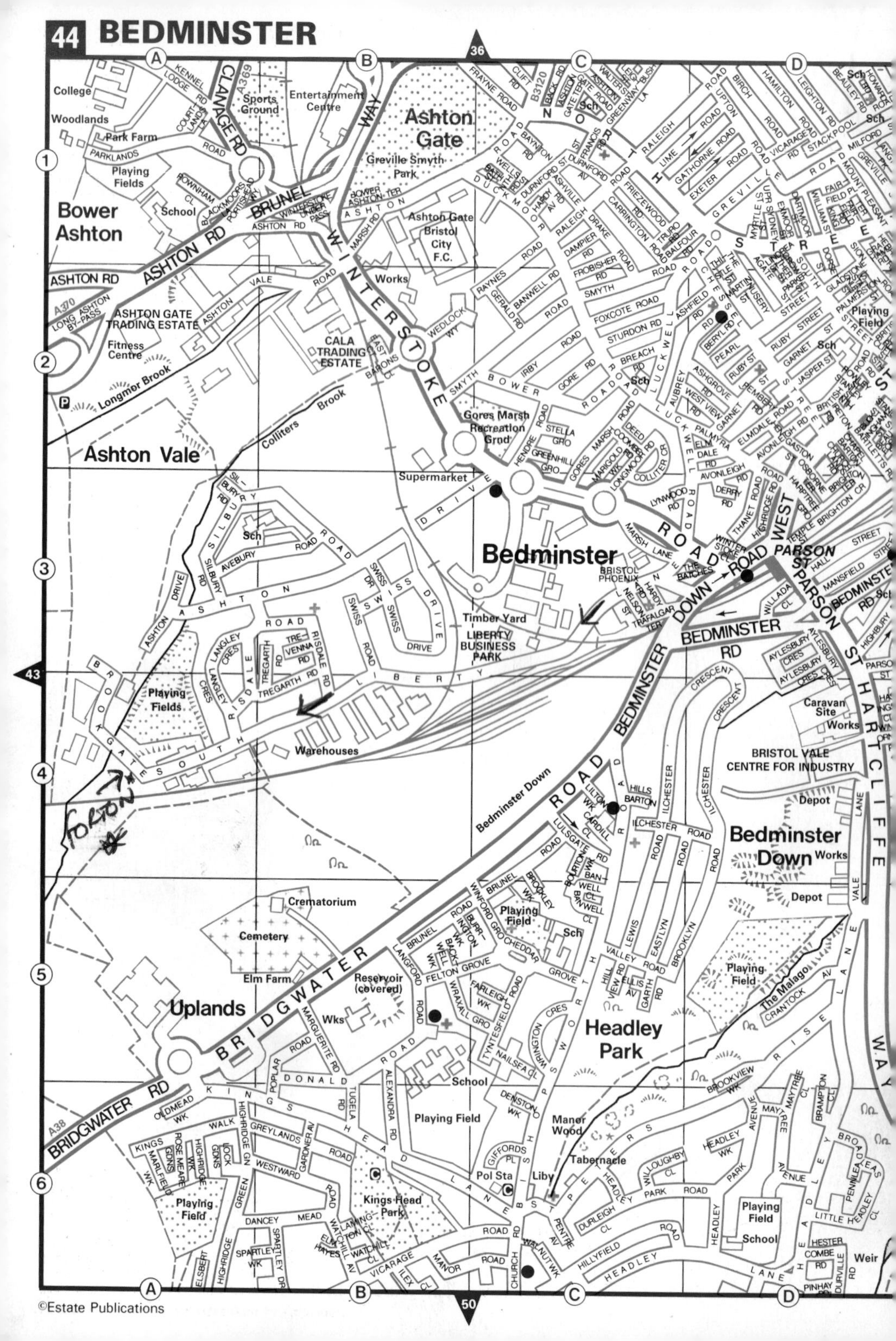

Bower Ashton
Ashton Gate
Ashton Vale
Bedminster
Bedminster Down
Uplands
Headley Park
College
Woodlands
Park Farm
Playing Fields
School
Sports Ground
Entertainment Centre
Greville Smyth Park
Ashton Gate Bristol City F.C.
Works
ASHTON GATE TRADING ESTATE
Fitness Centre
CALA TRADING ESTATE
Longmoor Brook
Colliters Brook
Gores Marsh Recreation Grnd
Supermarket
BRISTOL PHOENIX
Timber Yard
LIBERTY BUSINESS PARK
Warehouses
Caravan Site
BRISTOL VALE CENTRE FOR INDUSTRY
Depot
Crematorium
Cemetery
Elm Farm
Reservoir (covered)
Wks
Playing Field
Manor Wood
Tabernacle
Pol Sta
Liby
Kings Head Park
The Malago
Weir
ASHTON RD
BRUNEL WAY
CLANAGE RD
WINTERSTOKE ROAD
BEDMINSTER DOWN ROAD
BRIDGWATER ROAD
BEDMINSTER RD
PARSON ST
HARTCLIFFE WAY
BEDMINSTER ROAD WEST
SOUTH LIBERTY LANE
KINGS HEAD LANE
BISHOPSWORTH ROAD
HEADLEY LANE
ST PETERS RISE
ASHTON VALE ROAD
NORTH STREET
GREVILLE STREET
A369
A370
A38
B3120

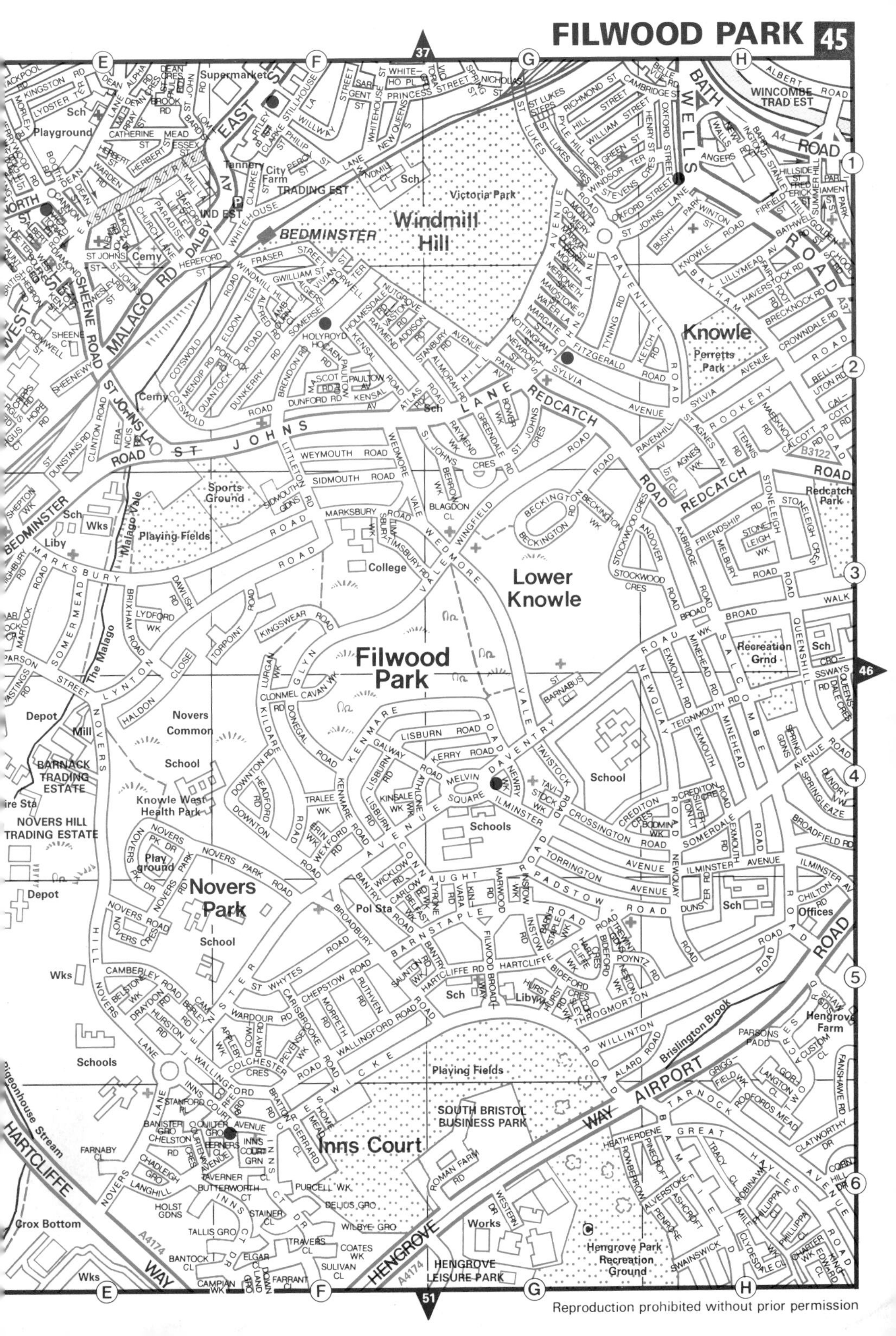

FILWOOD PARK
45
37
46
51
E
F
G
H
1
2
3
4
5
6
Supermarket
Playground
Tannery
City Farm
TRADING EST
IND EST
BEDMINSTER
Victoria Park
Windmill Hill
WINCOMBE TRAD EST
BATH ROAD
WELLS ROAD
A4
A37
Knowle
Perretts Park
Cemy
MALAGO RD
SHEENE ROAD
ST JOHNS LANE
REDCATCH ROAD
ST JOHNS ROAD
BEDMINSTER ROAD
Sports Ground
Playing Fields
Malago Vale
The Malago
MARKSBURY ROAD
College
Lower Knowle
Filwood Park
Redcatch Park
B3122
Recreation Grnd
Depot
Mill
BARNACK TRADING ESTATE
NOVERS HILL TRADING ESTATE
Novers Common
School
Knowle West Health Park
Play ground
Novers Park
MELVIN SQUARE
Schools
Pol Sta
Sch
Liby
Offices
Hengrove Farm
Brislington Brook
Playing Fields
SOUTH BRISTOL BUSINESS PARK
Inns Court
Pigeonhouse Stream
HARTCLIFFE WAY
A4174
Crox Bottom
Wks
Works
HENGROVE WAY
AIRPORT ROAD
HENGROVE LEISURE PARK
Hengrove Park Recreation Ground
Reproduction prohibited without prior permission

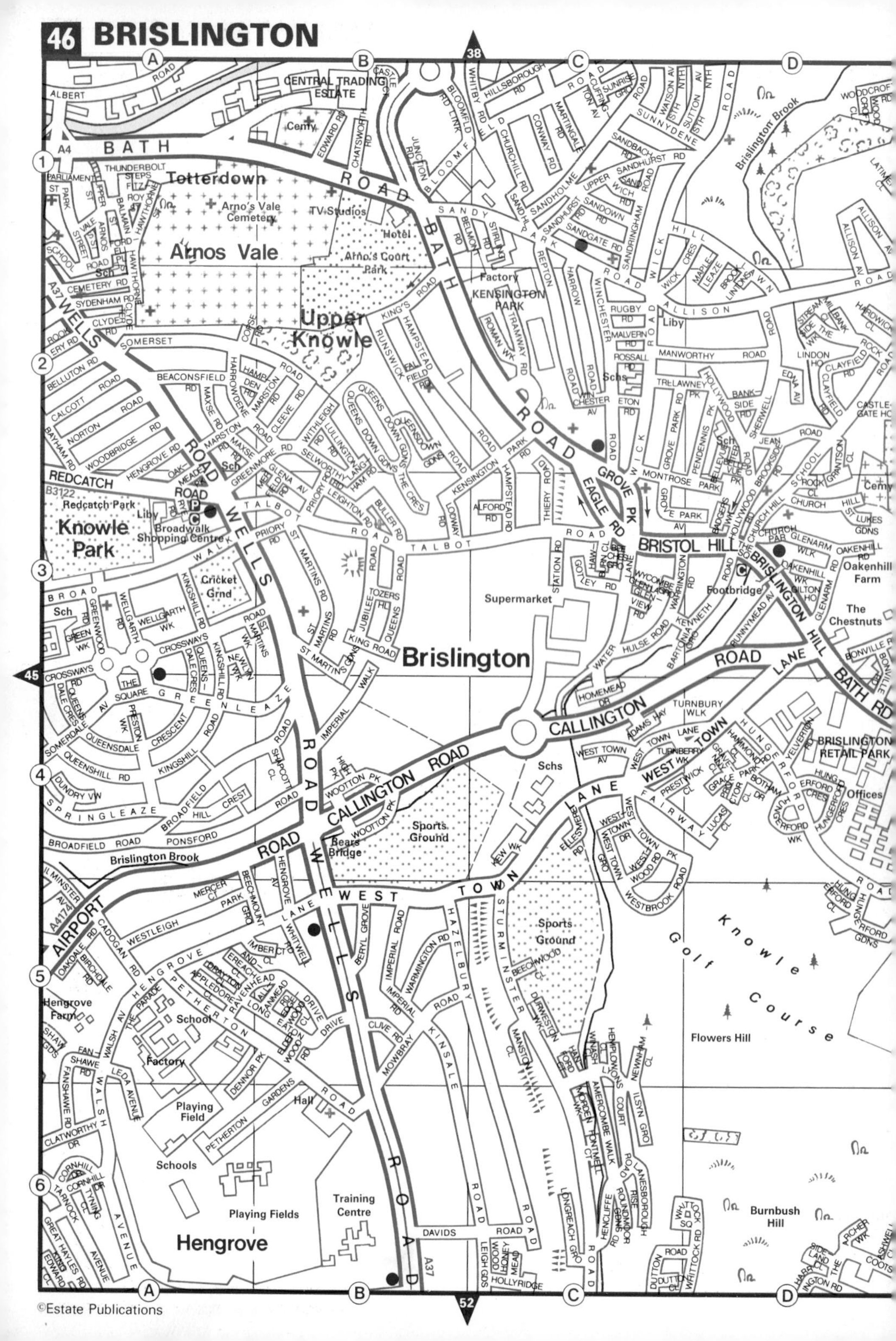
38
45
52
CENTRAL TRADING ESTATE
Totterdown
Arno's Vale Cemetery
Arnos Vale
TV Studios
Hotel
Arno's Court Park
Upper Knowle
Factory
KENSINGTON PARK
Liby
Schs
BATH ROAD
WELLS ROAD
Redcatch Park
Knowle Park
Broadwalk Shopping Centre
Cricket Grnd
Supermarket
Brislington
BRISTOL HILL
Footbridge
Oakenhill Farm
The Chestnuts
BRISLINGTON HILL
CALLINGTON ROAD
WEST TOWN LANE
BRISLINGTON RETAIL PARK
Offices
Sports Ground
Bears Bridge
Brislington Brook
AIRPORT ROAD
Hengrove Farm
School
Factory
Playing Field
Schools
Playing Fields
Training Centre
Hengrove
Knowle Golf Course
Flowers Hill
Burnbush Hill
A4
A37
A4174
B3122

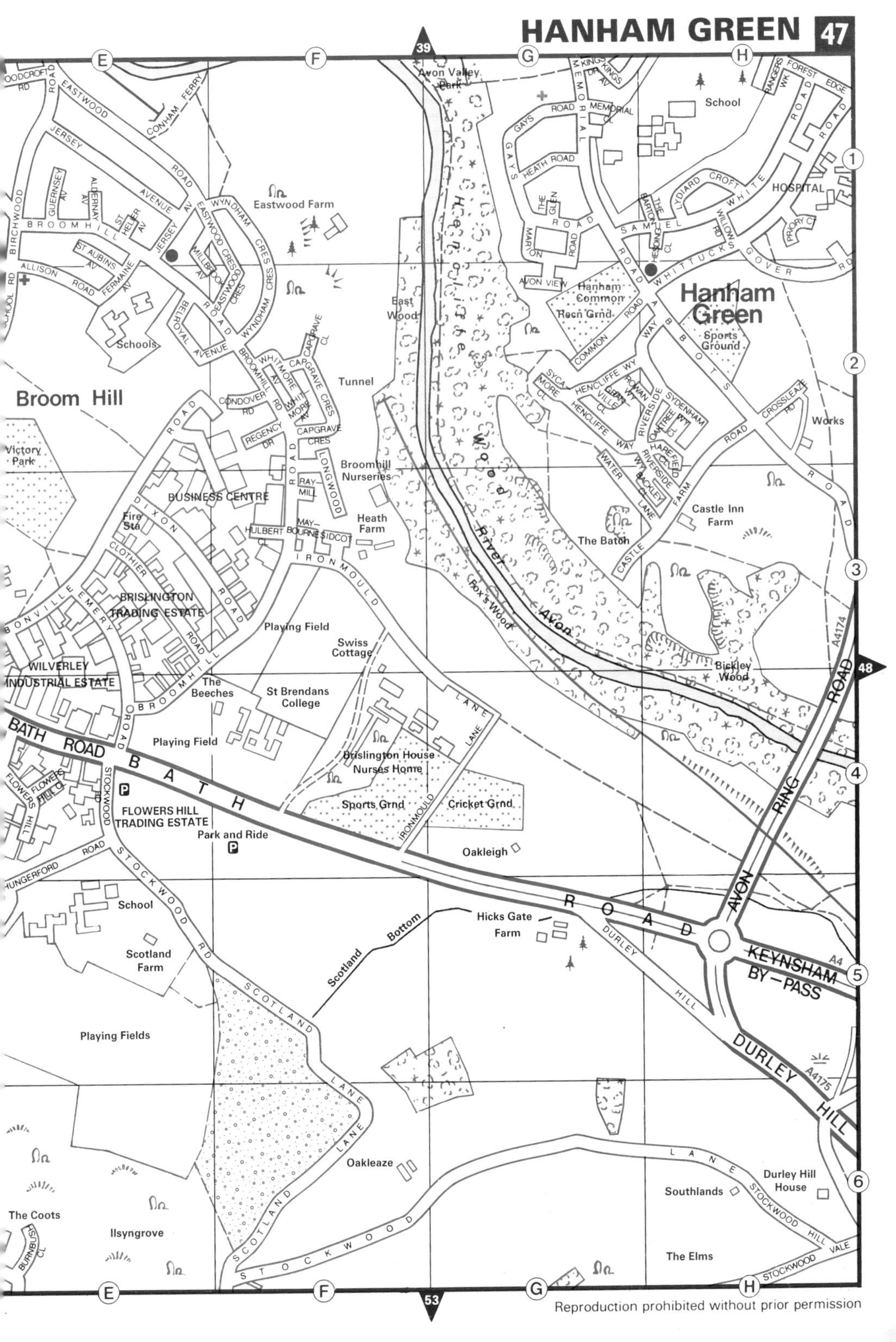
Hanham Green
Broom Hill
Eastwood Farm
Schools
Victory Park
BUSINESS CENTRE
Fire Sta
BRISLINGTON TRADING ESTATE
WILVERLEY INDUSTRIAL ESTATE
The Beeches
St Brendans College
Playing Field
Swiss Cottage
Heath Farm
Broomhill Nurseries
Tunnel
East Wood
Avon Valley Park
Hencliffe Wood
River Avon
Fox's Wood
Hanham Common
Recn Grnd
Sports Ground
School
HOSPITAL
Works
Castle Inn Farm
The Batch
Bickley Wood
Brislington House Nurses Home
Sports Grnd
Cricket Grnd
FLOWERS HILL TRADING ESTATE
Park and Ride
Oakleigh
Hicks Gate Farm
Scotland Bottom
School
Scotland Farm
Playing Fields
Oakleaze
The Coots
Ilsyngrove
Southlands
Durley Hill House
The Elms
BATH ROAD
AVON RING ROAD
KEYNSHAM BY-PASS
DURLEY HILL
A4
A4174
A4175
STOCKWOOD LANE
SCOTLAND LANE
STOCKWOOD RD
STOCKWOOD VALE
STOCKWOOD HILL
IRONMOULD LANE
BROOMHILL ROAD
ABBOTS ROAD
COMMON ROAD
SAMUEL WHITE RD
WHITTUCKS ROAD
GOVER RD
CASTLE FARM ROAD
CROSSLEAZE RD
HENCLIFFE WAY
EASTWOOD ROAD
JERSEY AVENUE
WYNDHAM CRES
HUNGERFORD ROAD
39
48
53

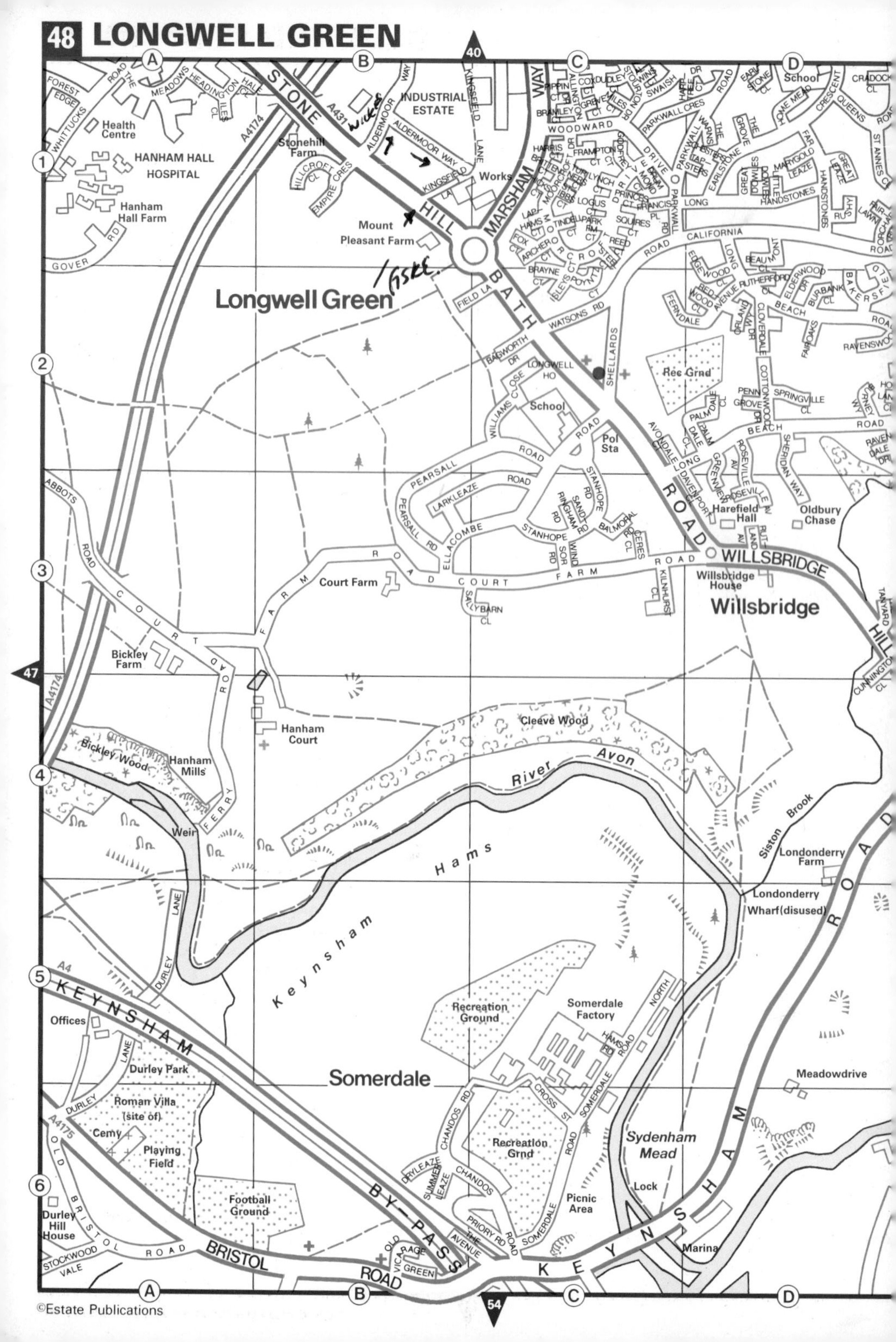
Longwell Green
Willsbridge
Somerdale
Keynsham Hams
River Avon
Health Centre
HANHAM HALL HOSPITAL
Hanham Hall Farm
INDUSTRIAL ESTATE
Stonehill Farm
Mount Pleasant Farm
Works
School
Rec Grnd
Pol Sta
Harefield Hall
Oldbury Chase
Willsbridge House
Court Farm
Bickley Farm
Hanham Court
Cleeve Wood
Bickley Wood
Hanham Mills
Weir
Siston Brook
Londonderry Farm
Londonderry Wharf(disused)
Recreation Ground
Somerdale Factory
Sydenham Mead
Lock
Marina
Picnic Area
Recreation Grnd
Meadowdrive
Offices
Durley Park
Roman Villa (site of)
Cemy
Playing Field
Football Ground
Durley Hill House
STONE HILL
MARSHAM WAY
BATH ROAD
CALIFORNIA ROAD
WILLSBRIDGE HILL
COURT FARM ROAD
ABBOTS ROAD
FERRY ROAD
KEYNSHAM BY-PASS
BRISTOL ROAD
KEYNSHAM ROAD
OLD BRISTOL ROAD
DURLEY LANE
STOCKWOOD VALE
CHANDOS RD
SOMERDALE ROAD
PRIORY RD
THE AVENUE
A4174
A431
A4
A4175
40
47
54

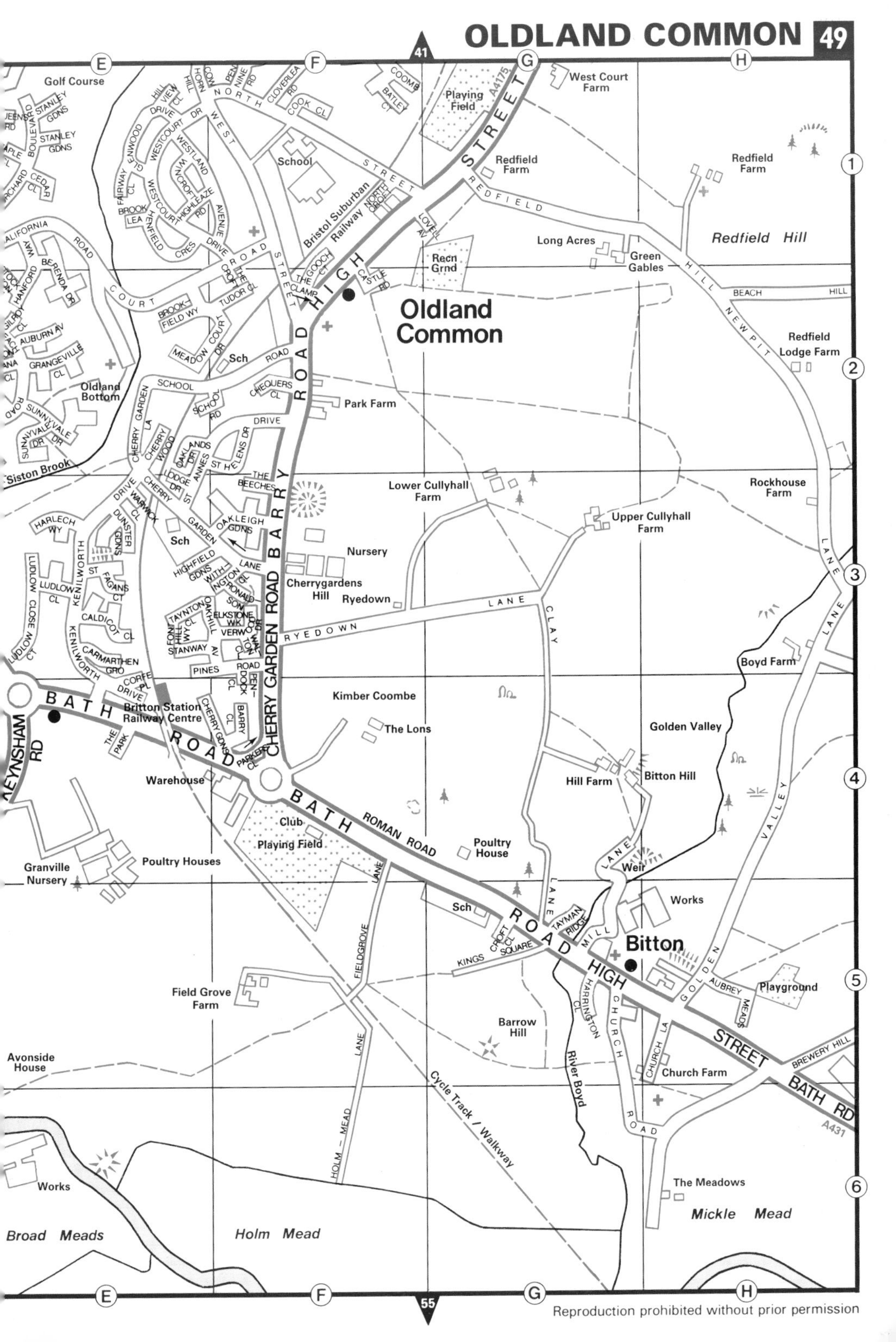

Golf Course

West Court Farm

Playing Field

Redfield Farm

Redfield Farm

Redfield Hill

School

Bristol Suburban Railway

Long Acres

Green Gables

BEACH HILL

Oldland Common

Recn Grnd

Redfield Lodge Farm

Oldland Bottom

Siston Brook

Park Farm

Lower Cullyhall Farm

Upper Cullyhall Farm

Rockhouse Farm

The Beeches

Nursery

Cherrygardens Hill

Ryedown

Boyd Farm

Kimber Coombe

The Lons

Golden Valley

Britton Station Railway Centre

Warehouse

Hill Farm

Bitton Hill

Club

Playing Field

ROMAN ROAD

Poultry House

Weir

Works

Granville Nursery

Poultry Houses

Bitton

Playground

Field Grove Farm

Barrow Hill

Church Farm

Avonside House

River Boyd

Cycle Track / Walkway

The Meadows

Works

Mickle Mead

Broad Meads

Holm Mead

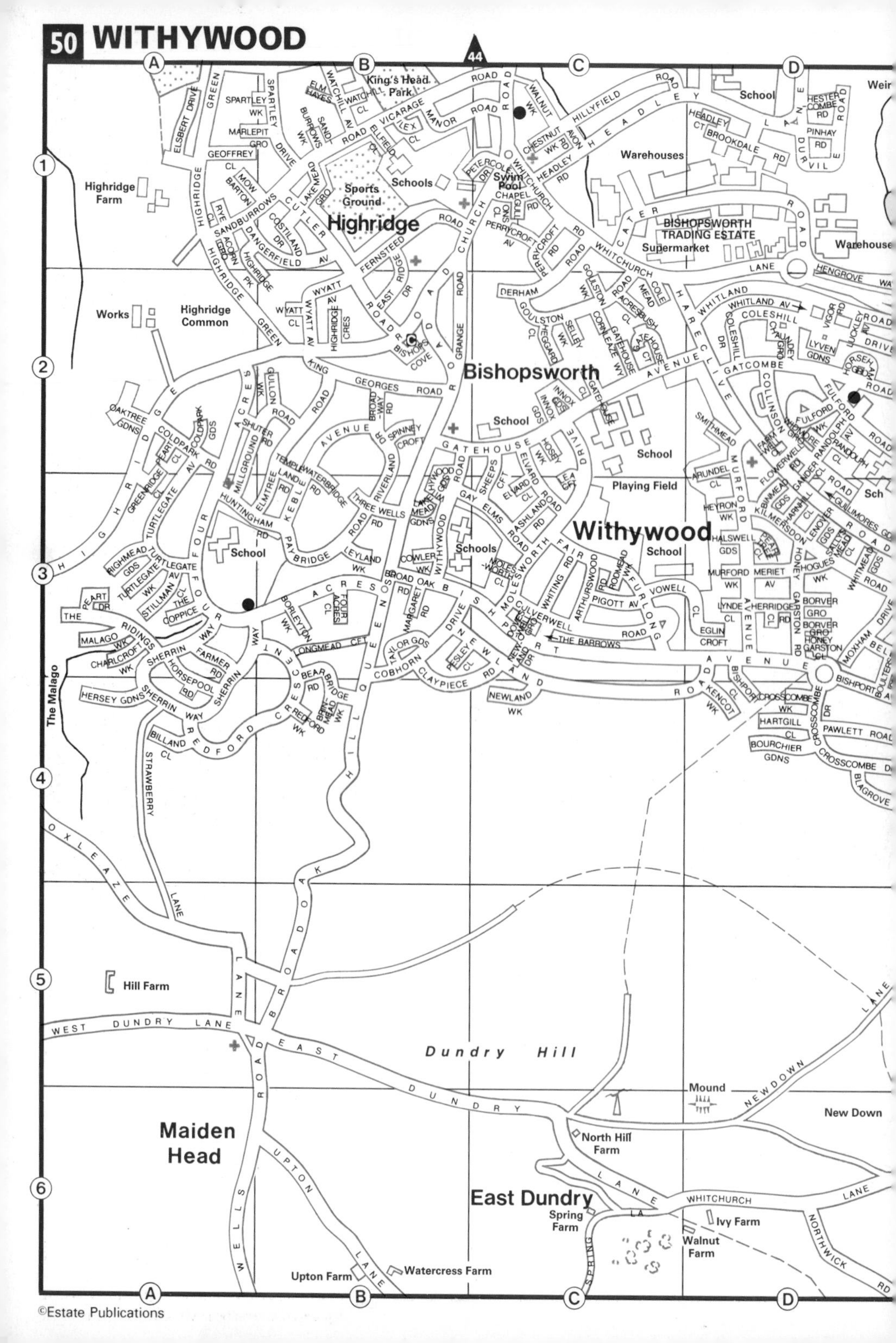
44
Highridge
Bishopsworth
Withywood
Maiden Head
East Dundry
Dundry Hill
King's Head Park
Sports Ground
Schools
Swim Pool
Highridge Farm
Highridge Common
Works
Warehouses
BISHOPSWORTH TRADING ESTATE
Supermarket
School
Playing Field
The Malago
Hill Farm
North Hill Farm
Spring Farm
Ivy Farm
Walnut Farm
Upton Farm
Watercress Farm
Mound
New Down
WEST DUNDRY LANE
EAST DUNDRY
WHITCHURCH LANE
NEWDOWN LANE
NORTHWICK RD
OXLEAZE LANE
BROADOAK
UPTON LANE
WELLS ROAD
SPRING LA
STRAWBERRY
HIGHRIDGE GREEN
HIGHRIDGE ROAD
KING GEORGES ROAD
BISHOPS ROAD
CHURCH ROAD
WHITCHURCH ROAD
HEADLEY LANE
HEADLEY RD
HILLYFIELD ROAD
MANOR ROAD
VICARAGE ROAD
CATER ROAD
HENGROVE LANE
WHITCHURCH LANE
HARECLIVE ROAD
GATEHOUSE AVENUE
FOUR ACRES
QUEENS HILL
BISHPORT AVENUE
MOLESWORTH DRIVE
FAIR FURLONG
SHERRIN WAY
REDFORD CRESCENT
GRANGE ROAD
WITHYWOOD RD
CROSSCOMBE DR
PAWLETT ROAD
BLAGROVE
KENCOT WK
MURFORD AVENUE

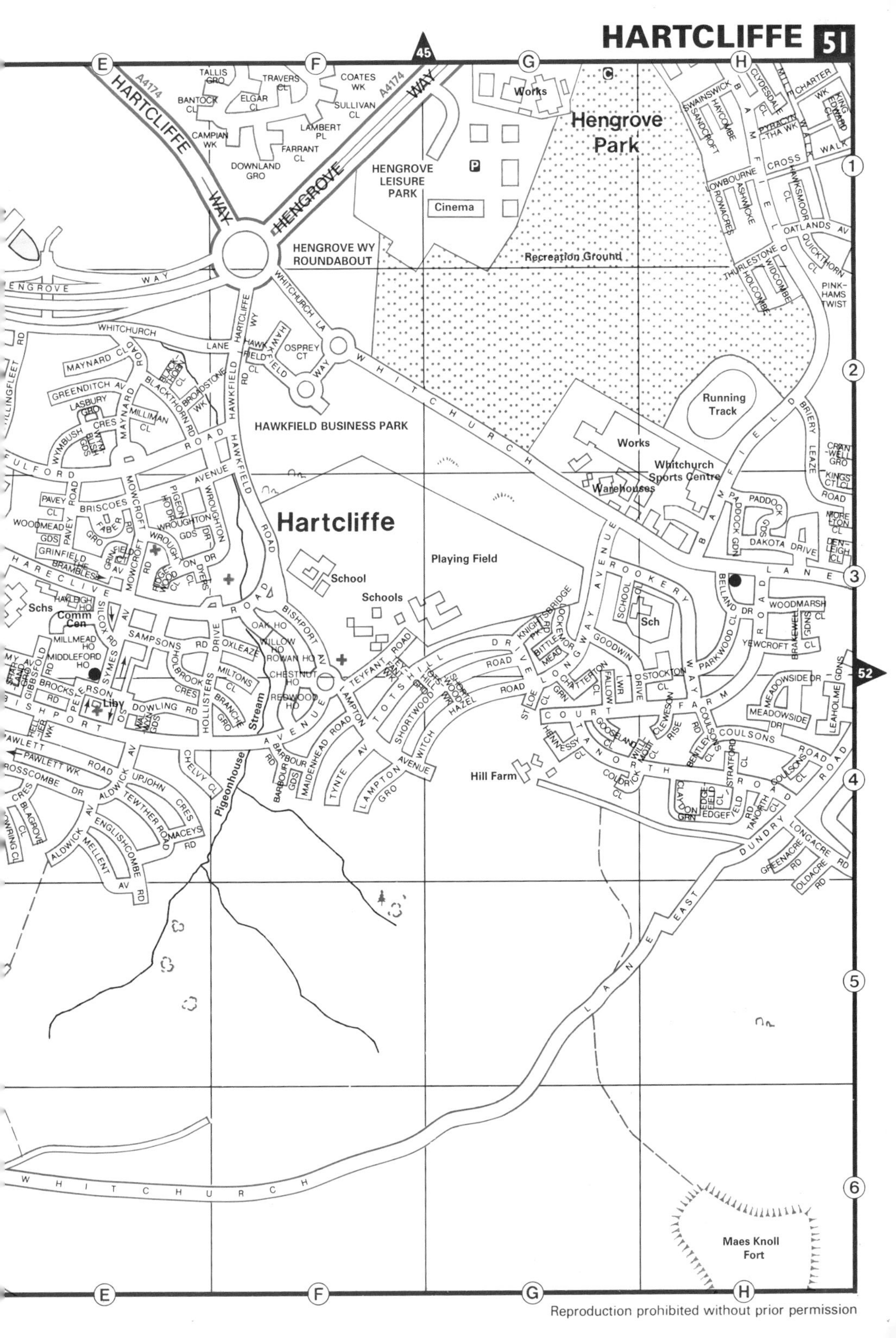
45
52
E
F
G
H
1
2
3
4
5
6
Hengrove Park
HENGROVE LEISURE PARK
Cinema
Works
Recreation Ground
HENGROVE WY ROUNDABOUT
HARTCLIFFE WAY
HENGROVE WAY
A4174
TALLIS GRO
TRAVERS CL
COATES WK
BANTOCK CL
ELGAR CL
SULLIVAN CL
LAMBERT PL
CAMPIAN WK
FARRANT CL
DOWNLAND GRO
WHITCHURCH LANE
HAWKFIELD BUSINESS PARK
OSPREY CT
HAWKFIELD RD
Hartcliffe
School
Schools
Playing Field
Running Track
Whitchurch Sports Centre
Warehouses
BAMFIELD
ROOKERY WAY
Sch
Hill Farm
DUNDRY LANE
LANE EAST
WHITCHURCH
Pigeonhouse Stream
Maes Knoll Fort
MAYNARD CL
GREENDITCH AV
LASBURY GRO
MILLIMAN CL
BLACKTHORN RD
BROADSTONE WK
FULFORD RD
PAVEY RD
BRISCOES AV
WOODMEAD GDS
GRINFIELD AV
HARECLIVE RD
Schs
Comm Cen
Liby
BISHPORT AV
SAMPSONS RD
OXLEAZE
HOLBROOK CRES
MILTONS CL
DOWLING RD
HOLLISTERS DRIVE
PAWLETT RD
UPJOHN CRES
TEWTHER ROAD
MACEYS RD
ALDWICK AV
ENGLISHCOMBE RD
MELLENT AV
CHELVY CL
BARBOUR RD
MAIDENHEAD ROAD
TYNTE AV
LAMPTON AVENUE
TEYFANT ROAD
TOTSHILL DR
HAZEL ROAD
KNIGHTSBRIDGE PK
GOODWIN DR
STOCKTON CL
COURT FARM ROAD
COULSONS ROAD
MEADOWSIDE DR
LEAHOLME GDNS
WOODMARSH CL
YEWCROFT CL
PARKWOOD CL
BELLAND DR
DAKOTA DRIVE
PADDOCK GDNS
BRIERY LEAZE ROAD
LONGACRE RD
GREENACRE RD
OLDACRE RD
OATLANDS AV
CHARTER WALK
CROSS WALK
SWAINSWICK
PINKHAMS TWIST

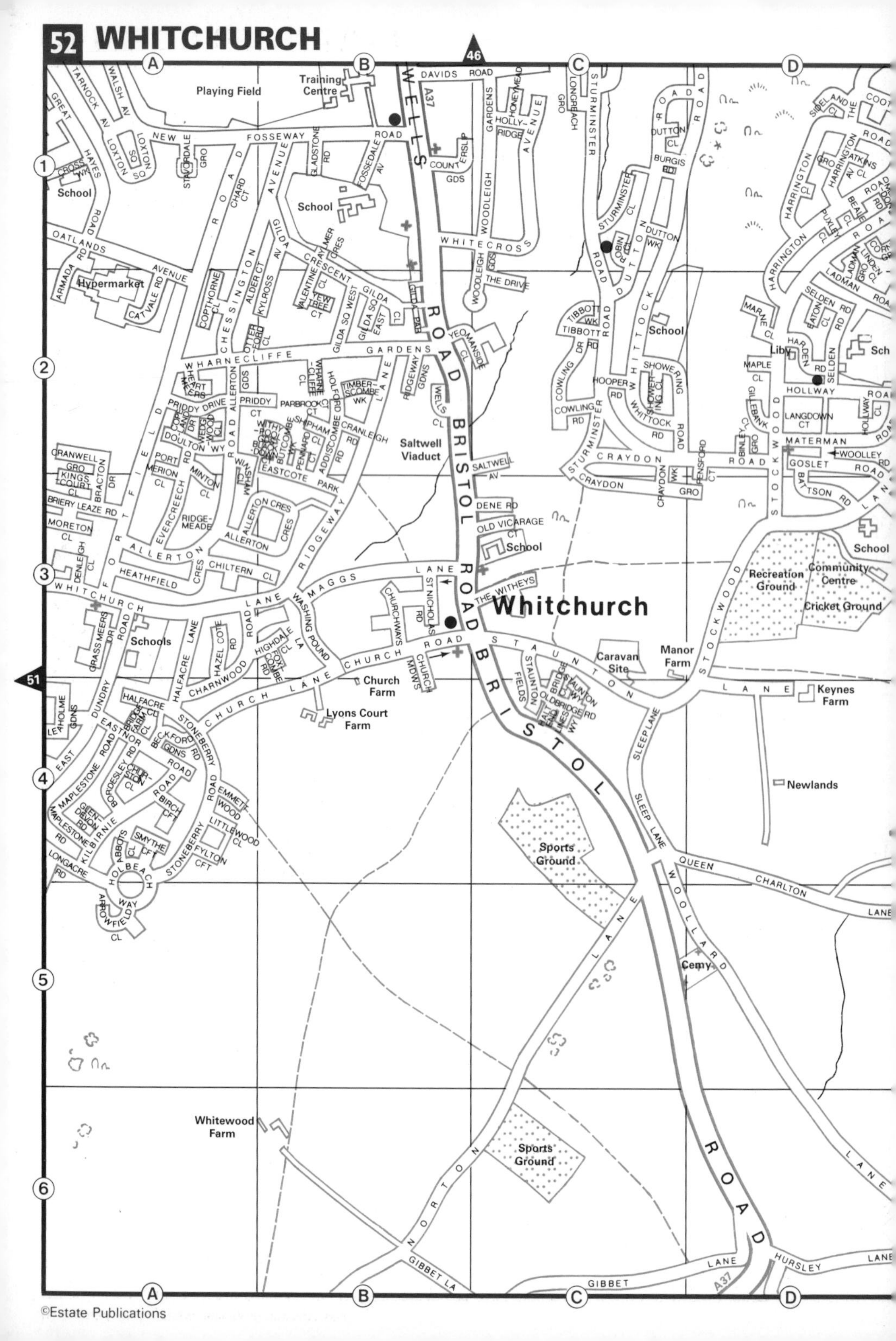

46
51
A
B
C
D
1
2
3
4
5
6
Playing Field
Training Centre
DAVIDS ROAD
A37
WELLS ROAD
BRISTOL ROAD
FOSSEWAY
NEW FOSSEWAY ROAD
TARNOCK AV
WALSH AV
GREAT HAYES ROAD
CROSS WK
School
LOXTON SQ
STAVORDALE GRO
CHARD CT
GLADSTONE RD
FOSSEDALE AV
COUNTERSLIP GDS
WOODLEIGH GARDENS
HOLLY RIDGE
HONEYMEAD
AVENUE
WHITECROSS
WOODLEIGH GDS
THE DRIVE
LONGREACH GRO
STURMINSTER ROAD
STURMINSTER CL
ROBIN CL
DUTTON WK
DUTTON CL
DUTTON ROAD
BURGIS RD
WHITTOCK ROAD
School
TIBBOTT WK
TIBBOTT RD
COWLING DR
COWLING RD
SHOWERING CL
SHOWERING RD
HOOPER RD
WHITTOCK RD
CRAYDON ROAD
CRAYDON GRO
CRAYDON WK
PENSFORD CT
OATLANDS AVENUE
ARMADA RD
Hypermarket
CATVALE RD
CHESSINGTON AVENUE
COPTHORNE CL
ALDER CT
KYLROSS AV
GILDA CRESCENT
AYLMER CRES
VALENTINE CL
YEW TREE CT
GILDA SQ WEST
GILDA SQ EAST
GILDA PAR
YEOMANSIDE CL
WHARNECLIFFE GARDENS
OTTERFORD CL
ALLERTON ROAD
ALLERTON GDS
PRIDDY DRIVE
PRIDDY CT
PARBROOK CT
TIMBERSCOMBE WK
RIDGEWAY GDNS
WELLS CL
Saltwell Viaduct
SALTWELL AV
DENE RD
OLD VICARAGE CT
School
CRANLEIGH RD
SHIPHAM CL
ADDISCOMBE RD
EASTCOTE PARK
DOULTON WY
PORT MERION CL
MINTON CL
EVERCREECH RD
RIDGEMEADE
ALLERTON CRES
ALLERTON
RIDGEWAY LANE
CRANWELL GRO
KINGS COURT CL
BRACTON DR
BRIERY LEAZE RD
MORETON CL
DENLEIGH CL
FORTFIELD ROAD
HEATHFIELD CRES
CHILTERN CL
WHITCHURCH LANE
MAGGS LANE
WASHING POUND LANE
GRASSMEERS DR
Schools
HALFACRE LANE
HAZEL COTE RD
CHARNWOOD
HIGHDALE CL
FOXCOMBE RD
CHURCH ROAD
CHURCHWAYS
ST NICHOLAS RD
CHURCH MDWS
THE WITHEYS
Whitchurch
STAUNTON LANE
STAUNTON FIELDS
Church Farm
Lyons Court Farm
CHURCH LANE
Caravan Site
Manor Farm
Keynes Farm
SLEEP LANE
Newlands
HALFACRE CL
STONEBERRY ROAD
EASTNOR ROAD
DUNDRY
LEAHOLME GDNS
EAST DUNDRY ROAD
MAPLESTONE ROAD
BORDESLEY RD
BECKFORD GDNS
BIRCH CFT
EMMETT WOOD
LITTLEWOOD CL
FYLTON CFT
SMYTHE CFT
ABBOTS CL
KILBIRNIE RD
GLEN DEVON RD
LONGACRE RD
HOLBEACH WAY
ARROWFIELD CL
Sports Ground
QUEEN CHARLTON LANE
WOOLLARD LANE
Cemy
NORTON LANE
Whitewood Farm
Sports Ground
GIBBET LA
GIBBET LANE
HURSLEY LANE
ROAD
STOCKWOOD ROAD
Recreation Ground
Community Centre
Cricket Ground
School
Liby
HARRINGTON ROAD
HARRINGTON GRO
HARRINGTON CL
ATKINS CL
BEALE CL
PUXLEY CL
LADMAN ROAD
SELDEN RD
EATON CL
HARDEN RD
MARNE CL
MAPLE CL
GILLEBANK CL
HOLLWAY ROAD
LANGDOWN CT
MATERMAN ROAD
WOOLLEY RD
GOSLET ROAD
BATTSON RD
BINLEY GRO

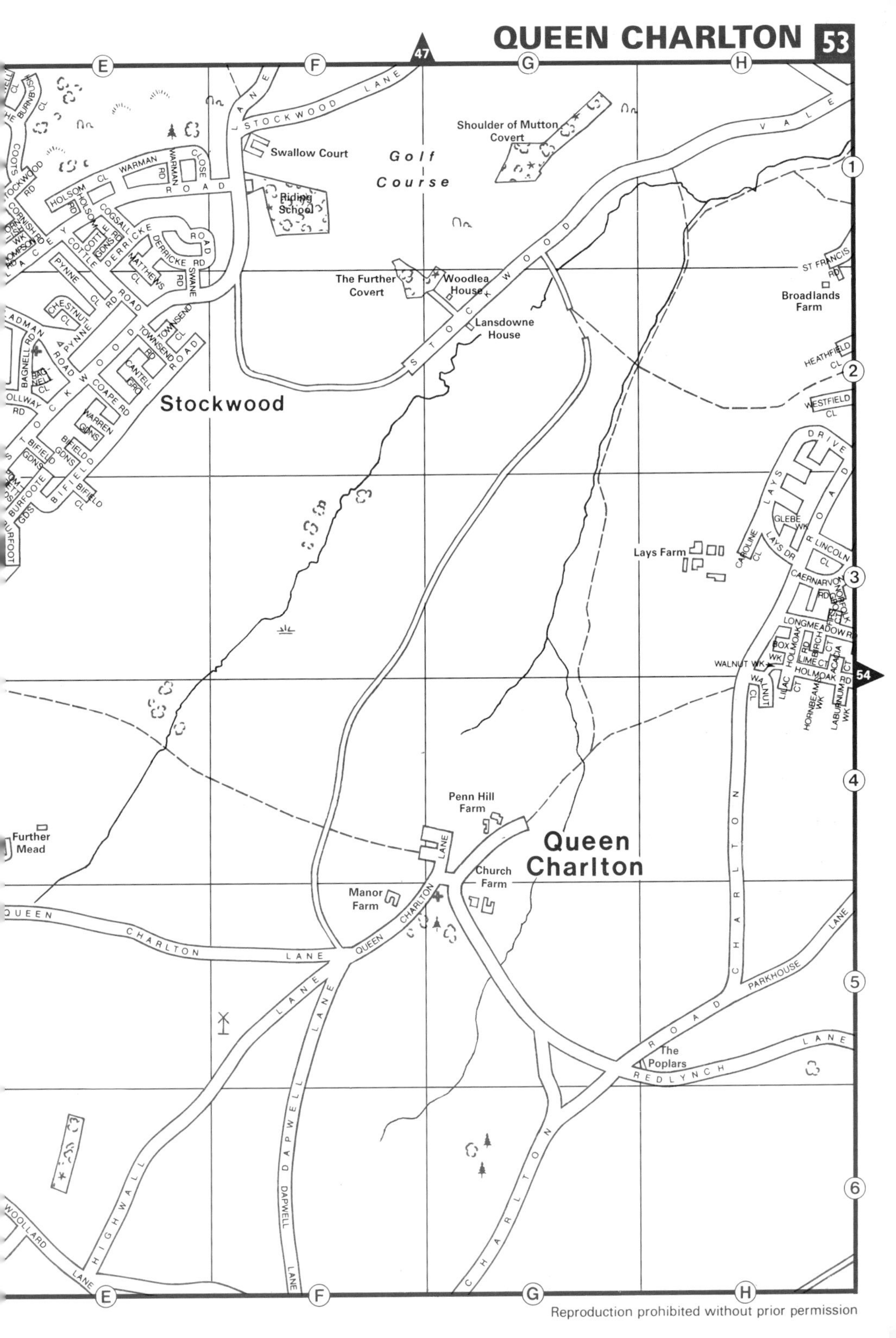

E F 47 G H

Golf Course
Shoulder of Mutton Covert

VALE
1

STOCKWOOD LANE
LANE
Swallow Court
Riding School

WARMAN CL
WARMAN RD
CLOSE
HOLSOM CL
CORNISH RD
COSSALL COTTLE RD
COTTLE
MATTHEWS CL
DERRICKE CL
DERRICKE RD
SWANE
ROAD
PYNNE
CHESTNUT CL
PYNNE
CADMAN RD
BAGNELL RD
TOWNSEND
TOWNSEND ROAD
CANTELL PRO
COAPE RD
WARREN
BIFIELD GDNS
BIFIELD
BIFIELD
BIFIELD CL
BURFOOTE
GDNS
HOLLWAY RD
BURFOOT

The Further Covert
Woodlea House
Lansdowne House

St Francis
Broadlands Farm

HEATHFIELD
2
WESTFIELD CL

Stockwood

STOCKWOOD
ROAD

Lays Farm

DRIVE
LAYS
GLEBE WK
CAROLINE
LAYS DR
LINCOLN CL
CAERNARVON
3
RD
LONGMEADOW R
BOX CL
BIRCH
HOLM OAK RD
LIME CL
ACACIA
WALNUT WK
HOLMOAK RD
54
HORNBEAM WK
WAT CL
LILAC
LABURNUM WK
4

Further Mead

Penn Hill Farm

Queen Charlton

Manor Farm

Church Farm

LANE
QUEEN CHARLTON LANE

QUEEN
CHARLTON LANE

QUEEN CHARLTON LANE

CHARLTON ROAD
PARKHOUSE LANE
5

HIGHWALL LANE
DAPWELL LANE

The Poplars
REDLYNCH LANE

6

WOOLLARD LANE

E F G H

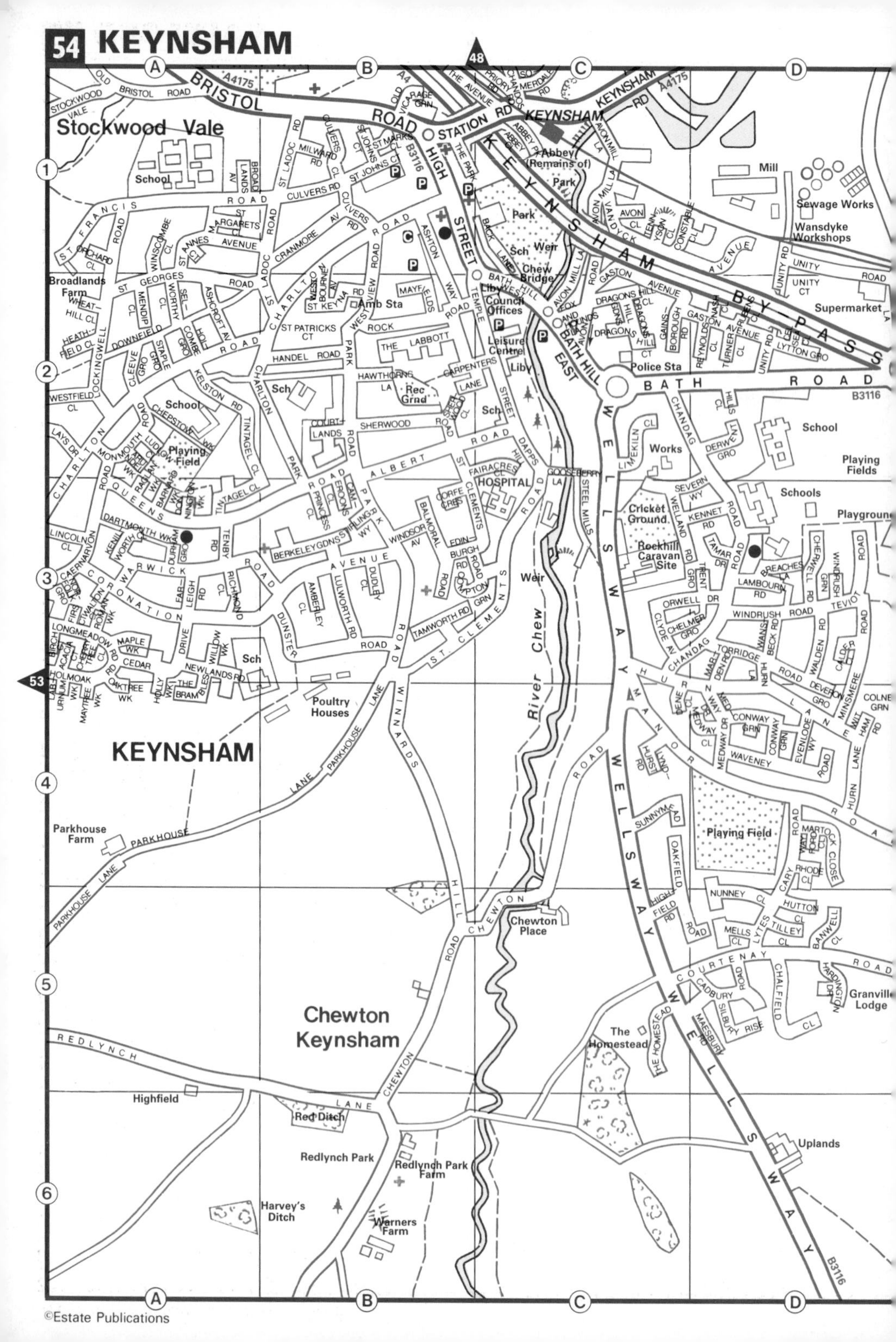
KEYNSHAM
Stockwood Vale
Chewton Keynsham
BRISTOL ROAD
STATION RD
HIGH STREET
TEMPLE STREET
KEYNSHAM BY-PASS
BATH ROAD
BATH HILL
BATH HILL EAST
WELLSWAY
CHARLTON ROAD
PARK ROAD
QUEENS ROAD
ST FRANCIS ROAD
ST LADOC RD
CHEWTON ROAD
WINNARDS HILL
PARKHOUSE LANE
REDLYNCH LANE
COURTENAY ROAD
MANOR ROAD
HURN ROAD
CHANDAG ROAD
River Chew
Abbey (Remains of)
Park
Weir
Chew Bridge
Council Offices
Leisure Centre
Liby
Police Sta
Amb Sta
HOSPITAL
Rec Grnd
Playing Field
Playing Fields
Cricket Ground
Rockhill Caravan Site
Works
Mill
Sewage Works
Wansdyke Workshops
Supermarket
School
Schools
Sch
Broadlands Farm
Poultry Houses
Parkhouse Farm
Chewton Place
The Homestead
Granville Lodge
Uplands
Highfield
Red Ditch
Redlynch Park
Redlynch Park Farm
Harvey's Ditch
Warners Farm
A4
A4175
B3116
48
53

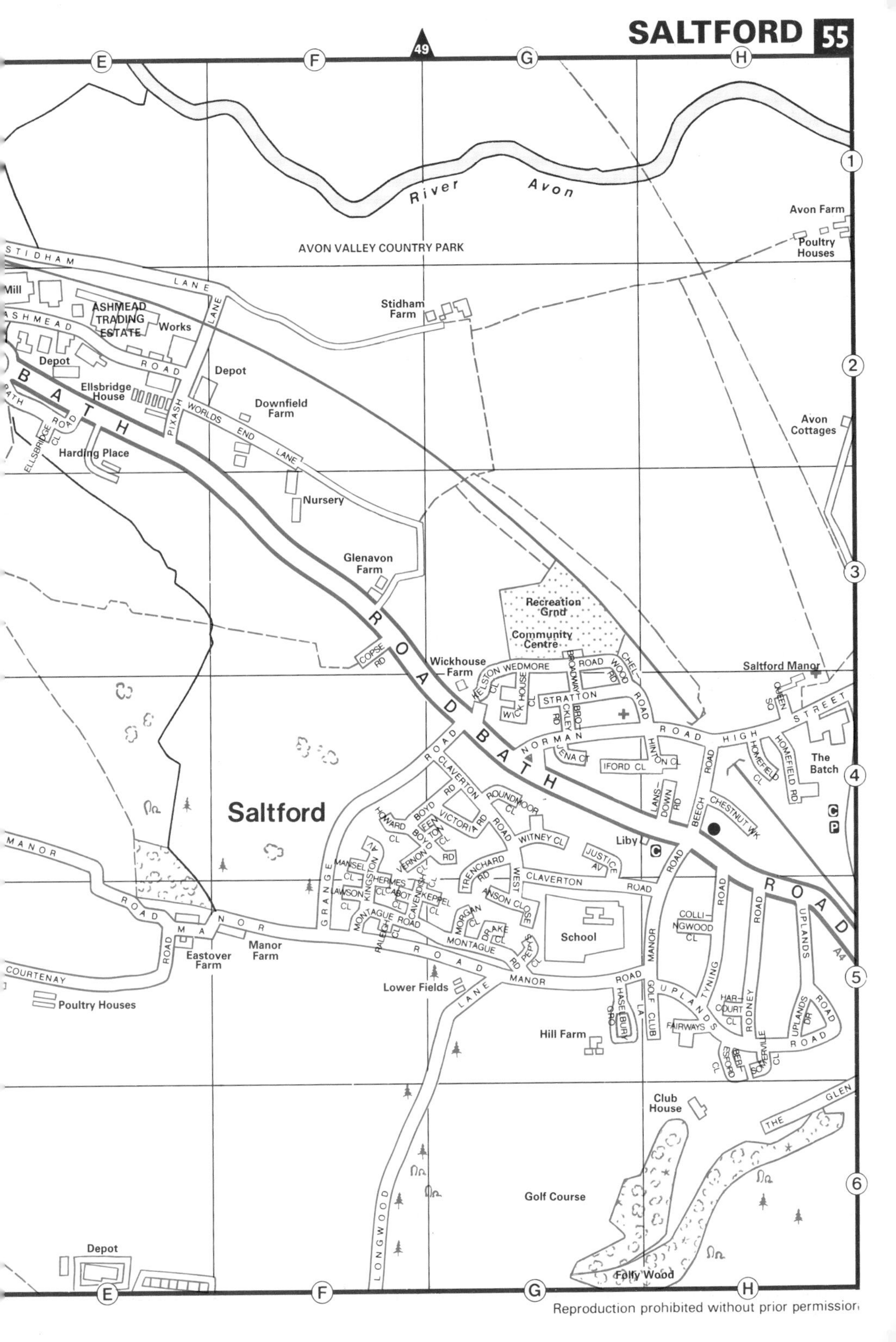

49
E
F
G
H
1
2
3
4
5
6
River Avon
AVON VALLEY COUNTRY PARK
Avon Farm
Poultry Houses
STIDHAM LANE
Mill
ASHMEAD TRADING ESTATE
ASHMEAD ROAD
Works
Depot
Stidham Farm
Ellsbridge House
BATH ROAD
PIXASH LANE
WORLDS END LANE
Downfield Farm
Avon Cottages
ELLSBRIDGE CL
Harding Place
Nursery
Glenavon Farm
Recreation Grnd
Community Centre
COPSE RD
Wickhouse Farm
WEDMORE ROAD
WOOD RD
CHEL- WOOD
Saltford Manor
HIGH STREET
QUEEN SQ
KELSTON CL
WICK HOUSE CL
STRATTON RD
BROADWAY
NORMAN ROAD
JENA CT
IFORD CL
HINTON CL
HOMEFIELD CL
HOMEFIELD RD
The Batch
C
P
Saltford
CLAVERTON RD
ROUNDMOOR CL
VICTORIA RD
HOWARD CL
BOYD
FENTON CL
WITNEY CL
LANSDOWN RD
BEECH ROAD
CHESTNUT WK
Liby
C
MANOR ROAD
GRANGE
MANSEL CL
KINGSTON AV
VERNON CL
JUSTICE AV
TRENCHARD RD
WEST CLOSE
CLAVERTON ROAD
HERMES CL
LAWSON CL
CABOT CL
CAVENDISH CL
KEPPEL CL
ANSON CL
MORGAN CL
MONTAGUE ROAD
RALEIGH CL
DRAKE CL
PEPYS CL
School
COLLINGWOOD CL
A4
M A N O R
Eastover Farm
Manor Farm
COURTENAY
Poultry Houses
Lower Fields
LANE
HASELBURY GRO
GOLF CLUB LA
UPLANDS
TYNING ROAD
FAIRWAYS
HARCOURT CL
RODNEY ROAD
UPLANDS DR
UPLANDS ROAD
SOMERVILLE CL
ESFORD CL
Hill Farm
Club House
THE GLEN
Golf Course
LONGWOOD
Depot
Folly Wood

The Index includes some names for which there is insufficient space on the maps. These names are preceded by an * and are followed by the nearest adjoining thoroughfare.

Balmoral Rd,
Ashley Down. BS7 29 G6
Balmoral Rd,
Keynsham. BS31 54 B3
Balmoral Rd,
Longwell Grn. BS30 48 C3
Baltic Pl. BS20 26 B4
Bamfield. BS14 51 H1
Bampton Clo. BS16 33 F2
Bampton Dri. BS16 24 A6
Bampton Croft. BS16 33 E2
Banfield Clo. BS11 19 E6
Bangor Gro. BS4 39 E5
Bangrove Walk. BS11 18 D6
Banister Gro. BS4 45 E6
Bank Pl. BS20 26 B4
Bank Rd,
Crooks Marsh. BS11 10 B5
Bank Rd,
Kingswood. BS15 40 A2
Bankside. BS16 32 C4
Bankside Rd. BS4 46 D2
Banner Rd. BS6 37 G1
Bannerleigh La. BS8 36 A4
Bannerleigh Rd. BS8 35 H4
Bannerman Rd. BS5 38 A2
Bantock Clo. BS4 45 E6
Bantry Rd. BS4 45 F5
Banwell Clo,
Bedminster. BS13 44 C5
Banwell Clo,
Keynsham. BS31 54 D5
Banwell Rd. BS3 44 C2
Baptist St. BS5 38 A1
Barbour Gdns. BS13 51 F4
Barbour Rd. BS13 51 F4
Barcroft Clo. BS15 39 H2
Barker Walk. BS5 37 H2
Barkleys Hill. BS16 30 C3
Barley Clo, Frampton
Cotterell. BS36 17 E4
Barley Clo,
Mangotsfield. BS16 32 D2
Barley Croft. BS9 28 B3
Barn Clo. BS16 33 E3
Barn Owl Way. BS34 23 E1
Barn Wood Clo. BS15 40 C2
Barnabas St. BS2 37 G2
Barnard Walk. BS31 54 A3
Barnes St. BS5 38 C3
*Barnstaple Ct,
Fillwood Bdwy. BS4 45 G4
Barnstaple Rd. BS4 45 F5
Barnstaple Walk. BS4 45 G5
Barons Clo. BS3 44 B2
Barossa Pl. BS1 7 E6
Barracks La. BS11 18 B6
Barratt St. BS5 38 B2
Barrington Clo. BS15 40 C1
Barrington Ct,
Kingswood. BS15 40 C1
Barrington Ct,
Totterdown. BS4 45 H1
Barrow Ct La. BS48 42 A6
Barrow Hill Cres. BS11 26 B2
Barrow Hill Rd. BS11 26 B2
Barrow La. BS48 42 A6
Barrow Rd. BS5 38 A3
Barrowmead Dri. BS11 18 D6
Barrs Ct,
Bristol. BS1 7 F2
Barrs Ct,
Longwell Grn. BS30 40 C6
Barrs Court Av. BS30 40 D5
Barrs Court Rd. BS30 40 D5
Barry Clo. BS30 49 F4
Barry Rd. BS30 49 F3
Bartletts Rd. BS3 44 D2
Bartley St. BS3 45 F1
Barton Clo,
St Annes Pk. BS4 39 E4
Barton Clo,
Winterbourne. BS36 24 B1
Barton Ct. BS5 38 B4
Barton Grn. BS5 38 B4
Barton Hill Rd. BS5 38 A4
Barton Ho. BS5 38 B4
Barton Manor. BS2 37 H4
Barton Rd. BS2 37 H4
Barton St, Bristol. BS1 7 E1
Barton St,
Russell Town. BS5 38 B4
Barton Vale. BS2 37 H4
Bartonia Gro. BS4 46 C3
Barwick. BS11 26 C1
Bates Clo. BS5 37 H2
Bath Bldgs. BS6 37 F1
Bath Bri. BS1 7 G6
Bath Hill East. BS31 54 C2
Bath Hill West. BS31 54 C2
Bath Rd,
Arnos Vale. BS4 46 A1
Bath Rd, Bitton. BS30 49 H6
Bath Rd,
Bridgeyate. BS30 41 G6
Bath Rd,
Brislington. BS4 46 D4
Bath Rd,
Keynsham. BS31 54 C2
Bath Rd, Longwell
Green. BS30 48 C2
Bath Rd,
Willsbridge. BS30 49 E4
Bath St,
Ashton Gate. BS3 44 C1
Bath St, Bristol. BS1 7 E4
Bath St,
Staple Hill. BS16 32 B4
Bathurst Par. BS1 6 D6
Bathwell Rd. BS4 45 H1
Batley Ct. BS30 41 F6
Battenburg Rd. BS5 39 F2
Battens La. BS5 39 F4
Battens Rd. BS5 39 G3
Battersby Way. BS10 19 H4
Battersea Rd. BS5 38 B2
Battson Rd. BS14 52 D3
Baugh Gdns. BS16 24 B5
Baugh Rd. BS16 24 B5
Baxter Clo. BS15 40 C3
Bay Gdns. BS5 30 B6
Bayham Rd. BS4 45 H2
Bayleys Dri. BS15 39 H4
Baynham Ct. BS15 39 G5
Baynton Mdw. BS16 33 F2
Baynton Rd. BS3 44 C1
Bayswater Av. BS6 28 C5
Bayswater Rd. BS7 29 G1
Baytree Clo. BS34 13 G4
Beach Hill. BS30 49 H2
Beachgrove Gdns.
BS16 31 H4
Beachgrove Rd. BS16 31 G4
Beachley Wk. BS11 26 B1
Beacon La. BS36 15 G6
Beaconlea. BS15 40 A4
Beaconsfield Clo. BS5 38 B5
Beaconsfield Rd,
Clifton. BS8 36 C1
Beaconsfield Rd,
Knowle. BS4 46 A2
Beaconsfield Rd,
St George. BS5 38 D3
Beale Clo. BS14 52 D1
Beam St. BS5 38 B4
*Bean St,
Claremont St. BS5 38 A2
Bearbridge Rd. BS13 50 B3
Beauchamp Rd. BS7 29 E4
*Beaufort,
Beckspool Rd. BS16 23 G5
Beaufort Bldgs. BS8 36 B3
Beaufort Clo. BS5 38 C3
Beaufort Ct. BS16 24 D6
Beaufort Cres. BS34 22 D2
Beaufort Heights. BS5 38 D3
Beaufort Park. BS32 14 C1
Beaufort Pl. BS16 23 G5
Beaufort Rd,
Clifton. BS8 36 C2
Beaufort Rd,
Downend. BS16 32 C1
Beaufort Rd, Frampton
Cotterell. BS36 16 D3
Beaufort Rd,
Horfield. BS7 29 G2
Beaufort Rd,
Kingswood. BS15 39 H1
Beaufort Rd,
St George. BS5 38 C3
Beaufort Rd,
Staple Hill. BS16 32 B4
Beaufort St. BS3 44 D2
Beauley Rd. BS3 36 D6
Beaumont Clo. BS30 48 D1
Beaumont St. BS5 38 A2
Beaumont Ter. BS5 38 A2
Beaver Clo. BS36 16 C5
Beazer Clo. BS16 32 A5
Beckford Gdns. BS14 52 A4
Beckington Rd. BS3 45 G3
Beckington Walk. BS3 45 G3
Beckspool Rd. BS16 23 G5
Bedford Cres. BS7 29 H3
Bedford Pl. BS2 6 D1
Bedminster Bri. BS3 37 F6
Bedminster Down Rd.
BS13 44 C4
Bedminster Par. BS3 37 F6
*Bedminster Pl,
Bedminster Par. BS3 45 F1
Bedminster Rd. BS3 44 D3
Beech Clo. BS30 40 D5
Beech Rd,
Bishopston. BS7 29 F3
Beech Rd,
Saltford. BS31 55 H4
Beechcroft Walk. BS7 21 H6
Beechen Dri. BS16 31 G5
Beeches Gro. BS4 46 C3
Beechfield Clo. BS41 43 F2
Beechfield Gro. BS9 19 G6
Beechmount Gro. BS14 46 A5
Beechwood Av. BS15 40 A5
Beechwood Clo. BS14 46 C5
Beechwood Rd. BS16 31 F4
Beesmoor Rd. BS36 17 E5
Begbrook Dri. BS16 31 E2
Begbrook La. BS16 31 E2
Begbrook Park. BS16 31 F1
Beggar Bush La. BS8 34 C6
*Beggarswell Clo,
Princes St. BS2 37 G2
Belfast Walk. BS4 45 F5
Belfry. BS30 41 E4
Belfry Av. BS5 39 F3
Belgrave Hill. BS8 28 C6
Belgrave Pl. BS8 36 C3
Belgrave Rd. BS8 6 A1
Bell Barn Rd. BS9 27 G2
Bell Hill. BS16 30 B4
Bell Hill Rd. BS5 39 F3
Bell La. BS1 6 D3
Bell Rd. BS36 17 F5
Bellamy Av. BS13 50 D3
Bellamy Clo. BS15 39 F5
Belland Dri. BS14 51 H3
Bellevue. BS8 36 D4
Bellevue Av. BS5 39 F3
Bellevue Clo. BS15 40 C3
Bellevue Cotts,
Clifton. BS8 6 A5
Bellevue Cotts, Westbury
on Trym. BS9 28 C2
Bellevue Cres. BS8 6 A5
Bellevue Park. BS4 46 D2
Bellevue Rd,
Kingswood. BS15 40 C3
Bellevue Rd,
Lwr Easton. BS5 38 B1
Bellevue Rd,
St George. BS5 39 F3
Bellevue Rd,
Totterdown. BS4 37 H6
Bellevue Ter,
Brislington. BS4 46 D2
Bellevue Ter,
Clifton. BS8 6 A3
*Bellevue Ter,
Bellevue Rd,
Totterdown. BS4 37 H6
Bellhouse Walk. BS11 19 F5
Belluton Rd. BS4 46 A2
Belmont Dri,
Failand. BS8 42 A2
Belmont Dri,
Stoke Gifford. BS34 22 D1
Belmont Hill. BS48 42 A2
Belmont Rd,
Brislington. BS4 46 B1
Belmont Rd,
St Andrews. BS6 29 F6
Belmont St. BS5 38 A1
Beloe Rd. BS7 29 F3
Belroyal Av. BS4 47 E2
Belsher Dri. BS15 40 D4
Belstone Walk. BS4 45 E5
Belton Rd. BS5 38 A2
Belvedere Rd. BS6 28 C5
Belvoir Rd. BS6 29 F6
Bence Ct. BS15 39 G5
Benford Clo. BS16 31 H2
Bennett Rd. BS5 38 D3
Bennett Way. BS8 36 B5
Bensaunt Gro. BS10 21 E2
Bentley Clo. BS14 51 H4
Benville Av. BS9 19 G6
Berenda Dri. BS30 49 E1
Beresford Clo. BS31 55 H5
Berkeley Av,
Bishopston. BS7 29 E5
Berkeley Av,
Bristol. BS8 6 B3
Berkeley Clo. BS16 32 C1
Berkeley Ct. BS7 29 F5
Berkeley Cres. BS8 6 A3
Berkeley Gdns. BS31 54 B3
Berkeley Grn. BS16 23 G5
Berkeley Grn Rd. BS5 30 C6
Berkeley Gro. BS5 30 C6
Berkeley Pl. BS8 6 A3
Berkeley Rd,
Bishopston. BS7 29 E5
Berkeley Rd,
Fishponds. BS16 31 G6
Berkeley Rd,
Kingswood. BS15 40 B3
Berkeley Rd,
Staple Hill. BS16 32 A4
Berkeley Rd,
Westbury Pk. BS6 28 C4
Berkeley Sq. BS8 6 B3
Berkeley Way. BS16 33 E1
Berkeleys Mead. BS32 15 F6
Berkshire Rd. BS7 29 E5
Berlington Ct. BS1 7 G6
Berners Clo. BS4 45 F6
Berrow Walk. BS3 45 G3
Berry La. BS7 29 H2
Berwick Ct. BS10 19 F1
Berwick La, Easter
Compton. BS35 12 A3
Berwick La,
Hallen. BS10 19 F1
Berwick Rd. BS5 38 B1
Beryl Gro. BS14 46 B5
Beryl Rd. BS3 44 D2
Bethel Rd. BS5 39 E3
Betjeman Ct. BS30 40 D6
Betts Grn. BS16 33 E1
Bevan Ct. BS34 21 H4
Beverley Av. BS16 24 C5
Beverley Clo. BS5 39 G5
Beverley Gdns. BS9 27 H1
Beverley Rd. BS7 21 H6
Beverston Gdns. BS11 19 F4
Beverstone. BS15 39 H3
*Bevin Ct,
William St. BS2 37 G2
Bevington Clo. BS34 13 F3
Bevington Walk. BS34 13 F3
Bexley Rd. BS16 31 G5
Bibstone. BS15 40 D2
Bibury Av. BS34 14 B4
Bibury Clo. BS9 29 E2
Bibury Cres,
Hanham. BS15 39 H6
Bibury Cres, Westbury on
Trym. BS9 29 E2
Bickerton Clo. BS10 20 B3
Bickford Clo. BS10 40 D5
Biddestone Rd. BS7 21 G5
Bideford Cres. BS4 45 G5
Bidwell Clo. BS10 20 C3
Bifield Clo. BS14 53 E3
Bifield Gdns. BS14 53 E2
Bifield Rd. BS14 53 E3
Bigwood La. BS1 6 B4
Bilberry Clo. BS9 19 G6
Bilbie Clo. BS10 29 F2
Billand Clo. BS13 50 A4
Bindon Dri. BS10 21 E2
Binley Gro. BS14 52 D2
Binmead Gdns. BS13 50 D3
Birbeck Rd. BS9 28 A4
Birch Clo. BS34 13 G5
Birch Ct. BS18 54 A3
Birch Croft. BS18 52 A4
Birch Rd,
Kingswood. BS15 32 B5
Birch Rd,
Southville. BS3 44 D1
Birchall Rd. BS6 29 E4
Birchdale Rd. BS14 46 A5
Birchwood. BS9 28 C1
Birchwood Ct. BS4 39 E5
Birchwood Dri. BS8 42 A2
Birchwood Rd. BS4 39 E5
Birdale Clo. BS10 20 A3
Birdwell La. BS41 42 D4
Birdwell Rd.BS41 42 D4
Birdwood. BS15 40 A5
Birkdale. BS30 40 D4
Birkin St. BS2 37 H4
Bishop Manor Rd.
BS10 29 F1
Bishop Rd,
Bishopston. BS7 29 E4
Bishop Rd,
Emersons Green 33 F2
Bishop St. BS2 37 G2
Bishops Clo. BS9 28 A5
Bishops Ct. BS9 27 G5
Bishops Cove. BS13 50 B2
Bishops Knoll. BS9 27 G5
Bishops Wood. BS32 8 D2
Bishopsworth Rd. BS13 44 C6
Bishopthorpe Rd. BS10 29 F2
Bishport Av. BS13 50 B3
Bishport Clo. BS13 50 D3
*Bishport Grn,
Brocks Rd. BS13 51 E4
Bissex Mead. BS16 33 E3
Bitterwell Clo. BS36 25 G3
Bittlemead. BS13 51 G3
Black Boy Hill. BS8 28 C6
Blackberry Av. BS16 30 D4
Blackberry Dri. BS36 17 E6
Blackberry Hill. BS16 30 D3
Blackdown Ct. BS14 52 B2
Blackfriars. BS1 6 D2
Blackhorse Hill. BS35 12 C3
Blackhorse La. BS16 24 C5
Blackhorse Pl. BS16 32 D2
Blackhorse Rd,
Kingswood. BS15 40 A3
Blackhorse Rd,
Mangotsfield. BS16 32 D2
Blackmoor Rd. BS8 34 D1
Blackmoors La. BS3 44 A1
Blackswarth Rd. BS5 38 C4
Blackthorn Clo. BS13 51 E2
Blackthorn Dri. BS32 14 C4
Blackthorn Rd. BS13 51 E2
Blackthorn Walk. BS15 40 B1
Blagdon Clo. BS3 45 G3
Blagrove Clo. BS13 51 E4
Blagrove Cres. BS13 50 D4
Blaisdon Clo. BS10 20 B5
Blaise Walk. BS9 27 G2
Blake Rd. BS7 30 A2
Blakeney Rd,
Horfield. BS7 29 H2
Blakeney Rd,
Patchway. BS34 13 G3
Blandford Clo. BS9 28 D2
Blenheim Dri. BS34 22 A2
Blenheim Rd. BS6 28 C5
Blenheim Sq. BS2 6 D1
Blenheim St. BS5 38 A2
Blenman Clo. BS16 31 F1
Blethwin Clo. BS10 20 B5
Bloomfield Rd. BS4 38 C6
Bloomfield Rd Link.
BS4 38 B6
Bloy Sq. BS5 38 B2
Bloy St. BS5 38 B2
Bluebell Clo. BS9 27 F3
Bodey Clo. BS30 40 D5
Bodmin Walk. BS4 45 H4
Boiling Wells La. BS2 29 H5
Bolton Rd. BS7 29 F5
Bond St. BS1 7 F1
Bonnington Walk. BS7 30 A1
Bonville Rd. BS4 46 D3
Boot La. BS3 37 F6
Booth Rd. BS3 45 E1
Bordesley Rd. BS14 52 A4
Borleyton Walk. BS13 50 B3
Borver Gro. BS13 50 D3
Boscombe Clo. BS16 32 C1
Boscombe Cres. BS16 32 C1
Boston Rd. BS7 29 H1
Boswell St. BS5 30 B6
Botham Dri. BS4 46 D4
Boucher Pl. BS2 29 H6
Boulters Rd. BS13 50 D3
Boultons La. BS15 40 A2
Boultons Rd. BS15 40 A2
Boundary Rd,
Avonmouth. BS11 18 B3
Boundary Rd,
Coalpit Heath. BS36 17 F5
Bourchier Gdns. BS13 50 D4
Bourne Clo,
St George. BS15 39 G3
Bourne Clo,
Winterbourne. BS36 16 B4
*Bourne La,
Stapleton Rd. BS5 30 B6

Bourne Rd. BS15 39 G3
Bourneville Rd. BS5 38 C2
Boursland Clo. BS32 14 C1
Bourton Av. BS34 14 B3
Bourton Clo. BS34 14 B4
Bourton Mead. BS41 43 E4
Bourton Walk. BS13 44 C4
Bouverie St. BS5 38 A2
Boverton Rd. BS34 22 A2
*Bow Mead, Materman Rd. BS14 52 D2
Bowden Clo. BS9 27 G1
Bowden Pl. BS16 32 C1
Bowden Rd. BS5 38 D2
Bowden Way. BS8 42 A1
Bowdeswell Clo. BS10 20 A2
Bower Ashton Ter. BS3 44 B1
Bower Rd. BS3 44 C2
Bower Walk. BS3 45 G2
Bowerleaze. BS9 27 F3
Bowring Clo. BS13 51 E4
Bowsland. BS34 14 D2
*Bowsland Ct, The Common East. BS34 14 C2
Bowsland Way. BS34 14 C2
Bowstreet La. BS35 12 C3
Box Walk. BS31 53 H4
Boxhedge Farm La. BS36 25 H3
Boyce Dri. BS2 29 H6
Boyces Av. BS8 36 C4
Boyd Rd. BS31 55 G4
Brabazon Rd. BS34 22 A4
Bracewell Gdns. BS10 21 E2
Bracey Dri. BS16 31 H2
Brackenbury Dri. BS34 23 E1
Brackendene. BS32 14 B2
Bracton Dri. BS14 52 A3
Bradeston Gro. BS16 31 F1
Bradhurst St. BS5 38 B5
Bradley Av, Shirehampton. BS11 26 C2
Bradley Av, Winterbourne. BS36 24 B1
Bradley Cres. BS11 26 C2
Bradley Rd. BS34 13 G3
Bradley Stoke Way. BS32 14 B2
Bradstone Rd. BS36 24 A1
Bradville Gdns. BS41 42 D4
Bradwell Gro. BS10 21 E6
Braemar Av. BS7 21 G5
Braemar Cres. BS7 21 G5
Braggs La. BS2 7 H2
Braikenridge Rd. BS4 38 C6
Brainsfield. BS9 28 B3
Brake Clo, Bradley Stoke. BS32 14 D5
Brake Clo, Kingswood. BS15 40 C4
Brakewell Gdns. BS14 51 H3
Bramble Dri. BS9 27 G5
Bramble La. BS9 27 G5
Brambling Walk. BS16 31 E2
*Bramley Clo, North Gro. BS20 26 A4
Bramley Ct. BS30 48 C1
Brampton Clo. BS13 44 D6
Branche Gro. BS13 51 F4
Brandon Hill La. BS8 6 A3
Brandon Steep. BS1 6 B4
Brandon Steps. BS1 6 B4
Brandon St. BS1 6 B4
Brangwyn Gro. BS7 30 A3
Branksome Cres. BS34 22 A3
Branksome Dri, Filton. BS34 22 A3
Branksome Dri, Winterbourne. BS36 16 B5
Branksome Rd. BS6 28 D5
Branscombe Rd. BS9 27 G4
Branwhite Clo. BS7 30 B1
Bratton Rd. BS4 45 F6
Braunton Rd. BS3 45 E1
Braydon Av. BS34 14 B4
Brayne Ct. BS30 48 C2
Breach Rd. BS3 44 C2
Breaches Gate. BS32 15 E5
Breaches La. BS31 54 D3
Brean Down Av. BS9 28 C3
Brecknock Rd. BS4 45 H2
Brecon Clo. BS9 28 C2
Brecon Rd. BS9 28 C3
Bredon Clo. BS15 40 C4
Bredon Nook Rd. BS10 29 E1
Brendon Clo. BS30 41 F6
Brendon Rd. BS3 45 F2
Brenner St. BS5 38 B1
Brent Rd. BS7 29 G3
Brentry Av. BS5 38 A3
Brentry Hill. BS10 20 C4
Brentry La. BS10 20 C4
Brentry Rd. BS16 31 E5
Brereton Way. BS30 41 E6
Brewerton Clo. BS10 20 D3
Brewery Hill. BS30 49 H5
Briar Walk. BS16 31 H5
Briar Way. BS16 31 G5
Briarfield Av. BS15 39 H6
Briarside. BS10 21 E3
Briarwood. BS9 28 B2
Briavals Gro. BS6 29 H6
Brick La. BS2 7 H2
Bridewell St. BS1 7 E2
Bridge Clo. BS14 52 C4
Bridge Ct. BS16 31 G4
Bridge Farm Clo. BS14 52 A4
Bridge Rd, Eastville. BS5 30 A5
Bridge Rd, Kingswood. BS15 32 C5
Bridge Rd, Leigh Woods. BS8 36 A4
Bridge Rd, Mangotsfield. BS16 33 F4
Bridge St, Bristol. BS1 7 E4
Bridge St, Eastville. BS5 30 C6
Bridge Valley Rd. BS8 36 A3
Bridge Walk. BS7 30 A1
Bridge Way. BS36 17 E4
Bridgeleap Rd. BS16 24 C6
Bridges Dri. BS16 31 H2
Bridgman Gro. BS34 22 B3
Bridgwater Rd. BS13 44 A6
Briercliffe Rd. BS9 27 H2
Brierly Furlong. BS34 22 D3
Briery Leaze Rd. BS14 52 A3
Bright St, Barton Hill. BS5 38 B3
Bright St, Kingswood. BS15 40 A3
Brighton Cres. BS3 44 D3
Brighton Park. BS5 38 B2
Brighton Pl. BS15 40 A2
Brighton Rd, Patchway. BS34 13 G4
Brighton Rd, Woolcott Pk. BS6 36 D1
Brighton St. BS2 37 G2
Brighton Ter. BS3 44 D3
Brigstocke Rd. BS2 37 G2
Brimbles. BS7 22 A4
Brinkworthy Rd. BS16 30 D3
Brinmead Walk. BS13 50 B4
Brins Clo. BS34 23 E2
Briscoes Av. BS13 51 E3
Brislington Hill. BS4 46 D3
Bristol Bri. BS1 7 E4
Bristol Hill. BS4 46 C3
Bristol Phoenix. BS3 44 C3
Bristol Rd, Frampton Cotterell. BS36 16 D3
Bristol Rd, Frenchay. BS16 23 G5
Bristol Rd, Hambrook. BS16 23 H4
Bristol Rd, Keynsham. BS31 48 A6
Bristol Rd, Whitchurch. BS14 52 B2
Bristol Rd, Winterbourne. BS36 24 A3
Bristow Broadway. BS11 9 D5
Britannia Cres. BS34 22 D1
Britannia Rd, Easton. BS5 38 B2
Britannia Rd, Kingswood. BS15 39 H3
Britannia Rd, Patchway. BS34 13 F4
British Rd. BS3 44 D2
Britten Ct. BS30 48 C1
Brixham Rd. BS3 45 E3
Brixton Rd. BS5 38 B3
Broad Croft. BS32 14 C2
Broad La. BS36 25 G1
Broad Oaks. BS8 36 A4
Broad Oak Rd. BS13 50 B3
Broad Plain. BS2 7 G4
Broad Quay. BS1 6 D4
Broad Rd. BS15 39 H2
Broad St, Bristol. BS1 6 D3
Broad St, Staple Hill. BS16 32 B4
Broad Walk. BS4 45 H3
Broad Weir. BS1 7 F3
Broadbury Rd. BS4 45 F5
Broadfield Av. BS15 39 H2
Broadfield Rd. BS4 46 A4
Broadlands Av. BS31 54 A1
Broadlands Dri. BS11 19 E6
Broadleas. BS13 44 D6
Broadleaze. BS11 26 C1
Broadleys Av. BS9 28 D2
Broadmead. BS1 7 E2
Broadmead La. BS31 54 D2
Broadmead Shopping Centre. BS1 7 F2
Broadoak Hill. BS41 50 B5
Broadoak Walk. BS16 31 G4
Broadstone Walk. BS13 51 E2
Broadway. BS31 55 G3
Broadway Av. BS9 29 E2
Broadway Rd, Bishopston. BS7 29 F5
Broadway Rd, Bishopsworth. BS13 50 B2
Broadways Dri. BS16 31 F1
Brockhurst Gdns. BS15 39 F2
Brockhurst Rd. BS15 39 G2
Brockley Clo. BS34 14 C5
Brockley Rd. BS31 55 G4
Brockley Walk. BS13 44 C5
Brockridge La. BS36 17 E4
Brocks La. BS41 42 D4
Brocks Rd. BS13 51 E4
Brockworth Cres. BS16 31 E2
Bromfield Wk. BS16 33 E1
Bromley Dri. BS16 24 A6
Bromley Hth Av. BS16 24 A6
Bromley Hth Rd. BS16 24 A4
Bromley Rd. BS7 29 G4
Brompton Clo. BS15 40 C3
Broncksea Rd. BS7 21 G5
Brook Clo. BS41 43 F4
Brook Hill. BS6 37 G1
Brook La, Montpelier. BS6 37 G1
Brook La, Stapleton. BS16 30 D2
Brook Lintons. BS4 46 D2
Brook Rd, Fishponds. BS16 31 F4
Brook Rd, Mangotsfield. BS16 32 C2
Brook Rd, Montpelier. BS6 37 G1
Brook Rd, Southville. BS3 37 E6
Brook Rd, Speedwell. BS5 39 E1
Brook Rd, Warmley. BS15 40 D2
Brook St. BS5 38 B3
Brook Way. BS32 14 B2
Brookcote Dri. BS34 14 C6
Brookdale Rd. BS13 50 D1
Brookfield Av. BS7 29 F5
Brookfield Rd, Cotham. BS6 37 F1
Brookfield Rd, Patchway. BS34 14 A4
Brookfield Wk. BS30 49 E2
Brookgate. BS3 44 A4
Brookland Rd. BS6 29 E3
Brooklea. BS30 49 E1
Brookleaze. BS9 27 F3
Brooklyn Rd. BS13 44 C5
Brooklyn St. BS2 37 H1
Brookside. BS20 26 B5
Brookside Dri. BS36 17 E3
Brookside Rd. BS4 46 D2
Brookthorpe Av. BS11 19 E5
Brookview Walk. BS13 44 D5
Broom Hill. BS16 30 D3
Broomhill Rd. BS4 47 E1
Brotherswood Ct. BS32 8 E4
Browning Ct. BS7 22 A5
Broxholme Walk. BS11 19 E6
Bruce Av. BS5 38 C1
Bruce Rd. BS5 38 C2
Brunel Clo. BS30 41 F4
Brunel Lock Rd. BS1 36 B5
Brunel Rd. BS13 44 B5
Brunel Way. BS3 36 B6
*Brunswick Pl, Ashton Av. BS1 36 B6
Brunswick Sq. BS2 7 F1
Brunswick St, Barton Hill. BS5 38 B4
Brunswick St, St Pauls. BS2 37 G2
Bruton Clo. BS5 39 E2
Bryansons Clo. BS16 30 C3
Bryants Clo. BS16 23 H5
Bryants Hill. BS5 39 G4
Brynland Av. BS7 29 F5
Buckingham Dri. BS34 22 D2
Buckingham Gdns. BS16 32 B2
Buckingham Pl, Clifton. BS8 36 C3
Buckingham Pl, Downend. BS16 32 B3
Buckingham Rd. BS4 38 D6
Buckingham St. BS3 44 D2
Buckingham Vale. BS8 36 C3
Buckwell Clo. BS11 26 D2
Bude Av. BS5 39 F3
Bude Rd. BS34 22 B3
Bull La, Pill. BS20 26 A4
Bull La, St George. BS5 39 F5
Bullens Clo. BS32 14 C2
Buller Rd. BS4 46 B3
Burbank Clo. BS30 48 D2
Burchells Av. BS15 39 G2
Burchells Grn Clo. BS15 39 G2
Burchells Grn Rd. BS15 39 G2
Burcombe Clo. BS36 17 G5
Burcott Rd. BS11 10 A6
Burden Clo. BS32 15 E5
Burfoote Gdns. BS14 53 E3
Burfoote Rd. BS14 53 E3
Burford Gro. BS11 26 D3
Burgess Green Clo. BS4 38 D4
Burghill Rd. BS10 20 C5
Burghley Ct. BS36 24 B1
Burghley Rd. BS6 29 F6
Burgis Rd. BS14 52 C1
Burley Av. BS16 32 C3
Burley Crest. BS16 32 C3
Burley Gro. BS16 32 C3
Burlington Rd. BS6 36 C1
Burnbush Clo. BS14 53 E1
Burnell Dri. BS2 37 G2
Burney Way. BS30 48 D2
Burnham Clo. BS15 40 C2
Burnham Dri. BS15 40 C2
Burnham Rd. BS11 26 B3
Burnside Clo. BS10 21 E4
Burnwalls Rd. BS8 36 A4
Burrington Walk. BS13 44 B5
Burrough Way. BS36 16 B6
Burton Clo. BS1 37 F6
Burton Ct. BS8 6 A3
Bury Court Clo. BS11 19 E5
Bury Hill. BS36 24 B3
Bury Hill Vw. BS16 224 B5
Bush Av. BS34 14 B6
Bushy Park. BS4 45 H1
Butcombe Walk. BS14 52 B2
Butler Ho. BS5 39 E3
Butlers Clo. BS5 39 E4
Butlers Walk. BS5 39 E4
Buttercliffe Rise. BS41 43 G2
Butterfield Clo, Frampton Cotterell. BS36 17 E6
Butterfield Clo, Southmead. BS10 29 F2
Butterfield Rd. BS10 29 F2
Butterworth Ct. BS4 45 F6
Buxton Walk. BS7 30 A1
Bye Mead. BS16 24 D6
Byron Pl, Bristol. BS8 6 A3
Byron Pl, Mangotsfield. BS16 32 B4
Byron St, Redfield. BS5 38 B3
Byron St, St Pauls. BS2 37 H1
Byzantine Ct. BS1 6 D6
Cabot Clo. BS31 55 F5
Cabot Grn. BS5 38 B4
Cabot Way, Clifton. BS8 36 B5
Cabot Way, Pill. BS20 26 C5
Cadbury Hth Rd. BS30 40 D5
Cadbury Rd. BS31 54 D5
Caddick Clo. BS15 40 C1
Cade Clo, Kingswood. BS15 40 C4
Cade Clo, Stoke Gifford. BS34 22 D1
Cadium Rd. BS11 9 D2
Cadogan Rd. BS14 46 A5
Caen Rd. BS3 45 F2
Caernarvon Rd. BS31 54 A3
Caine Rd. BS7 29 G1
Cains Clo. BS15 40 B4
Cairn Gdns. BS36 24 B2
Cairns Cres. BS2 37 H1
Cairns Rd. BS6 28 D5
Calcott Rd. BS4 45 H2
Caldbeck Clo. BS10 21 E4
Calder Clo. BS31 54 D3
Caldicot Clo, Lawrence Weston. BS11 19 F4
Caldicot Clo, Willsbridge. BS30 49 E3
Caledonia Mews. BS8 36 B4
Caledonian Rd. BS1 6 A6
Caledonia Pl. BS8 36 B4
California Rd. BS30 48 D1
Callicroft Rd. BS34 13 H4
Callington Rd. BS4 46 B4
Callowhill Ct. BS1 7 F2
Camberley Dri. BS36 16 C4
Camberley Rd. BS4 45 E5
Camborne Rd. BS7 29 H1
Cambridge Cres. BS9 28 C1
Cambridge Park. BS6 28 C5
Cambridge Rd. BS7 29 F4
Cambridge St, Redfield. BS5 38 C4
Cambridge St, Totterdown. BS3 45 G1
Camden Rd. BS3 36 D6
Camden Ter. BS8 36 C5
Camelford Rd. BS5 38 C1
Cameron Walk. BS7 30 B2
Cameroons Clo. BS31 54 B3
Camerton Rd. BS5 38 C1
Camp Rd. BS8 36 B3
Camp View. BS36 24 B2
Campbell St. BS2 37 G2
Campbells Farm Dri. BS11 18 D5
Campian Walk. BS4 51 F1
Campion Dri. BS32 14 C2
Camwal Rd. BS2 38 A5
Canada Way. BS1 36 C6
Canford La. BS9 28 A1
Canford Rd. BS9 28 B1
Cann La. BS30 41 G5
Cannans Clo. BS36 16 B5
Cannon St, Bedminster. BS3 45 E1
Cannon St, Bristol. BS1 7 E1
Canon St. BS5 38 B3
Canons Rd. BS1 6 B5
Canons Walk. BS15 32 C6
Canons Way. BS1 6 B5
Canowie Rd. BS6 28 D6
Cantell Gro. BS14 53 E2
Canterbury St. BS5 38 B5
Cantocks Clo. BS8 6 B3
Canvey Clo. BS10 29 F1
Canynge Rd. BS8 36 B3
Canynge Sq. BS8 36 B3
Canynge St. BS1 7 F5
Capel Clo. BS15 41 E2
Capel Rd. BS11 19 E5
Capgrave Clo. BS4 47 F2
Capgrave Cres. BS4 47 F2
Caraway Gdns. BS5 30 B6
Cardill Clo. BS13 44 C4
Carisbrooke Rd. BS4 45 F5
Carlow Rd. BS4 45 F5
Carlton Ct. BS9 28 B1
Carlton Park. BS5 38 B3
Carlyle Rd. BS5 38 C1
Carmarthen Gro. BS30 49 E3
Carmarthen Rd. BS9 28 C3
Carnarvon Rd. BS6 29 E6
Caroline Clo. BS31 53 H3
Carpenters La. BS31 54 B2
Carpenters Shop La. BS16 32 B3

Ermleet Rd. BS6 28 D6
Ernest Barker Clo. BS5 38 A4
Ernestville Rd. BS16 31 E5
Ervine Ter. BS2 37 G2
*Essendene,
The Avenue. BS8 36 B2
Essery Rd. BS5 38 C1
Essex St. BS3 45 E1
Esson Rd. BS15 39 G1
Estcourt Gdns. BS16 30 C3
Estune Walk. BS41 43 E3
Etloe Rd. BS6 28 C4
Eton Rd, BS4 46 C2
Ettricke Dri. BS16 31 G3
Eugene St,
St James. BS2 6 D1
Eugene St,
St Judes. BS5 7 H1
Evans Clo. BS4 39 E5
Evans Rd. BS6 28 C6
Eve Rd. BS5 38 A2
Evelyn Rd. BS10 21 E6
Evenlode Gdns. BS11 26 D3
Evenlode Way. BS11 54 D4
Evercreech. BS14 52 A3
Everest Av. BS16 31 E4
Everest Rd. BS16 30 D4
Exchange Av. BS1 7 E3
Exeter Bldgs. BS6 36 D1
Exeter Rd. BS3 44 D1
Exley Clo. BS30 41 F6
Exmoor St. BS3 44 D1
Exmouth Rd. BS4 45 H3
*Exton Clo,
Allerton Rd. BS14 52 A3
Eyers La. BS2 7 H2

Faber Gro. BS13 51 E3
Fabian Dri. BS34 23 E1
Factory Rd. BS36 16 C5
Failand Cres. BS9 27 G3
Failand Walk. BS9 27 G3
Fair Furlong. BS13 50 C3
Fair View Dri. BS6 37 F1
Fairacre Clo. BS7 30 B3
Fairacres Clo. BS31 54 B2
Fairfax Ct. BS1 7 E3
Fairfax St. BS1 7 E3
Fairfield Pl. BS3 44 D1
Fairfield Rd,
Montpelier. BS6 37 G1
Fairfield Rd,
Southville. BS3 44 D1
Fairfoot Rd. BS4 45 H2
Fairford Clo. BS15 40 C1
Fairford Cres. BS34 14 B4
Fairford Rd. BS11 26 B2
Fairhaven Rd. BS6 29 E4
Fairlawn. BS30 48 D1
Fairlawn Av. BS34 21 H3
Fairlawn Rd. BS6 37 G1
Fairlyn Dri. BS15 32 C5
Fairoaks. BS30 48 D2
Fairview Rd. BS15 40 C3
Fairway. BS4 46 C3
Fairway Clo. BS30 49 E1
Fairways. BS31 55 H5
Falcon Clo,
Henbury. BS9 20 B6
Falcon Clo,
Patchway. BS34 13 F3
Falcon Dri. BS34 13 F3
Falcon Walk. BS34 13 F3
Falcondale Rd. BS9 28 B1
Falcondale Walk. BS9 20 C6
Falfield Rd. BS4 46 B2
Falfield Walk. BS10 21 E5
Falkland Rd. BS6 37 G1
Fallodon Ct. BS9 28 D3
Fallodon Way. BS9 28 C3
Fallowfield. BS30 41 F6
Falmouth Rd. BS7 29 F4
Fane Clo. BS10 20 C3
Fanshawe Rd. BS14 46 A5
Far Handstones. BS30 48 D1
*Faraday Rd,
Oldfield Pl. BS8 36 B5
Farendell Rd. BS16 25 E5
Farington Rd. BS10 29 E1
Farleigh Rd. BS31 4 A3
Farleigh Walk. BS13 44 C5
Farley Clo. BS34 14 C4
Farm Clo. BS16 33 E2
Farm Ct. BS16 33 E2
Farm La. BS35 12 A2
Farm Rd. BS16 32 B2

Farmer Rd. BS13 50 A3
Farmwell Clo. BS13 50 D2
Farnaby Clo. BS6 45 E6
Farne Clo. BS9 28 D3
Farr St. BS11 9 D6
Farrant Clo. BS4 51 F1
Farrs La. BS1 6 D5
Fawkes Clo. BS15 41 E3
Featherstone Rd. BS16 31 E5
Feeder Rd. BS2 38 A5
Felix Rd. BS5 38 A2
Felstead Rd. BS10 21 F5
Fennel Dri. BS32 15 F5
Fennell Gro. BS10 20 C4
Fenshurst Gdns. BS41 42 D4
Fenswood Clo. BS41 42 C4
Fenswood Rd. BS41 42 D4
Fenton Clo. BS31 55 G4
Fenton Rd. BS7 29 F4
Fermaine Av. BS4 47 E2
Fern Clo. BS10 20 D3
Fern Gro. BS32 14 C4
Fern Rd. BS16 32 A3
Fernbank Rd. BS6 37 E1
Fernbrook Clo. BS16 23 G5
Ferndale Av. BS30 48 D2
Ferndale Clo. BS32 8 E1
Ferndale Rd. BS7 22 A4
Ferndene. BS32 14 B2
Ferndown Clo. BS11 27 E1
Fernhill. BS32 8 D1
Fernhill La. BS11 19 F5
Fernhurst Rd. BS5 39 E1
Fernleaze. BS36 17 F6
Fernsteed Rd. BS13 50 B1
Ferry Rd. BS15 48 A4
Ferry St. BS1 7 E5
Fiddes Rd. BS6 29 E5
Field Farm Clo. BS34 23 E2
Field La. BS30 48 C2
Field Rd. BS15 39 H2
Field View Dri. BS16 32 A2
Fieldgrove La. BS30 49 F5
Fiennes Clo. BS16 32 B4
Fifth Av. BS7 22 A5
Fifth Way. BS11 18 C4
Filby Dri. BS34 14 C4
Filton Av, Filton. BS34 22 A2
Filton Av,
Horfield. BS7 29 G2
Filton Gro. BS7 29 G2
Filton La. BS34 22 D4
Filton Rd,
Frenchay. BS16 23 F5
Filton Rd,
Harry Stoke. BS34 22 C4
Filton Rd,
Horfield. BS7 21 G6
Filwood Broadway.
BS4 45 G5
Filwood Ct. BS16 31 G5
Filwood Dri. BS15 40 C2
Filwood Rd. BS16 31 F5
Fir Tree Clo. BS34 13 G5
Fir Tree La. BS5 39 F4
Fire Engine La. BS36 17 F5
Fireclay Rd. BS5 38 C4
Firework Clo. BS15 41 E3
Firfield St. BS4 45 H1
Firs Ct. BS31 54 A3
First Av. BS4 38 D6
First Way. BS11 9 D5
Fisher Av. BS15 40 D1
Fisher Rd. BS15 40 D1
Fishponds Rd,
Eastville. BS5 30 B6
Fishponds Rd,
Fishponds. BS16 31 G4
Fishpool Hill. BS10 20 C2
Fitchett Walk. BS10 20 B3
Fitzgerald Rd. BS3 45 G2
Fitzharding Rd. BS11 26 C5
Fitzroy Rd. BS16 31 G6
Fitzroy St. BS4 46 A1
*Fitzroy Ter,
Redland Ter. BS6 28 C6
Five Acre Dri. BS16 31 F1
Flax Bourton Rd. BS8 42 A2
Flaxman Clo. BS7 30 A2
Flaxpits La. BS36 16 A6
Florence Park,
Almondsbury. BS32 8 D2
Florence Park,
Stoke Bishop. BS6 28 C4
Florence Rd. BS16 32 B5

Flowers Hill. BS4 47 E4
Flowers Hill Clo. BS4 47 E4
Flowerwell Rd. BS13 50 D2
Folleigh Clo. BS41 43 F3
Folleigh Dri. BS41 43 F3
Folleigh La. BS41 43 F3
Folliot Clo. BS16 31 F1
Folly Brook Rd. BS16 24 D4
Folly La. BS2 38 A4
Fontana Clo. BS30 49 E2
Fonthill Rd. BS10 21 F4
Fonthill Way. BS30 49 E3
Fontmell Ct. BS14 46 C6
Fontwell Dri. BS16 24 C4
Footes La. BS36 17 E5
Footshill Clo. BS15 39 H4
Footshill Dri. BS15 39 H4
Footshill Gdns. BS15 39 H5
Footshill Rd. BS15 39 H5
Ford La. BS16 32 D2
Ford St. BS5 38 B4
Forde Clo. BS30 40 C5
Fordell Pl. BS4 46 A1
Forest Av. BS16 31 G5
Forest Dri. BS10 20 D3
Forest Edge. BS15 40 A6
Forest Hills. BS32 8 C2
Forest Rd,
Fishponds. BS16 31 G6
Forest Rd,
Kingswood. BS15 40 A4
Forest Walk,
Fishponds. BS16 31 G6
Forest Walk,
Kingswood. BS15 39 H3
Fortfield Rd. BS14 52 A3
Fossedale Av. BS14 52 B1
Foster St. BS5 38 B1
Foundry La. BS5 39 E1
*Fountain Ct,
Woodlands La. BS32 14 B1
Fountaine Ct. BS5 30 B6
Fountains Dri. BS30 40 C5
Four Acre Av. BS16 24 B6
Four Acre Cres. BS16 24 B5
Four Acre Rd. BS16 24 B5
Four Acres. BS13 50 A3
Four Acres Clo. BS13 50 B3
Fourth Av. BS7 22 A5
Fourth Way. BS11 18 C5
*Fox Clo,
Robertson Dri. BS4 39 E4
Fox Clo. BS16 48 C1
Fox Rd, Easton. BS5 38 A1
Fox Rd, Frampton
Cotterell. BS36 16 D3
Fox and Hounds La.
BS31 54 C2
Foxborough Gdns.
BS32 14 C2
Foxcombe Rd. BS14 52 B3
Foxcote. BS15 40 C3
Foxcote Rd. BS3 44 C2
Foxcroft Clo. BS32 15 E5
Foxcroft Rd. BS5 38 C2
Foxden Rd. BS4 22 D3
Foxfield Av. BS32 14 C1
Foxglove Clo. BS16 30 D4
Frampton Ct. BS30 48 C1
Frampton Cres. BS16 31 H5
Frampton End Rd.
BS36 17 F3
Francis Pl. BS30 48 C1
Francis Rd,
Bedminster. BS3 45 E2
Francis Rd, Westbury
on Trym. BS10 29 E1
Francis Way. BS30 41 G4
Francombe Gro. BS16 29 F2
Franklyn La. BS2 37 H2
Franklyn St. BS2 37 G2
Fraser St. BS3 45 F1
Frayley Rd. BS9 28 B1
Frayne Rd. BS3 36 B4
Frederick Pl. BS8 36 D3
Frederick St. BS4 45 H1
Free Tank. BS2 7 H5
Freeland Bldgs. BS5 30 C6
Freeland Pl. BS8 36 B5
Freemantle Gdns. BS5 30 B5
Freemantle Rd. BS5 30 B5
Freestone Rd. BS2 37 H5
*Fremantle La
Clare Rd. BS6 37 F2
Fremantle Rd. BS6 37 F1
Fremantle Sq. BS6 37 F2

Frenchay Clo. BS16 31 H2
Frenchay Hill. BS16 31 H1
Frenchay Pk Rd. BS16 30 D2
Frenchay Rd. BS16 32 A2
Freshford La. BS1 7 E6
Freshland Way. BS15 39 G2
Friary. BS1 7 G5
Friary Grange Pk. BS36 16 B5
Friary Rd. BS7 29 E5
Friendly Row. BS20 26 B3
Friendship Rd. BS4 45 H3
Friezewood Rd. BS3 44 C1
Fripp Clo. BS5 38 A4
Frobisher Rd. BS3 44 C2
Frog La, Bristol. BS1 6 C4
Frog La,
Coalpit Heath. BS36 17 H6
Frogmore St. BS1 6 C4
Frome Bank Gdns.
BS36 24 B3
Frome Glen. BS36 24 B2
Frome Pl. BS16 30 D3
Frome St. BS2 7 G1
Frome Ter. BS16 30 D3
Frome Valley Rd. BS16 31 E2
Frome Vw. BS36 17 E5
Frome Villas. BS16 31 H1
Frome Way. BS36 24 B1
Fromeside Park. BS16 31 G2
Froomshaw Rd. BS16 31 F1
Frys Clo. BS16 30 C4
Frys Hill. BS15 40 B1
Fulford Rd. BS13 50 D2
Fulford Walk. BS13 50 D2
Furber Ct. BS5 39 G4
Furber Ridge. BS5 39 G4
Furber Rd. BS5 39 G4
Furber Vale. BS5 39 G5
Furnwood. BS5 39 F5
Fussell Ct. BS15 40 C3
Furze Rd. BS16 31 H5
Furzewood Rd. BS15 40 C2
Fylton Croft. BS14 52 A4

Gable Clo. BS35 12 B2
Gable Rd. BS5 38 A1
Gadshill Dri. BS34 22 D1
Gadshill Rd. BS5 30 C6
Gages Clo. BS15 40 C3
Gages Rd. BS15 40 C3
Gainsborough Dri.
BS31 54 C2
Gainsborough Sq.
BS7 30 B2
Gallivan Clo. BS34 14 B4
Galway Rd. BS4 45 F4
Garden Clo. BS9 27 G3
Gardeners Walk. BS41 43 F4
Gardner Av. BS13 44 B6
Garfield Rd. BS5 39 F3
Garnet St. BS3 44 D2
Garnett Pl. BS16 32 C1
Garrett Dri. BS32 14 C4
Garth Rd. BS13 44 C5
Gas La. BS2 37 H5
Gasferry La. BS1 6 B5
Gasferry Rd. BS1 6 A6
Gaston Av. BS31 54 C2
Gatcombe Dri. BS34 22 D2
Gatcombe Rd. BS13 50 B2
Gatehouse Av. BS13 50 B2
Gatehouse Clo. BS13 50 C2
Gatehouse Ct. BS13 50 C2
Gatehouse Way. BS13 50 C2
Gatesby Mead. BS34 22 D1
Gathorne Rd. BS3 44 C1
Gatton Rd. BS2 38 A1
Gaunts La. BS1 6 C4
Gay Elms Rd. BS13 50 B3
Gayner Rd. BS7 21 H4
Gays Rd. BS15 47 G1
Gazzard Clo. BS36 16 B5
Gazzard Rd. BS36 16 B5
Gee Moors. BS15 40 C4
Gefle Clo. BS1 36 C6
Geoffrey Clo. BS13 50 A1
George Jones Rd. BS2 38 A4
George St. BS5 38 C3
George Whitefield Ct.
BS1 7 F2
Gerald Rd. BS3 44 C2
Gerrard Clo. BS4 45 F6
Gerrish Av,
Staple Hill. BS16 32 C3
Gerrish Av,
Whitehall. BS5 38 B3

Gibbet La. BS14 52 B6
Gibbsfold Rd. BS13 51 E4
Gibson Rd. BS6 37 F1
Gifford Cres. BS34 14 B6
Gifford Rd. BS10 20 B2
Giffords Pl. BS13 44 C6
Gilbert Rd,
Kingswood. BS15 40 A2
Gilbert Rd,
Redfield. BS5 38 C3
Gilda Clo. BS14 52 B2
Gilda Cres. BS14 52 B1
Gilda Par. BS14 52 B2
Gilda Sq East. BS14 52 B2
Gilda Sq West. BS14 52 B2
Gill Av. BS16 31 G3
Gillard Clo. BS15 39 G3
Gillard Rd. BS15 39 G3
Gillebank Clo. BS14 52 D2
Gillingham Hill. BS5 39 G5
Gilpen Clo. BS15 40 C1
Gilray Clo. BS7 30 B3
Gilroy Clo. BS30 49 E2
Gilslake Av. BS10 20 D3
Gilton Ho. BS4 46 D3
Gingells Grn. BS5 39 F3
Gipsy Patch La. BS34 14 A6
Gladstone Dri. BS16 32 B5
Gladstone La. BS36 17 E5
Gladstone Rd,
Hengrove. BS14 52 B1
Gladstone Rd,
Kingswood. BS15 40 A1
Gladstone St,
Bedminster. BS3 44 D2
Gladstone St,
Redfield. BS5 38 C3
Gladstone St,
Staple Hill. BS16 32 A5
Glaisdale Rd. BS16 31 F3
Glanville Gdns. BS15 40 B4
Glasshouse La. BS2 38 C4
Glastonbury Clo. BS15 40 C5
Glebe Clo. BS41 43 F3
Glebe Field. BS32 8 C3
Glebe Rd,
Long Ashton. BS41 43 F3
Glebe Rd,
St George. BS5 39 E3
Glebelands Rd. BS34 22 A3
Gledemoor Dri. BS36 17 F5
Gleeson Ho. BS16 31 G3
Glen Av. BS8 34 D3
Glen Dell Clo. BS16 19 H3
Glen Dri. BS9 27 H4
Glen La. BS4 46 C3
Glen Park,
Eastville. BS5 30 B6
Glen Park,
St George. BS5 39 F2
Glen Park Gdns. BS5 39 F2
Glena Av. BS4 46 B3
Glenarm Rd. BS4 46 B3
Glenarm Walk. BS4 46 D3
Glenavon Park. BS9 27 G4
Glenburn Rd. BS15 39 G2
Glencoyne Sq. BS10 20 D4
Glendale,
Clifton Wood. BS8 36 B5
Glendale,
Downend. BS16 24 B6
Glendale,
Fishponds. BS16 31 H5
*Glendare Ho,
Glendare St. BS5 38 B4
Glendare St. BS5 38 B4
Glendevon Rd. BS14 52 A4
Gleneagles Dri. BS10 19 H3
Gleneagles Rd. BS30 41 E4
Glenfrome Rd. BS5 30 B5
Glenroy Av. BS15 39 G2
Glenside Clo. BS16 31 H1
Glentworth Rd,
Clifton. BS8 36 D4
Glentworth Rd,
Redland. BS6 29 E6
Glenview Rd. BS4 46 C3
Glenwood. BS16 31 H6
Glenwood Dri. BS30 49 E1
Glenwood Rd. BS10 28 D1
Gloster Av. BS5 30 C6
Gloucester Clo. BS34 22 C1
Gloucester La. BS2 7 H2
Gloucester Rd,
Almondsbury. BS32 8 C3

Hemmings Par. BS5 38 A3
Hemplow Clo. BS14 46 C5
Hempton La. BS32 14 A2
Henacre Rd. BS11 18 D6
Henbury Ct. BS10 20 A3
Henbury Gdns. BS10 20 A4
Henbury Hill. BS10 20 B5
Henbury Rd, Hanham. BS15 39 G5
Henbury Rd, Henbury. BS10 20 A4
Hencliffe Rd. BS14 46 C6
Hencliffe Way. BS15 47 G2
Henderson Rd. BS15 39 G6
Hendre Rd. BS3 44 C2
Henfield Cres. BS30 49 E1
Henfield Rd. BS36 25 F2
Hengaston St. BS3 44 D2
Hengrove Av. BS14 46 B4
Hengrove La. BS14 46 A5
Hengrove Rd. BS4 46 A2
Hengrove Way, Bishopsworth. BS13 50 D1
Hengrove Way, Inns Court. BS14 45 F6
Henleaze Av. BS9 28 C3
Henleaze Gdns. BS9 28 C3
Henleaze Park. BS9 28 D3
Henleaze Park Dri. BS9 28 D2
Henleaze Rd. BS9 28 C3
Henleaze Ter. BS9 28 D1
Henley Gro. BS9 28 D3
Hennessy Clo. BS14 51 G4
Henrietta St, Easton. BS5 38 B1
Henrietta St, Kingsdown. BS2 37 E2
Henry St. BS3 45 H1
Henry Williamson Ct. BS30 40 D6
Henshaw Clo. BS15 39 H1
Henshaw Rd. BS15 39 H1
Henshaw Walk. BS15 39 H1
Hensmans Hill. BS8 36 C4
Hepburn Rd. BS2 37 F2
Herald Clo. BS9 27 G4
Herapath St. BS5 38 B4
Herbert St, Eastville. BS5 30 C6
Herbert St, Whitehall. BS5 38 C2
Herbert St, Windmill Hill. BS3 45 E1
Hercules Clo. BS34 14 D5
Hereford Rd. BS2 30 A6
Hereford St. BS3 45 E1
Herkomer Clo. BS7 30 B2
Hermes Clo. BS31 55 F5
Hermitage Clo. BS11 26 C2
Hermitage Rd. BS16 32 B4
Heron Rd. BS5 38 A2
Herridge Clo. BS13 50 D3
Herridge Rd. BS13 50 D3
Hersey Gdns. BS13 50 A4
Hesding Clo. BS15 47 H1
Hestercombe Rd. BS13 50 D1
Hewlands Ct. BS11 19 G4
Heyford Av. BS5 30 A5
Heyron Walk. BS13 50 D3
Heywood Rd. BS20 26 B4
Heywood Ter. BS20 26 B4
Hicks Av. BS16 33 E1
Hicks Common Rd. BS36 24 B2
Hicks Ct. BS30 48 C1
Hicking Ct. BS15 40 B2
High Elm. BS15 49 B4
High Gro. BS9 27 F2
High Kingsdown. BS2 37 E2
High La. BS36 16 A4
High Park. BS14 46 B4
High St, Bitton. BS30 49 G5
High St, Bristol. BS1 7 E3
High St, Clifton. BS6 28 C6
High St, Easton. BS5 38 B1
High St, Hanham. BS15 39 H5
High St, Keynsham. BS18 54 B1
High St, Kingswood. BS15 40 B2
High St, Oldland Common. BS30 49 F2
High St, Saltford. BS31 55 H4
High St, Shirehampton. BS11 26 C2
High St, Staple Hill. BS16 32 A4
High St, Warmley. BS15 41 E3
High St, Westbury on Trym. BS9 28 C1
High St, Winterbourne. BS36 16 A6
Higham St. BS4 37 H6
Highbury Rd, Bedminster. BS3 44 D3
Highbury Rd, Horfield. BS7 29 G2
Highbury Villas. BS2 6 B1
Highcroft. BS30 41 F5
Highdale Clo. BS14 52 B3
Highett Dri. BS5 38 A2
Highfield Av. BS15 40 A6
Highfield Clo. BS34 23 E3
Highfield Gdns. BS30 49 E3
Highfield Gro. BS7 29 F3
Highfield Rd. BS31 54 C5
*Highland Cres, Highland Sq. BS8 28 C6
Highland Sq. BS8 28 C6
Highlands Rd. BS41 43 E3
Highleaze Rd. BS30 49 E1
Highmead Gdns. BS13 50 A3
*Highmore Ct, Bonnington Wk. BS7 30 A1
Highmore Gdns. BS7 30 B1
Highnam Clo. BS34 14 B3
Highridge Cres. BS13 50 B2
Highridge Grn. BS13 50 A1
Highridge Park. BS13 50 A1
Highridge Rd, Bedminster. BS3 44 D3
Highridge Rd, Bishopsworth. BS13 50 A3
Highridge Wk. BS13 44 A6
Highview Rd. BS15 40 C1
Highwall La. BS31 53 E6
Highwood La. BS10 12 D5
Highwood Rd. BS34 13 F6
Highworth Rd. BS4 38 D5
Hill Av. BS3 45 G2
Hill Burn. BS9 29 E2
Hill Clo. BS16 25 E6
Hill Crest. BS4 46 A4
Hill Dri. BS8 42 A1
Hill End Dri. BS10 19 G3
Hill Gro. BS9 29 E2
Hill House Rd. BS16 32 C3
Hill Lawn. BS4 46 C1
Hill St, Bristol. BS1 6 B3
Hill St, Kingswood. BS15 40 C2
Hill St, St George. BS5 39 F2
Hill St, Totterdown. BS3 45 G1
Hill View, Clifton. BS8 36 C4
*Hill View, Church Rd, Filton. BS34 22 A3
Hill View, Henleaze. BS9 28 D2
Hill View, Soundwell. BS16 32 A6
Hill View Clo. BS30 49 E1
Hill View Rd. BS13 44 C5
Hillburn Rd. BS5 39 F3
Hillcroft Clo. BS15 48 B1
Hillfields Av. BS16 31 H6
Hillgrove St. BS2 37 F2
Hillgrove St Nth. BS2 37 F2
Hills Barton. BS13 44 C4
Hills Clo. BS31 54 D2
Hillsborough Rd. BS4 38 C6
Hillsdon Rd. BS9 20 B6
Hillside, Cotham. BS6 36 D2
Hillside, Mangotsfield. BS16 32 C4
Hillside Av. BS15 39 H3
Hillside Clo. BS36 17 F5
Hillside La. BS36 17 E5
Hillside Rd, Long Ashton. BS41 43 F3
Hillside Rd, St George. BS5 39 F3
Hillside St. BS4 45 H1
Hilltop Gdns, St George. BS5 39 F3
Hilltop Gdns, Soundwell. BS16 32 A6
Hilltop Rd. BS16 32 A6
Hilltop Vw. BS5 39 F3
Hillyfield Rd. BS13 50 C1
Hinton Clo. BS31 55 H4
Hinton Dri. BS30 41 F4
Hinton La. BS8 36 B5
Hinton Rd, Easton. BS5 38 C1
Hinton Rd, Fishponds. BS16 31 F4
Hither Mead.BS36 17 E6
Hobbs La, Bristol. BS1 6 C4
Hobbs La, Warmley. BS30 41 E2
Hobhouse Clo. BS9 28 D2
Hobwell La. BS41 43 G2
Hogarth Walk. BS7 30 B1
Hogues Walk. BS13 50 D3
Holbeach Way. BS14 52 A4
Holbrook Cres. BS13 51 E3
Holcombe. BS14 51 H2
Holcombe Gro. BS31 54 A2
Holdenhurst Rd. BS15 39 H2
Holders Walk. BS41 42 D4
Holford Ct. BS14 52 B2
*Hollidge Gdns, St Pauls Rd. BS3 37 E6
Hollis Clo. BS41 43 E4
Hollisters Dri. BS13 51 E4
Hollow Rd, Almondsbury. BS32 8 B3
Hollow Rd, Kingswood. BS15 40 B3
Hollway Clo. BS14 52 D2
Hollway Rd. BS14 52 D2
Holly Clo. BS5 39 F1
Holly Cres. BS15 40 C2
Holly Gro. BS16 31 H6
Holly Hill Rd. BS15 40 C2
Holly Lodge Clo. BS5 31 F6
Holly Lodge Rd. BS5 39 E1
Holly Walk. BS31 54 A3
Hollybush La. BS9 28 A3
Hollyguest Rd. BS15 40 A5
Hollyleigh Av. BS34 21 H4
Hollymead La. BS9 28 A4
Hollyridge. BS14 52 C1
Hollywood La. BS35 12 B4
Hollywood Rd. BS4 46 D2
Holm-Mead La. BS30 49 F6
Holmdale Rd. BS34 22 B3
Holmefield Clo. BS16 33 E2
Holmes Gro. BS9 28 C3
Holmes Hill Rd. BS5 39 E2
Holmes St. BS5 38 B4
Holmesdale Rd. BS3 45 F2
Holmoak Rd. BS31 54 A3
Holmwood. BS15 39 H5
Holmwood Clo. BS36 16 A6
Holmwood Gdns. BS9 20 C6
Holsom Clo. BS14 53 E1
Holsom Rd. BS14 53 E1
Holst Gdns. BS4 45 E6
Holton Rd. BS7 29 H2
Holyrood Clo. BS34 22 C2
Holyroyd Ho. BS3 45 F2
Holywell Clo. BS4 39 E4
Home Clo. BS10 21 F4
Home Farm Rd. BS8 34 F3
Home Farm Way. BS35 12 C3
Home Ground, Eastfield. BS9 28 D1
Home Ground, Shirehampton. BS11 26 C1
Home Mead, Barrs Ct. BS30 40 D6
Home Mead, Inns Court. BS4 45 F6
Homeapple Hill. BS30 41 H4
Homefield Clo. BS31 55 H4
Homefield Dri. BS16 31 F3
Homefield Rd. BS31 55 H4
Homeground. BS16 33 E2
Homeleaze Rd. BS10 21 E3
Homemead Dri. BS4 46 C4
Homestead Clo. BS36 17 G4
Homestead Gdns. BS16 23 G5
Homestead Rd. BS34 21 H3
Honey Garston Clo. BS13 50 D3
Honey Garston Rd. BS13 50 D3
Honey Hill Rd. BS15 40 C2
Honey Way. BS15 40 C2
Honeymead. BS14 52 C1
Honeysuckle Clo. BS32 14 D2
Honeysuckle La. BS16 30 D4
Honiton Rd. BS16 31 F6
Hooper Rd. BS14 52 C2
*Hope Ct, Canada Way. BS1 36 C5
Hope Rd. BS3 45 E2
Hope Sq. BS8 36 B5
Hopechapel Hill. BS8 36 B5
Hopetoun Rd. BS2 29 H5
Hopewell Gdns. BS11 26 C1
Hopland Clo. BS30 48 D2
Hopps Rd. BS15 40 A4
Horfield Rd. BS2 6 D2
Horley Rd. BS2 38 A1
Hornbeams Walk. BS31 53 H4
Horsecroft Gdns. BS30 40 D5
Horseham Gro. BS13 50 D2
Horsepool Rd. BS13 50 A3
Horseshoe Dri. BS9 27 G4
Hortham La. BS32 8 E2
Horwood Ct. BS30 40 D6
Hosey Walk. BS13 50 C2
Host St. BS1 6 D3
Hot Water La. BS15 32 C5
Hottom Gdns. BS7 30 A1
Hotwell Rd. BS8 6 A5
Houlton St. BS2 7 G1
Howard Av. BS5 38 D2
Howard Clo. BS31 55 F4
Howard Rd, Southville. BS3 36 D6
Howard Rd, Staple Hill. BS16 32 A4
Howard Rd, Westbury Pk. BS6 28 D4
Howard St. BS5 38 D2
Howard Walk. BS30 41 F4
Howecroft Gdns. BS9 28 A4
Howells Mead. BS16 33 E1
Howes Clo. BS30 40 D5
Howett Rd. BS5 38 B3
Howsmoor La. BS16 25 E6
Hoylake Dri. BS30 41 E4
Huckford La. BS36 24 D2
Huckford Rd. BS36 24 B1
Huckley Way. BS32 15 E5
Hudds Hill Gdns. BS5 39 E2
Hudds Hill Rd. BS5 39 F2
Hudds Vale Rd. BS5 39 E2
Hughenden Rd, Clifton. BS8 29 F3
Hughenden Rd, Horfield. BS7 36 C1
Hulbert Clo. BS4 47 F3
Hulse Rd. BS4 46 C3
Humber Way. BS11 18 B1
Humberstan Wk. BS11 18 C6
Humphry Davy Way. BS8 36 B5
Humphrys Barton. BS4 39 E5
Hung Rd. BS11 26 C3
Hungerford Clo. BS4 46 D5
Hungerford Cres. BS4 46 D4
Hungerford Gdns. BS4 46 D5
Hungerford Rd. BS4 46 D4
Hungerford Wk. BS4 46 D4
Hunters Clo. BS15 39 H6
Hunters Dri. BS15 40 C2
Hunters Rd. BS15 39 H6
Hunters Way. BS34 22 B3
Huntingham Rd. BS13 50 A3
Hunts Ground Rd. BS34 23 E2
Hunts La. BS7 29 G3
Hurle Cres. BS8 36 C1
Hurle Rd. BS8 36 C1
Hurlingham Rd. BS7 29 G6
Hurn La. BS31 54 C3
Hursley La. BS14 52 D6
Hurst Rd. BS4 45 G5
Hurst Walk. BS4 45 G5
Hurston Rd. BS4 45 E5
Hurstwood Rd. BS16 32 A3
Hutton Clo, Keynsham. BS31 54 D5
Hutton Clo, Westbury on Trym. BS9 27 H1
Huyton Rd. BS5 30 D5
Hyland Gro. BS9 20 B6
Ida Rd. BS5 38 C2
Iddesleigh Rd. BS6 28 C6
Idstone Rd. BS16 31 G4
Iford Clo. BS31 55 G4
Ilchester Cres. BS13 44 C4
Ilchester Rd. BS13 44 C4
Iles Clo. BS15 40 A6
Ilex Clo. BS13 50 B1
Ilminster Av. BS4 45 G4
Ilsyn Gro. BS14 46 C6
Imber Ct Clo. BS14 46 A5
Imperial Rd, Knowle. BS14 46 B5
Imperial Rd, Redland. BS6 36 D2
Imperial Walk. BS14 46 B4
INDUSTRIAL & RETAIL:
Aldermoor Way Retail Pk. BS30 40 B6
Almondsbury Business Centre. BS32 8 E4
Apex Ct. BS32 14 C1
Ashley Trading Est. BS6 37 H1
Ashmead Trading Est. BS31 55 E2
Ashton Gate Trading Est. BS3 44 A2
Avlon Works. BS10 11 F1
Avon Bank Ind Est. BS11 26 A1
Avon Business Pk. BS16 31 F5
Avon Gorge Ind Est. BS11 26 A1
Avon Riverside Est. BS11 26 A1
Avon Trading Est. BS2 37 H5
Avon Valley Business Pk. BS4 38 D5
Avonbridge Trading Est. BS11 18 B5
Avonside Ind Est. BS2 38 C5
Aztec West. BS32 13 H2
Barnack Trading Est. BS3 45 E4
Berkeley Ct Ind Est. BS5 38 B3
Bishopsworth Trading Est. BS13 50 C1
Bonville Business Centre. BS4 47 E3
Brislington Retail Pk. BS4 46 D4
Brislington Trading Est. BS4 47 E3
Bristol Vale Centre for Industry. BS3 44 D4
Cabot Park. BS11 10 B6
Cala Trading Est. BS3 44 B2
Central Trading Est. BS4 46 B1
Chandos Trading Est. BS2 37 H5
City Business Pk. BS5 37 H3
Cribbs Causeway Centre. BS10 12 C6
Cribbs Retail Pk. BS10 13 E5
Days Rd Commercial Centre. BS2 38 A4
Diamonite Ind Est. BS16 31 F5
Docks Ind Est. BS11 10 B4
Eagles Wood Business Pk. BS32 8 E4
Eldonwall Trading Est. BS4 38 C5
Fairway Ind Est. BS34 21 G3
Ferry Steps Ind Est. BS2 37 H6
Fishponds Trading Est. BS16 31 E6
Flowers Hill Trading Est. BS4 47 E4
Great Park. BS32 8 D4
Hanham Business Centre. BS15 39 G6
Haslemere Ind Est. BS11 18 A4
Hayward Ind Est. BS16 32 A5
Hengrove Leisure Pk. BS14 51 F1
Hydro Est. BS11 9 D3

Imperial Est. BS13 51 E1
Kensington Pk. BS4 46 C2
Kingsland Trading Est. BS2 37 H4
Kingswood Trading Est. BS15 40 A2
Lawrence Hill Ind Pk. BS5 38 A3
Leigh Court Business Centre. BS8 35 E1
Liberty Business Pk. BS3 44 C3
Lodge Causeway Trading Est. BS16 31 E5
*Minto Rd Ind Centre, Minto Rd. BS2 29 H6
Netham Pk Ind Pk. BS5 38 C4
Netham View Ind Pk. BS5 38 C4
Newbridge Trading Est. BS4 38 C5
Novers Hill Trading Est. BS3 45 E4
Orpen Park. BS32 8 C4
*Parkway Tra Est, St Werburghs Rd. BS2 29 H6
Patchway Trading Est. BS34 13 F4
Peters Ter Trading Est. BS5 38 A4
Pioneer Pk Trading Est. BS4 38 C6
Quadrant. BS32 14 B1
Ram Hill Business Pk. BS36 25 G1
Riverside Business Pk. BS4 38 D4
Rockingham Works. BS11 18 B1
SBI Centre. BS15 39 G6
St Andrews Ind Est. BS11 9 D4
St Brendans Trading Est.BS11 9 D4
*St Catherines Ind Est, Whitehouse La. BS3 45 F1
St Stephens Business Centre. BS30 41 F5
St Vincents Trading Est. BS2 38 C5
Severnside Trading Est. BS11 9 D2
South Bristol Business Pk. BS4 45 G6
Springwater Park Ind Est. BS5 38 D4
Station Rd Business Centre. BS15 32 D6
Temple Trading Est. BS2 38 A5
The Aztec Centre. BS32 14 A2
The Grove Ind Est. BS34 14 A4
The Polygon. BS11 18 C5
The Quadrant. BS32 14 A1
The Siston Centre. BS15 32 D6
Unicorn Business Pk. BS4 38 C5
Wadehurst Ind Pk. BS5 38 A4
*White Hall Trading Est Carlton Pk. BS5 38 B2
Willment Way Est. BS11 18 B5
Wilverley Ind Est. BS4 47 E3
Wincombe Trading Est. BS2 37 H6
*Windmill Farm Business Centre, Dalby Av. BS3 45 F1
Ingleside Rd. BS15 39 G1
Ingmire Rd. BS5 30 A5
Inkerman Clo. BS7 29 G1
Innox Gdns. BS13 50 C2
Inns Ct Av. BS4 45 E6
Inns Ct Dri. BS4 45 F6
Inns Ct Grn. BS4 45 F6
Instow Rd. BS4 45 G5
Instow Walk. BS4 45 G5
Intake Rd. BS11 18 A3
Ipswich Dri. BS4 38 D5
Irby Rd. BS3 44 C2
Irena Rd. BS16 31 E6
Ireton Rd. BS3 44 D2
Ironchurch Rd. BS11 18 A1
Ironmould La. BS4 47 F3
Irving Clo. BS16 32 B4
Isambard Walk1 7 G5
Isf Rd. BS11 18 B3
Island Gdns. BS16 30 B4
Isleys Ct. BS30 48 C2
Islington Rd. BS3 36 D6
Ison Hill Rd. BS10 19 H3
Ivor Rd. BS5 38 C2
Ivy La. BS16 31 F6
Ivywell Rd. BS9 28 A6

Jacob St. BS2 7 G3
Jacobs Ct. BS1 6 A5
Jacobs Wells Rd. BS8 6 A4
Jamaica St. BS2 37 F2
James Clo. BS16 32 B5
James Rd. BS16 32 B5
James St. BS2 29 H6
Jane St. BS5 38 B3
Jarvis St. BS5 38 A4
Jasmine Gro. BS11 19 F4
Jasper St. BS3 44 D2
Jean Rd. BS4 46 D2
Jeffery Ct. BS30 41 E5
Jeffries Hill Bottom. BS15 39 G5
Jellicoe Av. BS16 22 D6
Jena Ct. BS31 55 G4
Jersey Av. BS4 47 E1
Jessop Ct. BS1 7 E5
Jessop Underpass. BS3 36 B6
Jocelyn Rd. BS7 29 H1
Jockey La. BS5 39 G4
*John Cabot Ct, Cumberland Clo. BS1 36 C5
John Carrs Ter. BS8 6 A4
*John James Ct, Bonnington Wk. BS7 30 A1
John St, Kingswood. BS15 39 H2
John St, Montpelier. BS2 29 H6
*John Wesley Ct, Fern Rd. BS16 32 A3
John Wesley Rd. BS5 39 G5
Johnny Ball La. BS2 6 D2
Johnson Dri. BS30 40 C5
Johnson Rd. BS16 33 E2
Johnsons La. BS5 38 C2
Johnsons Rd. BS5 38 C2
Jordon Wk. BS32 14 C4
Joy Hill. BS8 36 B5
Jubilee Cres. BS16 32 D2
Jubilee Pl. BS1 7 E6
Jubilee Rd, Baptist Mills. BS2 37 H1
Jubilee Rd, Kingswood. BS15 32 B5
Jubilee Rd, Knowle. BS4 46 B3
Jubilee Rd, St George. BS5 39 E3
Jubilee St. BS2 7 H4
Jubilee Way. BS11 9 D4
Julian Clo. BS9 27 H5
*Julian Ho, Bishop St. BS2 37 G2
Julian Rd. BS9 28 A5
Julius Rd. BS7 29 F5
Junction Rd. BS4 46 B1
Juniper Ct. BS5 30 B6
Juniper Way. BS32 15 F5
Jupiter Rd. BS10 13 F5
Justice Av. BS31 55 G4
Justice Rd.BS16 31 F5
Jutland Rd. BS11 9 C5

Kathdene Gdns. BS7 29 H5
Keble Av. BS13 50 B3
Keeds La. BS41 42 D3
Keedwell Hill. BS41 42 D4
Keel Clo. BS5 39 E4
Keinton Walk. BS10 20 B4
Kelbra Rise. BS35 17 E6
Kellaway Av. BS6 29 E4
Kellaway Cres. BS9 29 F2
Kelston Clo. BS31 55 G4
Kelston Gdns. BS10 21 E6
Kelston Gro. BS15 40 B5
Kelston Rd, Keynsham. BS31 54 A2
Kelston Rd, Southmead. BS10 21 E6
Kelston Walk. BS16 31 H5
Kemble Clo. BS15 40 B4
Kemble Gdns. BS11 26 D3
Kemperleye Way. BS32 14 C4
Kempes Clo. BS41 43 E3
Kempton Clo. BS16 24 C5
Kencot Walk. BS13 50 D4
Kendal Rd. BS7 30 A1
Kendall Gdns. BS16 32 A4
Kendall Rd. BS16 32 A4
Kendon Dri. BS10 29 E1
Kenilworth Clo. BS31 54 A3
Kenilworth Dri. BS30 49 E3
Kenilworth Rd. BS6 36 D2
Kenmare Rd. BS4 45 F4
Kenmore Cres. BS7 21 G5
Kenmore Dri. BS7 21 F5
Kenmore Gro. BS7 21 G5
Kenn Rd. BS5 39 F3
Kennard Clo. BS15 39 H3
Kennard Rise. BS15 39 H3
Kennard Rd. BS15 39 H3
Kennel Lodge Rd. BS3 36 A6
Kennet Rd. BS31 54 D3
Kenneth Rd. BS4 46 D3
Kennington Av, Bishopston. BS7 29 G4
Kennington Av, Kingswood. BS15 40 A2
Kennion Rd. BS5 39 F4
Kennmoor Clo. BS30 40 D5
Kensal Av. BS3 45 F2
Kensal Rd. BS3 45 F2
*Kensington Ct, Kensington Pl. BS8 36 C3
Kensington Pk. BS5 38 A2
Kensington Pk Rd. BS4 46 B3
Kensington Pl. BS8 36 C3
Kensington Rd, Fishponds. BS16 32 A4
Kensington Rd, Redland. BS6 37 E1
Kensington Rd, St George. BS5 39 F2
Kent Clo. BS16 30 D1
Kent Clo, Stoke Gifford. BS34 22 C2
Kent Rd. BS7 29 G5
Kent St. BS3 45 E2
Kenton Mews. BS9 29 E3
Kents Grn. BS15 40 B1
Keppel Clo. BS31 55 G5
Kerry Rd. BS4 45 G4
Kersteman Rd. BS6 29 E6
Kestrel Clo. BS34 13 F4
Keswick Walk. BS10 21 E4
Ketch Rd. BS3 45 H2
Kew Walk. BS4 46 C4
Kewstoke Rd. BS9 28 A4
Keynsham By-Pass, Keynsham. BS31 54 C1
Keynsham By-Pass, Somerdale. BS31 48 A5
Keynsham Rd, Keynsham. BS31 48 C6
Keynsham Rd, Willsbridge. BS30 49 E4
Keys Av. BS7 29 H1
Kilbirnie Rd. BS14 52 A4
Kilburn St. BS5 38 B2
Kildare Rd. BS4 45 F4
Kilkenny St. BS2 7 H4
Kilmersdon Rd. BS13 50 D3
Kilminster Clo. BS34 14 C5
Kilminster Rd. BS11 26 B1
Kiln Clo. BS15 39 G1
Kilnhurst Clo. BS30 48 C3
Kilvert Clo. BS4 38 C6
Kimberley Av. BS16 31 H3
Kimberley Clo. BS16 32 C1
Kimberley Cres. BS16 31 G4
Kimberley Rd, Fishponds. BS16 31 H4
Kimberley Rd, Kingswood. BS15 40 A2
King Dicks La. BS5 39 E3
King Edward Clo. BS14 45 H6
King George Pl. BS1 6 D4
King Georges Rd. BS13 50 B2
King Johns Rd. BS15 39 G1
King Rd. BS4 46 B3
King Sq. BS2 37 F2
King Sq Av. BS2 7 E1
King St, Avonmouth. BS11 9 C5
King St, Bristol. BS1 6 D5
King St, Easton. BS5 38 B2
King St, Kingswood. BS15 39 G2
King William Av. BS1 6 D5
King William St. BS3 44 D1
Kingfisher Clo. BS32 14 D2
Kingfisher Dri. BS16 31 E2
Kingmarsh Ho. BS5 38 A3
Kings Av, Bishopston. BS7 29 E4
Kings Av, Hanham. BS15 39 G6
Kings Ct. BS1 6 D5
Kings Dri, Bishopston. BS7 29 E4
Kings Dri, Great Stoke. BS34 23 F2
Kings Dri, Hanham. BS15 39 G6
Kings Head La. BS13 44 A6
Kings Par Av. BS8 36 C1
Kings Par Mews. BS8 36 C1
Kings Park Av. BS2 38 B5
Kings Rd, Brislington. BS4 46 B2
Kings Rd, Clifton. BS8 36 C4
Kings Rd Av. BS11 9 C4
Kings Sq. BS30 49 G5
Kings Walk. BS13 44 A6
Kings Weston Av. BS11 26 B1
Kings Weston La. BS11 18 A2
Kings Weston Rd. BS11 19 F6
Kingscote Park. BS5 39 G4
Kingscourt Clo. BS14 52 A3
Kingsdown Par. BS6 6 D1
Kingsfield La, Longwell Grn. BS30 48 B1
Kingsfield La, Mount Hill. BS15 40 B5
Kingshill Rd. BS4 46 A3
Kingsholm Rd. BS10 21 E6
Kingsholme Rd. BS15 40 A2
Kingsland Clo. BS2 37 H4
Kingsland Rd. BS2 37 H4
Kingsland Rd Bridge. BS2 37 H4
Kingsleigh Ct. BS15 40 C3
Kingsleigh Gdns. BS15 40 C3
Kingsleigh Park. BS15 40 C4
Kingsley Rd, Cotham. BS6 37 F1
Kingsley Rd, Greenbank. BS5 38 C1
Kingsmead Rd. BS5 39 F1
Kingsmead Walk. BS5 39 F1
Kingsmill. BS9 27 H3
Kingston Av. BS31 55 F5
Kingston Clo. BS16 32 D1
Kingston Dri. BS16 32 D2
Kingston Rd. BS3 37 E6
Kingstone Rise. BS5 39 E3
Kingsway, Kingswood. BS15 39 G3
Kingsway, Little Stoke. BS34 14 C6
Kingsway, St George. BS5 39 G4
Kingsway Av, Kingswood. BS15 39 G3
Kingsway Av, St George. BS5 39 G3
Kingsway Cres. BS15 39 H3
Kingswear Rd. BS3 45 F3
Kinsale Rd. BS14 46 B5
Kinsale Walk. BS4 45 F4
Kinvara Rd. BS4 45 G5
Kipling Rd. BS7 22 A5
Kirkby Rd. BS11 19 E5
*Kirkstone Gdns, Ullswater Rd. BS10 21 E4
Kirtlington Rd. BS5 30 B5
Kite Hay Clo. BS16 31 E4
Kites Clo. BS32 14 C2
Knapps La. BS5 39 E1
Kneller Clo. BS11 19 E6
Knightcott Rd. BS8 34 D3
Knighton Rd. BS10 21 F5
Knightsbridge Pk. BS13 51 G3
Knightstone Ct. BS5 38 C1
*Knightstone Pl, Hencliffe Way. BS15 46 B2
Knole Clo. BS32 8 A3
Knole La. BS10 20 C3
Knole Park. BS32 8 A4
Knoll Ct. BS9 27 H6
Knoll Hill. BS9 27 G5
Knovill Clo. BS11 19 F4
Knowle Rd. BS4 45 H1
Knowsley Rd. BS16 30 D5
Kyght Clo. BS15 40 D3
Kylross Av. BS14 52 B2
Kynges Mill Clo. BS16 31 F1

Laburnum Gro. BS16 31 G4
Laburnum Rd. BS15 39 H5
Laburnum Walk. BS31 54 A3
Lacey Rd. BS14 53 E1
Lacock Dri. BS30 40 C5
Ladd Clo. BS15 40 C4
Ladies Mile. BS9 36 B2
Ladman Gro. BS14 52 D1
Ladman Rd. BS14 52 D2
Ladysmith Rd. BS6 28 C4
Lake Mead Gdns. BS13 50 B3
Lake Rd. BS10 21 E6
Lake View Rd. BS5 38 D2
Lakemead Gro. BS13 50 B1
Lakeside. BS16 30 D5
Lakewood Cres. BS10 20 D6
Lakewood Rd. BS10 28 D1
Lamb Hill. BS5 39 E4
Lamb Ho. BS34 13 H3
Lamb St. BS2 7 H2
Lambert Pl. BS4 51 F1
Lambley Rd. BS5 39 E3
Lambourn Clo. BS3 45 F2
Lambourn Rd. BS31 54 D3
Lambrook Rd. BS16 31 F4
Lamington Clo. BS13 44 B6
Lamord Gate. BS34 22 D1
Lampeter Rd. BS9 28 B1
Lampton Av. BS13 51 F4
Lampton Gro. BS13 51 F4
Lampton Rd. BS41 42 D4
Lanaway Rd. BS16 31 G3
Lancashire Rd. BS7 29 G5
Lancaster Clo. BS34 22 D2
Lancaster Rd. BS2 30 A6
Lancaster St. BS5 38 B4
Lancelot Rd. BS16 22 D6
Landseer Av. BS7 30 A2
Lanercost Rd. BS10 21 E4
Lanesborough Rise. BS14 46 C6
Langdale Rd. BS16 31 E5
Langdown Ct. BS14 52 D2
Langfield Clo. BS10 20 A3
Langford Rd. BS13 44 B5
Langford Way. BS15 40 B4
Langham Rd. BS4 46 B2
Langhill Av. BS4 45 E6
Langley Cres. BS3 44 A3
Langley Mow. BS16 33 E1
Langthorn Clo. BS36 17 E5
Langton Court Rd. BS4 38 D5
Langton Park. BS3 44 D1
Langton Rd. BS4 38 D6
Langton Way. BS4 38 D4
Lansdown Clo. BS15 32 A6
Lansdown Pl. BS8 36 C4
Lansdown Rd, Clifton. BS8 36 C3
Lansdown Rd, Easton. BS5 38 A2
Lansdown Rd, Kingsdown. BS15 32 A6
Lansdown Rd, Redland. BS6 36 D1
Lansdown Rd, Saltford. BS31 55 H4
Lansdown Ter. BS6 29 E3
Lansdown Vw. BS15 40 C3
Lansdowne. BS16 23 H5
Laphams Ct. BS30 48 C1
Lapwing Clo. BS32 14 C2
Lapwing Gdns. BS16 31 E2
Larch Rd. BS15 32 B5
Larch Way. BS34 13 G5
Larkfield. BS36 17 G5
Larkleaze Rd. BS30 48 B3
Larksfield. BS16 30 D4
Lasbury Gro. BS13 51 E2

Latimer Clo. BS4 46 D1
Latton Rd. BS7 21 G6
Launceston Av. BS15 39 G6
Launceston Rd. BS15 39 G6
Laurel St. BS15 40 A3
Laurie Cres. BS9 29 E2
Laurie Lee Ct. BS30 40 D6
*Lavender Ct, Speedwell Rd. BS5 39 E1
Lavender Way. BS32 15 F5
Lavers Clo. BS15 40 B4
Lavington Rd. BS5 39 G5
Lawford Av. BS34 14 B6
Lawford St. BS2 7 H2
Lawfords Gate. BS2 7 H2
Lawn Av. BS16 31 G3
Lawn Rd. BS16 31 G3
Lawnwood Rd. BS5 38 B3
Lawrence Av. BS5 38 B3
Lawrence Clo. BS15 32 D6
Lawrence Gro. BS9 28 D3
Lawrence Hill. BS5 37 H3
Lawrence Weston Rd. BS11 18 C1
Lawson Clo. BS31 55 F5
Laxey Rd. BS15 29 G1
Lays Dri. BS31 53 H3
Lea Croft. BS13 50 C3
Leaholme Gdns. BS14 51 H4
Leap Vale. BS16 24 D6
Leap Valley Cres. BS16 24 C6
Lear Clo. BS30 41 E6
Leda Av. BS14 46 A5
Ledbury Rd. BS16 331 H4
Lee Clo. BS34 19 E3
Leeming Way. BS11 18 A6
Lees Hill. BS15 40 B1
Lees La. BS30 41 G5
Leicester Sq. BS16 32 A6
*Leicester St, Mill La. BS3 46 A5
Leicester Walk. BS4 39 E5
Leigh Rd. BS8 36 C2
Leigh St. BS3 36 C6
Leigh Woods Ho. BS8 35 H4
Leighton Rd, Knowle. BS4 46 B3
Leighton Rd, Southville. BS3 44 D1
Leinster Av. BS4 45 E5
Lemon La. BS2 7 G1
Lena Av. BS5 38 B2
Lena St. BS5 38 B2
Lenover Gdns. BS13 50 D3
Leonard La. BS1 6 D3
Leonards Av. BS5 38 B2
Leonard Rd. BS5 38 C3
Leopold Rd. BS6 29 G6
Lescren Way. BS11 18 B5
Lewin St. BS5 38 C3
Lewington Rd. BS16 31 H4
Lewins Mead. BS1 6 D3
Lewis Clo, Bridgeyate. BS30 41 G5
Lewis, Emersons Grn. BS16 33 E3
Lewis Rd. BS13 44 A4
Lewis St. BS2 38 A5
Lewton La. BS36 16 B5
Leyland Walk. BS13 50 B3
Leyton Villas. BS6 36 D1
Lichfield Rd. BS4 38 D5
Lilac Clo. BS10 21 E5
Lilac Ct. BS31 53 H4
Lillian St. BS5 38 B3
Lilton Walk. BS13 44 C4
Lilymead Av. BS4 45 H2
Lime Clo. BS10 20 D3
Lime Ct. BS31 53 H4
Lime Kiln Clo. BS34 22 D3
Lime Kiln Gdns. BS32 14 D1
Lime Rd, Hanham. BS15 39 F6
Lime Rd, Southville. BS3 44 C1
Lime Tree Gro. BS20 26 C5
Limekiln Clo. BS31 54 C2
Limerick Rd. BS6 29 E6
Limetrees Rd. BS8 29 E3
Lincoln Clo. BS31 54 A3
Lincoln Ct. BS16 30 D2
Lincoln St. BS5 38 A4
Lincombe Av. BS16 32 A3
Lincombe Rd. BS16 32 A3
Linden Clo, Fishponds. BS16 39 G1

Linden Clo, Stockwood. BS14 52 D1
Linden Clo, Winterbourne. BS36 16 B6
Linden Dri. BS32 14 D4
Linden Rd, Upper Eastville. BS16 30 D5
Linden Rd, Westbury Pk. BS6 28 D4
Lindon Ho. BS4 46 D2
Lindrea St. BS3 44 D1
Lindsay Rd. BS7 30 A4
Lines Way. BS14 52 C4
Lingfield Park. BS16 24 C4
Link Rd. BS34 22 A4
Linnell Clo. BS7 30 A2
Linnet Clo. BS34 13 F4
Lintern Cres. BS30 40 D5
Lintham Dri. BS15 40 C4
Lipstock Av. BS7 29 H4
Lisburn Rd. BS4 45 F4
Litfield Pl. BS8 36 B3
Litfield Rd. BS8 36 B3
Little Ann St. BS2 7 H2
Little Caroline Pl. BS8 36 B5
Little Dowles. BS30 48 D1
Little George St. BS2 7 H1
Little Hayes. BS16 31 G3
Little Headley Clo. BS13 44 D6
Little John St. BS1 6 D5
Little King St. BS1 6 D5
Little Mead. BS11 19 F5
Little Meadow. BS32 15 F6
Little Paradise. BS3 44 E1
Little Parr Clo. BS16 30 C3
Little Paul St. BS2 6 C1
Little Stoke La. BS34 14 C5
Little Stoke Rd. BS9 28 A4
Little Withey Mead. BS9 28 A4
Littleton Ct. BS34 13 G3
Littleton Rd. BS3 45 F2
Littleton St. BS5 38 B1
Littlewood Clo. BS14 52 A4
Llewellyn Ct. BS9 20 C6
Lock Gdns. BS13 44 A6
Lockemor Rd. BS13 51 H3
Lockingwell Rd. BS31 54 A2
Lockleaze Rd. BS7 29 H2
Lodge Causeway. BS16 31 E5
Lodge Ct. BS9 28 A4
Lodge Dri, Long Ashton. BS41 43 F3
Lodge Dri, Oldland Common. BS30 49 E3
Lodge Hill. BS15 39 H1
Lodge Pl. BS1 6 C3
Lodge Rd. BS15 39 H1
Lodge St. BS1 6 C3
Lodge Walk. BS16 32 A2
Lodgeside Av. BS15 39 H1
Lodgeside Gdns. BS15 39 H1
Lodore Rd. BS16 31 E5
Lodway. BS20 26 A4
Lodway Clo. BS20 26 A3
Lodway Gdns. BS20 26 A4
Lodway Rd. BS4 46 B3
Logan Rd. BS7 29 E5
Logus Ct. BS30 48 C1
Lombard St. BS3 45 E1
Lomond Rd. BS7 21 G5
London Rd, St Pauls. BS2 37 H1
London Rd, Warmley. BS30 41 F3
London St. BS15 40 A2
Long Ashton By-Pass. BS48 42 A5
Long Acres Clo. BS9 27 G1
Long Ashton Rd. BS41 43 E4
Long Beach Rd. BS30 48 D1
Long Clo, Bradley Stoke. BS32 14 D6
Long Clo, Downend. BS16 31 H6
Long Cross. BS11 18 C6
Long Eaton Dri. BS14 46 B5
Long Handstones. BS30 48 D1
Long Meadow. BS16 30 C3
Long Rd. BS16 32 C3
Long Row. BS1 7 E4
Longacre Rd. BS14 52 A4
Longfield Rd. BS7 29 G5

Longford Av. BS10 21 F6
Longleat. BS9 28 D3
Longmead Av. BS7 29 E3
Longmead Croft. BS13 50 B3
Longmead Rd. BS16 25 E5
Longmeadow Rd. BS31 54 A3
Longmoor Rd. BS3 44 C2
Longney Pl. BS34 13 H3
Longreach Gro. BS14 52 C1
Longway Av. BS14 51 G3
Longwell Ho. BS30 48 C2
Longwood. BS4 47 F3
Longwood La, Failand. BS8 42 D1
Longwood La, Saltford. BS31 55 F6
Lorain Walk. BS10 20 B4
Lorton Clo. BS10 20 D5
Lorton Rd. BS10 20 D5
Loughman Clo. BS15 40 B2
Louisa St. BS2 7 H4
Louise Av. BS16 32 D4
Lovelinch Gdns. BS41 42 D4
Lovell Av. BS30 49 G1
Lovells Hill. BS15 39 G5
Loveringe Clo. BS10 20 B2
Lovers Walk. BS6 37 E1
Lowbourne. BS14 51 H1
Lower Ashley Rd. BS5 37 H1
Lower Castle St. BS1 7 G2
Lower Chapel La. BS36 17 E5
Lower Chapel Rd. BS15 39 H5
Lower Cheltenham Pl. BS6 37 G1
Lower Church La. BS2 6C3
Lower Clifton Hill. BS8 36 C4
Lower Cock Rd. BS15 40 C4
Lower Court Rd. BS32 8 B2
Lower Fallow Clo. BS14 51 G4
Lower Gay St. BS2 37 F2
Lower Grove Rd. BS16 31 E4
Lower Guinea St. BS1 37 F6
Lower Hanham Rd. BS15 39 H5
Lower High St. BS11 26 B1
Lower House Cres. BS34 22 A2
Lower Knole La. BS10 20 C3
Lower Lamb St. BS1 6 B5
Lower Maudlin St. BS1 6 D2
Lower Park Row. BS1 6 C3
Lower Redland Mews. BS6 28 D6
Lower Redland Rd. BS6 28 C6
Lower Sidney St. BS3 36 C6
Lower Station Rd, Fishponds. BS16 31 F5
Lower Station Rd, Staple Hill. BS16 31 H4
Lower Stone Clo. BS36 17 F4
Lower Thirlmere Rd. BS34 14 A4
Lowlis Clo. BS10 20 B3
Lowther Rd. BS10 20 D4
Loxton Sq. BS14 52 A1
Lucas Clo. BS4 46 D4
Luccombe Hill. BS6 28 D6
Luckington Rd. BS7 21 F5
Luckley Av. BS13 50 D2
Luckwell Rd. BS3 44 C2
Lucky La. BS3 37 E6
Ludlow Clo, Keynsham. BS31 54 A2
Ludlow Clo, Willsbridge. BS30 49 E3
Ludlow Ct. BS30 49 E3
Ludlow Rd. BS7 30 A1
Ludwell Clo. BS36 24 A1
Lullington Rd. BS4 46 B2
Lulsgate Rd. BS13 44 C4
Lulworth Cres. BS16 32 C1
Lulworth Rd. BS31 54 B3
Lurgan Walk. BS4 45 F4
Lutten Clo. BS16 22 D6
Lux Furlong. BS9 27 F1
Luxton St. BS5 38 B2
Lyddington Rd. BS15 21 G6
Lydford Walk. BS3 45 E3
Lydiard Croft. BS15 47 H1

Lydney Rd, Southmead. BS10 21 E6
Lydney Rd, Staple Hill. BS16 32 B4
Lydstep Ter. BS3 37 E6
Lynbrook. BS41 42 D4
Lynch Ct. BS30 48 C1
Lyncombe Walk. BS16 31 G6
Lyndale Av. BS9 27 G3
Lyndale Rd. BS5 38 C3
Lynde Clo. BS13 50 D3
Lyndhurst Rd, Keynsham. BS31 54 C4
Lyndhurst Rd, Westbury on Trym. BS9 28 B2
Lynmouth Rd. BS2 29 H6
Lynn Rd. BS16 30 D3
Lynton Pl. BS5 38 C3
Lynton Rd. BS3 45 E4
Lynton Way. BS16 23 G5
Lynwood Rd. BS3 44 C2
Lyons Court Rd. BS14 46 C5
Lyppiatt Rd. BS5 38 C3
Lyppincourt Rd. BS10 20 C3
Lysander Rd. BS10 12 C6
Lysander Walk. BS34 23 E1
Lytchet Dri. BS16 32 C1
Lytes Cary Rd. BS31 54 D5
Lytton Gro, Keynsham. BS31 54 D2
Lytton Gro, Northville. BS7 22 A6
Lyveden Gdns. BS13 50 D2
Lyvedon Way. BS41 43 F4
Mabberley Rd. BS16 33 F3
McAdam Way. BS1 36 B5
Macauley Rd. BS7 22 A6
MacDonald Wk. BS15 40 A2
Maceys Rd. BS13 51 E4
Machin Clo. BS10 20 B3
Machin Gdns. BS10 20 B3
Machin Rd. BS10 20 B3
Mackie Av. BS34 22 A4
Mackie Gro. BS34 22 A4
Mackie Rd. BS34 22 A4
McLaren Rd. BS11 9 C5
Madeline Rd. BS16 31 E6
Maesbury. BS15 40 B5
Maesbury Rd. BS31 54 D5
Maesknoll Rd. BS4 45 H2
Magdalene Pl. BS2 37 H1
Maggs Clo. BS10 21 E3
Maggs La, Clay Hill. BS5 31 E6
Maggs La, Whitchurch. BS14 52 B3
Magpie Bottom La. BS15 39 H4
Maiden Way. BS11 26 A1
Maidenhead Rd. BS13 51 F4
Maidstone St. BS3 45 G2
Main Rd. BS16 33 F4
Main View. BS36 17 G5
Maisemore Av. BS34 14 B3
Makin Clo. BS30 41 F6
Malago Rd. BS3 45 E2
Malago Walk. BS13 50 A3
Maldowers La. BS5 39 F2
Mallard Clo, Bradley Stoke. BS32 14 C2
Mallard Clo, Crofts End. BS5 39 E1
Malmains Dri. BS16 23 G5
Malmesbury Clo, Bishopston. BS6 29 E5
Malmesbury Clo, Longwell Grn. BS30 40 C5
Maltravers Clo. BS32 14 D4
*Malvern Ct, Malvern Rd. BS5 39 E3
Malvern Dri. BS30 41 F6
Malvern Rd, Brislington. BS4 46 C2
Malvern Rd, St George. BS5 39 E3
Mancroft Av. BS11 26 C1
Mangotsfield Rd. BS16 32 C4
Manilla Rd. BS8 36 C3
Manor Clo. BS36 17 F6
Manor Ct. BS16 30 D4
Manor Ct Dri. BS7 29 G2
Manor Farm Cres. BS32 14 C3
Manor Gro, Mangotsfield. BS16 32 D4

Manor Gro, Patchway. BS34 14 B2
Manor La, Abbots Leigh. BS8 34 D3
Manor La, Winterbourne. BS36 16 C5
Manor Park. BS6 28 D6
Manor Pl. BS16 23 H5
Manor Rd, Abbots Leigh. BS8 34 D3
Manor Rd, Bishopston. BS7 29 F4
Manor Rd, Bishopsworth. BS13 50 B1
Manor Rd, Fishponds. BS16 31 E4
Manor Rd, Keynsham. BS31 54 C4
Manor Rd, Mangotsfield. BS16 32 D5
Manor Rd, Saltford. BS31 55 H5
Manor Way. BS7 42 A1
Mansel Clo. BS31 55 F4
Mansfield St. BS3 44 D3
Manston Clo. BS14 46 C5
Manworthy Rd. BS4 46 C2
Manx Rd. BS7 29 H1
Maple Av. BS16 31 H5
Maple Clo, Little Stoke. BS34 14 C5
Maple Clo, Oldland Common. BS30 49 E1
Maple Clo, Whitchurch. BS14 52 D2
Maple Ct. BS15 40 A2
Maple Leaf Ct. BS8 36 C4
Maple Rd, Bishopston. BS7 29 F3
Maple Rd, St Annes. BS4 38 D5
Maple Walk. BS31 54 A3
Mapleleaze. BS4 46 D2
Maplemeade. BS7 29 E5
Maplestone Rd. BS14 52 A4
Mapstone Clo. BS16 23 G3
Marbeck Rd. BS10 20 D5
Mardale Clo. BS10 21 E4
Marden Rd. BS31 54 D3
Mardon Rd. BS4 38 C5
Mardyke Ferry Rd. BS1 36 C5
Margaret Rd. BS13 50 B3
Margate St. BS3 45 G2
Marguerite Rd. BS13 44 B5
Marigold Walk. BS3 44 C2
Marina Gdns. BS16 31 E5
Marine Par. BS20 26 A3
Mariners Dri. BS9 27 H4
Mariners Path. BS9 27 H4
Mariners Way. BS20 26 A3
Marion Rd. BS15 47 G1
Marion Walk. BS5 39 F3
Marissal Clo. BS10 20 A3
Marissal Rd. BS10 19 H3
Mariston Way. BS30 41 F5
Marjoram Pl. BS32 15 E5
Mark La. BS1 6 C4
Market Sq. BS16 31 H6
Marksbury Rd. BS3 45 E3
Marlborough Av. BS16 30 D6
Marlborough Dri. BS16 23 G5
Marlborough Hill. BS2 6 D1
Marlborough Hill Pl. BS2 6 D1
Marlborough St, Bristol. BS1 7 E1
Marlborough St, Eastville. BS5 30 D5
Marlepit Gro. BS13 50 A1
Marlfield Walk. BS13 44 A6
Marling Rd. BS5 39 F3
Marlwood Dri. BS10 20 C3
Marmaduke St. BS3 45 G1
Marmion Cres. BS10 20 A3
Marne Clo. BS14 52 D2
Marsh Clo. BS36 24 B2
Marsh La, Bedminster. BS3 44 C3
Marsh La, Russell Town. BS5 38 B4
Marsh Rd. BS3 44 B1
Marsh St, Avonmouth. BS11 9 D6
Marsh St, Bristol. BS1 6 D4
*Marshall Wk, Langhill Av. BS4 45 E6

Marsham Way. BS30 48 C1
Marshfield Park. BS16 32 A1
Marshfield Rd. BS16 31 G5
Marshwall La. BS32 8 A2
Marston Rd. BS4 46 A2
Martcombe Rd. BS20 26 A6
Martin Clo. BS34 13 F4
Martin St. BS3 44 D2
Martingale Rd. BS4 46 C1
Martins Clo. BS15 39 H6
Martins Rd. BS15 39 H6
Martock Clo. BS31 54 D4
Martock Cres. BS3 45 E3
Martock Rd. BS3 45 E3
Marwood Rd. BS4 45 G5
Mary Bush La. BS2 7 F3
Mary Carpenter Pl. BS2 37 H1
Mary St. BS5 38 C3
Marygold Leaze. BS30 48 D1
Mascot Rd. BS3 45 F2
Masefield Way. BS7 30 A2
Maskelyne Av. BS10 29 F1
Masonpit Pool La. BS36 15 H4
Masons View. BS36 16 C5
Materman Rd. BS14 52 D2
Matford Clo, Filton. BS10 21 F2
Matford Clo, Winterbourne. BS36 24 B1
Matthews Clo. BS14 53 E1
Matthews Rd. BS5 38 B3
Maules La. BS16 23 E4
Maunsell Rd. BS11 19 F4
Maurice Rd. BS6 29 G6
Maxse Rd. BS4 46 A2
May St. BS15 39 H1
Maybec Gdns. BS5 39 F5
Maybourne. BS4 47 F3
Maycliffe Park. BS6 29 H6
Mayfield Av. BS16 31 G6
Mayfield Park. BS16 31 F6
Mayfield Park N. BS16 31 F6
Mayfield Park S. BS16 31 F6
Mayfields. BS31 54 B2
Maynard Clo. BS13 51 E2
Maynard Rd. BS13 51 E2
Maypole Sq. BS15 39 H5
Maytree Av. BS13 44 D6
Maytree Clo. BS13 44 D6
Maytree Walk. BS31 54 A3
Mayville Av. BS34 22 A3
Maywood Av. BS16 31 G4
Maywood Cres. BS16 31 G4
Maywood Rd. BS16 31 H4
Maze St. BS5 38 B4
Mead Clo. BS11 26 C2
Mead La. BS32 14 D6
Mead Rise. BS3 37 G6
Mead Rd. BS34 23 E1
Mead St. BS3 37 G6
Meadgate. BS16 33 E1
Meadow Clo. BS16 32 C1
Meadow Court Dri. BS30 49 E2
Meadow Gro. BS11 26 B1
Meadow Mead. BS36 17 E4
Meadow Rd. BS32 15 E5
Meadow St, Avonmouth. BS11 9 C5
Meadow St, Bristol. BS2 7 G2
Meadow Vale. BS5 39 F2
Meadow View. BS36 17 F4
Meadowcroft. BS16 24 D6
Meadowland Rd. BS10 20 A2
Meadowside Dri. BS14 51 H4
Meadowsweet Av. BS34 22 A3
Meadowsweet Ct. BS16 30 D4
Meadway. BS9 27 G3
Meardon Rd. BS14 52 D1
Mede Clo. BS1 37 F6
Medical Av. BS2 6 C3
Medway Clo. BS31 54 D4
Medway Dri, Frampton Cotterell. BS36 17 E5
Medway Dri, Keynsham. BS31 54 D4
Meere Bank. BS11 19 F5
Meg Thatchers Clo. BS5 39 G3
Meg Thatchers Gdns. BS5 39 G3
Melbourne Rd. BS7 29 F4
Melbury Rd. BS4 45 H3
Melita Rd. BS6 29 G5
Mellent Av. BS13 51 E4
Mells Clo. BS31 54 D5
Melrose Av. BS8 36 D2
Melrose Pl. BS8 36 D2
Melton Cres. BS7 30 A1
Melville Rd. BS6 36 D1
Melvin Sq. BS4 45 G4
Memorial Clo. BS15 39 G6
Memorial Rd. BS15 39 G5
Mendip Clo. BS31 54 A2
Mendip Cres. BS16 32 D1
Mendip Rd. BS3 45 E2
Mendip View Av. BS16 31 F5
Menhir Gro. BS10 20 D3
Mercer Ct. BS14 46 A5
Merchant St. BS1 7 F2
* Merchants Ct, Rownham Mead. BS8 36 C5
Merchants Quay. BS1 6 D6
Merchants Rd, Clifton. BS8 36 C4
Merchants Rd, Hotwells. BS8 36 C5
Mercia Dri. BS2 29 H6
Merebank Rd. BS11 18 B2
*Meredith Ct, Canada Way. BS1 36 C6
Merfield Rd. BS4 46 B3
Meridian Pl. BS8 36 D4
Meridian Rd. BS6 37 E1
Meridian Vale. BS8 36 D4
Meriet Av. BS13 50 D3
Merioneth St. BS3 45 G2
Meriton St. BS2 38 A5
Merlin Clo. BS9 28 B1
Merlin Rd. BS10 12 D5
Merrett Ct. BS7 30 B2
Merrick Ct. BS1 6 D6
Merrimans Rd. BS11 26 B1
Merryweather Clo. BS32 14 C4
Merrywood Clo. BS3 45 E1
Merrywood Rd. BS3 45 E1
Merstham Rd. BS2 38 A1
Merton Rd. BS7 29 G3
Mervyn Rd. BS7 29 G4
Metford Gro. BS6 28 D5
Metford Pl. BS6 28 D5
Metford Rd. BS6 28 D5
Middle Av. BS1 6 D5
Middle Rd. BS15 32 B5
Middleford Ho. BS13 51 E3
Middleton Rd. BS11 18 D6
Midland Rd, St Philips. BS2 7 H3
Midland Rd, Staple Hill. BS16 32 A4
Midland St. BS2 7 H4
Midland Ter. BS16 31 E5
Mildred St. BS5 38 B4
Mile Walk. BS14 45 H6
Miles Ct. BS30 48 C1
Miles Rd. BS8 36 C2
Milford St. BS3 44 D1
Mill Av. BS1 7 E5
Mill Clo. BS36 17 E5
Mill La, Bedminster. BS3 45 E1
Mill La, Bitton. BS30 49 G5
Mill La, Coalpit Heath. BS36 17 E5
Mill La, Frampton Cotterell. BS36 17 E3
Mill La, Warmley. BS30 41 E5
Mill Pool Ct. BS10 20 C5
Mill Rd. BS36 24 A2
Mill Steps. BS36 24 B3
Millard Clo. BS10 21 E4
Millbank Clo. BS4 46 D2
Millbrook Av. BS4 47 E1
Millbrook Clo. BS30 41 F4
*Millennium Clo, Alexandra Rd. BS36 17 F5
Millers Clo. BS20 26 A4
Millers Dri. BS30 41 F6
Millfield Dri. BS30 41 F5
Millground Rd. BS13 50 A3
Milliman Clo. BS13 51 E2
Millmead Ho. BS13 51 E3
Millpill Clo. BS9 27 G3
Millpond St. BS5 38 A1
Millward Gro. BS16 31 H4
Milner Grn. BS30 40 D5
Milner Rd. BS7 29 G4
Milsom St. BS5 37 H3
Milton Pk. BS5 38 C3
Milton Rd. BS7 29 F3
Miltons Clo. BS13 51 F3
Milverton Gdns. BS6 29 H6
Milward Rd. BS31 54 B1
Mina Rd. BS2 29 H5
Minehead Rd. BS4 45 H3
Minors La. BS10 11 E3
Minsmere Rd. BS31 54 D4
Minto Rd. BS2 29 H6
Minton Clo. BS14 52 A3
Mitchell Ct. BS1 7 F5
Mitchell La. BS1 7 F5
Mitchell Wk. BS30 41 G4
Mitchells Clo. BS4 39 E4
Mivart St. BS5 38 B1
Modecombe Gro. BS10 20 B3
Mogg St. BS2 29 H6
Molesworth Clo. BS13 50 C3
Molesworth Dri. BS13 50 C3
Monk Rd. BS7 29 F4
Monks Av. BS15 39 G2
Monks Park Av. BS7 21 F5
Monkton Rd. BS15 39 G6
Monmouth Hill. BS32 8 A3
Monmouth Rd, Bishopston. BS7 29 F4
Monmouth Rd, Keynsham. BS31 54 A2
Monmouth Rd, Pill. BS20 26 A3
Monmouth St. BS3 45 G1
Monsdale Clo. BS10 20 C3
Monsdale Dri. BS10 20 B3
Montague Clo. BS34 23 E1
Montague Hill. BS2 7 E1
Montague Pl. BS6 6 D1
Montague Rd. BS31 55 F5
Montague St. BS1 7 E1
Montgomery St. BS3 45 G1
Montreal Av. BS7 21 H6
Montrose Av. BS6 37 E1
Montrose Dri. BS30 41 E4
Montrose Park. BS4 46 C3
Montroy Clo. BS9 29 E2
Moon St. BS2 7 E1
Moor Gro. BS11 18 D6
Moorcroft Dri. BS30 48 C1
Moorend Farm Av. BS11 18 C1
Moorend Gdns. BS11 26 C1
Moorend Rd. BS16 24 A3
Moorgrove Ho. BS9 27 G1
Moorhill St. BS5 38 A2
Moorhouse La. BS10 19 E1
Moorlands Rd. BS16 31 F6
Moravian Rd. BS15 40 A2
Morden Walk. BS14 46 C6
Moreton Clo. BS14 52 A3
Moreton St. BS2 7 H1
Morgan Clo. BS31 55 G5
Morgan St. BS2 37 H2
Morley Av. BS16 32 D4
Morley Clo, Little Stoke. BS34 14 B4
Morley Clo, Staple Hill. BS16 32 A5
Morley Rd, Southville. BS3 37 E6
Morley Rd, Staple Hill. BS16 32 A5
Morley Sq. BS7 29 F5
Morley St, Barton Hill. BS5 38 B4
Morley St, Bristol. BS2 37 H1
Morley Ter. BS15 40 A1
Mornington Rd. BS8 36 C1
Morpeth Rd. BS4 45 F5
Morris Rd. BS7 30 A4
Morse Rd. BS5 38 C3
Mortimer Rd, Clifton. BS8 36 C4
Mortimer Rd, Filton. BS34 22 B5
Morton St. BS5 38 B3
Mount Clo. BS36 16 C4
Mount Cres. BS36 24 B1
Mount Gdns. BS15 40 A4
Mount Hill Rd. BS15 40 A5
Mount Pleasant. BS20 26 B4
Mount Pleasant Ter. BS3 44 D1
Mountain Mews. BS5 39 F4
Mow Barton. BS13 50 A1
Mowbray Rd. BS14 46 B5
Mowcroft Rd. BS13 51 E3
Moxham Dri. BS13 50 D3
Muirfield. BS30 40 D4
Mulberry Clo. BS15 40 C2
Mulberry Dri. BS15 40 C2
Mulberry Walk. BS9 27 G1
Muller Av. BS7 29 G4
Muller Rd. BS7 29 G2
Mulready Clo. BS7 30 B2
Murford Av. BS13 50 D2
Murford Walk. BS13 50 D3
Murray St. BS3 45 E1
Musgrove Clo. BS11 19 G4
Myrtle Dri. BS11 26 C3
Myrtle Hill. BS20 26 B4
Myrtle Rd. BS2 6 C1
Myrtle St. BS3 44 D1
Nags Head Hill. BS5 39 F4
Nailsea Clo. BS13 44 C5
*Napier Ct, Canada Way. BS1 36 C6
Napier Miles Rd. BS11 19 E6
Napier Rd, Avonmouth. BS11 9 C5
Napier Rd, Eastville. BS5 30 B6
Napier Rd, Redland. BS6 28 D6
Napier Sq. BS11 9 C5
Napier St. BS5 38 B4
Narrow La. BS16 32 B5
Narrow Lewins Mead. BS1 6 D2
Narrow Plain. BS2 7 G4
Narrow Quay. BS1 6 D5
Narroways Rd. BS2 30 A5
Naseby Walk. BS5 39 E2
Nash Clo. BS31 54 D2
Nash Dri. BS7 30 B1
Neads Dri. BS30 41 F5
Neale La. BS11 9 D5
Neath Rd. BS5 38 C2
Nelson Rd. BS16 32 A4
Nelson St, Bedminster. BS3 44 C3
Nelson St, Bristol. BS1 6 D3
Neston Walk. BS4 45 G5
Netham Rd. BS5 38 C3
Nettlestone Clo. BS10 20 A2
Nevalan Dri. BS5 39 F4
Nevil Rd. BS7 29 G4
Neville Rd. BS15 40 B1
New Brick Rd. BS34 23 F2
New Brunswick Av. BS5 39 G4
New Buildings. BS16 31 E4
New Charlotte St. BS3 37 F6
New Cheltenham Rd. BS15 40 B1
New Fosseway Rd. BS14 52 A1
New John St. BS3 45 E1
New Kingsley Rd. BS2 7 H4
New Leaze. BS32 14 B1
New Queen St. BS15 39 G2
New Queens St. BS3 45 F1
New Rd, Filton. BS34 21 H3
New Rd, Pill. BS20 26 B4
New Rd, Stoke Gifford. BS34 22 C4
New St. BS2 7 H2
New Stadium Rd. BS5 30 B6
New Station Rd. BS16 31 F4
New Station Way. BS16 31 F5
New Thomas St. BS2 7 H4
New Walk. BS15 39 G5
New Walls. BS4 45 H1
New Zigzag. BS8 36 B4
Newbridge Clo. BS4 38 C5
Newbridge Rd. BS4 38 D5
Newbury Rd. BS7 30 A1
Newcombe Dri. BS9 27 G4
Newcombe Rd. BS9 28 B2
Newdown La. BS41 50 D6
Newent Av. BS15 39 G3
Newfoundland Rd. BS2 7 G1
Newfoundland St. BS2 7 G1
Newfoundland Way. BS2 7 G1
Newgate. BS1 7 E3
Newland Dri. BS13 50 C3
Newland Rd. BS13 50 B3
Newland Walk. BS13 50 C4
Newlands Av. BS36 17 F5
Newlands Rd. BS31 54 A3
Newlease Ho. BS34 22 A4
Newlyn Av. BS9 27 G3
Newlyn Walk. BS4 46 A3
Newmarket Pass. BS1 7 E3
Newnham Clo. BS14 46 C5
Newnham Pl. BS34 13 G3
Newpit La. BS30 49 H2
Newport Rd. BS20 26 A3
Newport St. BS3 45 G2
Newquay Rd. BS4 45 H4
Newry Walk. BS4 45 G4
Newsome Av. BS20 26 A4
Newton Clo. BS15 40 D2
Newton Dri. BS30 40 D6
Newton Rd. BS30 40 D6
Newton St. BS5 37 H3
Niblett Clo. BS15 40 C4
Nibletts Hill. BS5 39 F5
Nibley La. BS37 17 H1
Nibley Rd. BS11 26 B3
Nicholas La. BS5 39 F4
Nicholas Rd. BS5 38 A1
Nicholas St. BS3 37 G6
Nicholettes. BS30 41 G6
Nicholls Ct. BS36 16 B5
Nicholls La. BS36 16 B5
Nigel Park. BS11 26 C1
Nightingale Clo, Frampton Cotterell. BS36 16 D5
Nightingale Clo, St Annes. BS4 38 D5
Nightingale La. BS36 16 C4
Ninetree Hill. BS1 37 F2
Ninth Av. BS7 22 A5
Noble Av. BS30 41 F6
Norfolk Av, Ashley Down. BS6 29 G6
Norfolk Av, St Pauls. BS2 7 G1
Norfolk Gro. BS31 54 A3
*Norfolk Pl, Church Rd. BS3 45 E1
Norland Rd. BS8 36 B3
Norley Rd. BS7 29 H1
Norman Gro. BS15 32 A6
Norman Rd, St Werburghs. BS2 30 A6
Norman Rd, Saltford. BS31 55 G4
Norman Rd, Warmley. BS30 41 E2
Normanby Rd. BS5 38 A2
Normanton Rd. BS8 36 C1
Norrisville Rd. BS6 37 G1
North Croft. BS15 49 F1
North Devon Rd. BS16 31 F4
North Green St. BS8 36 B5
North Gro. BS20 26 A4
*North Hill Villas, Pembroke Rd. BS8 36 B1
North Leaze. BS41 43 F3
North Park. BS15 40 B1
North Rd, Ashton Gate. BS3 44 C1
North Rd, Leigh Woods. BS8 35 G4
North Rd, St Andrews. BS6 29 F6
North Rd, Stoke Gifford. BS34 22 D2
North Rd, Winterbourne. BS36 16 C5
North St, Bedminster. BS3 44 C1
North St. BS1 7 E1
North St, Downend. BS16 32 B3
North St, Oldland Common. BS30 49 F1
North View, Soundwell. BS16 32 A5
North View, Staple Hill. BS16 32 B3
North View, Westbury Pk. BS6 28 C4
Northcote Rd, Clifton. BS8 36 B2
Northcote Rd, Downend. BS16 32 C2

Phoenix Ho. BS5 38 B4
Picton La. BS6 37 F2
Picton St. BS6 37 F2
Pigeon Ho Dri. BS13 51 E3
Pigott Av. BS13 50 C3
Pile Marsh. BS5 38 C3
Pilgrims Way,
Downend. BS16 24 A6
Pilgrims Way,
Shirehampton. BS11 26 A1
Pilgrims Wharf. BS4 39 E4
Pilkington Clo. BS34 22 B4
Pill Rd,
Abbots Leigh. BS8 34 C1
Pill Rd, Pill. BS20 26 C5
Pill St. BS20 26 B4
Pillingers Rd. BS15 39 H3
Pimpernel Mead. BS32 14 C5
Pine Gro. BS7 21 H5
Pine Grove Pl. BS7 29 F6
Pine Ridge Clo. BS9 27 G4
Pine Rd. BS10 20 D3
Pinecroft. BS14 45 H6
Pines Rd. BS30 49 F3
Pinewood. BS15 40 C1
Pinewood Clo. BS9 28 C1
Pinhay Rd. BS13 50 D1
Pinkers Mead. BS16 33 F2
Pinkhams Twist. B14 51 H2
Pinnel Gro. BS16 33 E1
Pipe Ct. BS1 6 C4
Pipe La. BS1 6 C3
Pippin Ct. BS30 48 C1
Pitch La. BS6 37 E2
Pitch and Pay La. BS9 28 A5
Pitch and Pay Pk. BS9 28 A5
Pitchcombe Gdns. BS9 27 H1
Pithay Ct. BS1 7 E3
Pitlochry Clo. BS7 21 G5
Pitt Rd. BS7 29 G3
*Pittville Pl,
Cotham Hill. BS6 36 D2
Pixash La. BS31 55 E2
Players Clo. BS16 23 G2
Playford Gdns. BS11 18 C6
Pleasant Rd. BS16 32 A3
*Plimsoll Ho,
Burton Clo. BS1 37 F6
Plummers Hill. BS5 39 E2
Plumpton Ct. BS16 24 C5
Poets Clo. BS5 38 C2
*Polden Ho,
Lambourne Clo. BS3 45 F2
*Polly Barnes Clo, Polly
Barnes Hill. BS15 39 G5
Polly Barnes Hill. BS15 39 G5
Polygon Rd. BS8 36 B5
Pomfrett Gdns. BS14 53 E3
Pomphrey Hill. BS16 33 E4
Ponsford Rd. BS4 46 A4
Ponting Clo. BS5 39 F1
Pool Rd. BS15 32 B5
Poole St. BS11 9 D6
Pooles Wharf Ct. BS8 36 C5
Poplar Av. BS9 27 H2
Poplar Clo. BS30 41 F5
Poplar Pl. BS16 31 F6
Poplar Rd, Bedminster
Down. BS13 44 B5
Poplar Rd,
Hanham. BS15 39 G5
Poplar Rd,
Speedwell. BS5 39 E1
Poplar Rd,
Warmley. BS30 41 F5
Poplar Ter. BS15 40 C3
Poplar Way East. BS11 18 C1
Poplar Way West. BS11 10 B6
Poppy Mead. BS32 15 D5
Porlock Rd. BS3 45 F2
Port Vw. BS20 26 B3
Portbury Gro. BS11 26 B2
Portbury Walk. BS11 26 B2
Portishead Way. BS3 44 A1
*Portland Ct,
Cumberland Clo. BS1 36 C5
Portland Pl. BS16 32 A5
Portland Sq. BS2 7 F1
Portland St,
Clifton. BS8 36 B4
Portland St,
Kingsdown. BS2 37 E2
Portland St,
Staple Hill. BS16 32 A5
Portmerion Clo. BS14 52 A2
Portside Clo. BS5 39 E4
Portview Rd. BS11 9 C5
Portwall La. BS1 7 F6
Portwall La East. BS1 7 G6
Portway,
Avonmouth. BS11 9 D6
Portway,
Shirehampton. BS11 26 A1
Pound Dri. BS16 31 E4
Pound La. BS16 31 F4
Pound Rd. BS15 40 C1
Pountney Dri. BS5 38 A3
Pows Rd. BS15 40 A3
Poyntz Ct. BS30 48 C2
Poyntz Rd. BS4 45 G5
Prattens La. BS16 32 A4
Preacher Clo. BS5 39 G5
Preddys La. BS5 39 F5
Press Moor Dri. BS30 40 C6
Preston Walk. BS4 46 A4
Prestwick Clo. BS4 46 C3
Pretoria Rd. BS34 13 G3
Prewett St. BS1 7 E6
Priddy Ct. BS14 52 A2
Priddy Dri. BS14 52 A2
Priestwood Clo. BS10 20 C3
Primrose Clo, Bradley
Stoke. BS32 14 C2
Primrose Clo,
Two Mile Hill. BS15 39 H2
Primrose La. BS15 39 H2
Primrose Ter. BS15 39 H2
Prince St. BS1 6 D5
Princes Bldgs. BS8 36 B4
Princes Ct. BS30 48 C1
Princes La. BS8 36 B4
Princes Pl. BS7 29 F5
Princes St. BS2 37 G2
Princess Clo. BS31 54 B3
Princess Gdns. BS16 30 D2
Princess Row. BS2 7 E1
*Princess Royal Gdns,
Albert St. BS5 38 C3
Princess St,
Bedminsterl. BS3 37 F6
Princess St,
St Philips. BS2 37 H4
Princess Victoria St.
BS8 36 B4
Priory Av. BS9 28 C2
Priory Ct. BS15 47 H1
Priory Ct Rd. BS9 28 C1
Priory Dene. BS9 28 C1
Priory Gdns. BS11 21 G6
Priory Rd,
Clifton. BS8 6 A1
Priory Rd,
Keynsham. BS31 48 C6
Priory Rd,
Knowle. BS4 46 B3
Priory Rd,
Shirehampton. BS11 26 B2
Pritchard St. BS2 7 G1
Pro Cathedral La. BS8 6 A3
Probyn Clo. BS16 31 F1
Proctor Clo. BS4 46 D4
*Proctor Ho,
Somerset Sq. BS1 37 G6
Prospect Av,
Kingsdown. BS2 6 D1
Prospect Av,
Kingswood. BS15 39 G1
Prospect Clo, Easter
Compton. BS35 12 B2
Prospect Clo, Frampton
Cotterell. BS36 16 C4
Prospect Clo, Winterbourne
Down. BS36 24 B2
Prospect Cres. BS15 32 C6
Prospect La. BS36 16 C4
*Prospect Pl, Sion Rd,
Bedminster. BS3 44 D2
Prospect Pl,
Cotham. BS6 37 F1
Prospect Pl,
Northville. BS7 29 G1
Prospect Pl,
Whitehall. BS5 38 C2
Providence La. BS41 42 D2
Providence Pl,
Easton. BS5 38 B3
Providence Pl,
St Philips. BS2 7 G4
*Providence St,
Hereford St. BS3 45 E1
Providence Vw. BS41 43 E3
Prudham St. BS5 38 B1
Pullin Ct. BS30 41 G6
Pump La. BS1 7 F6
Pump Sq. BS20 26 B3
Purcell Walk. BS4 45 F6
Purdown Rd. BS7 29 G3
Pursey Dri. BS32 15 E5
Purton Clo. BS15 40 B4
Purton Rd. BS7 29 F6
Puxley Clo. BS14 52 D1
Pye Croft. BS32 14 D1
Pyecroft Av. BS9 28 D2
Pyle Hill Cres. BS3 45 G1
Pynne Clo. BS14 53 E2
Pynne Rd. BS14 53 E2
Pyracantha Wk. BS14 51 H1

Quadrant East. BS16 31 H5
Quadrant West.BS16 31 H5
Quakers Clo. BS16 24 A6
Quakers Friars. BS1 7 F2
Quakers Rd. BS16 24 A5
Quantock Clo. BS30 41 F5
Quantock Rd. BS3 45 E2
Quarrington Rd. BS7 29 G3
Quarry Barton. BS16 23 H2
Quarry La, Lawrence
Weston. BS11 19 F5
Quarry La, Winterbourne
Down. BS36 24 B2
Quarry Rd,
Frenchay. BS16 31 G1
Quarry Rd,
Kingswood. BS15 40 A5
Quarry Steps. BS8 28 C6
Quarry Way, Emersons
Green. BS16 24 D5
Quarry Way,
Stapleton. BS16 30 D3
Quarter Mile All. BS15 40 B1
Quay St. BS1 6 D3
Quayside. BS5 39 E4
Queen Ann Rd. BS5 38 A5
Queen Charlotte St. BS1 7 E4
Queen Charlton La.
BS14 52 D4
Queen Sq, Bristol. BS1 6 D5
Queen Sq,
Saltford. BS31 55 H4
Queen Sq Av. BS1 7 E5
Queen St,
Avonmouth. BS11 9 C5
Queen St,
Eastville. BS5 30 C6
Queen St,
Kingswood. BS15 39 G3
Queen St,
St Philips. BS2 7 F3
Queen Victoria Rd. BS6 28 C4
Queen Victoria St. BS2 38 A4
Queens Av. BS8 6 A2
Queens Dri,
Bishopston. BS7 29 E4
Queens Dri,
Hanham. BS15 39 H6
Queens Gate. BS9 27 H3
Queens Par. BS1 6 A5
Queens Rd,
Ashley Down. BS7 29 G4
Queens Rd,
Bishopsworth. BS13 50 B4
Queens Rd,
Clifton. BS8 6 A2
Queens Rd,
Keynsham. BS31 54 A3
Queens Rd,
Knowle. BS4 46 B3
Queens Rd,
St George. BS5 39 E3
Queens Rd,
Warmley. BS30 40 D6
Queensdale Cres. BS4 46 A4
Queensdown Gdns.
BS4 46 B2
Queenshill Rd. BS4 45 H3
Queensholm Av. BS16 24 B5
Queensholm Clo. BS16 24 B5
Queensholm Cres.
BS16 24 A5
Queensholm Dri. BS16 24 B5
Queensway. BS34 14 C6
Quickthorn Clo. BS14 51 H1
Quilter Gro. BS4 45 E6

Rackham Clo. BS7 30 B3
Rackhay. BS1 7 E4
Radley Rd. BS16 31 G4
Radnor Rd,
Horfield. BS7 29 F3
Radnor Rd, Westbury
on Trym. BS9 28 C3
Raeburn Rd. BS5 39 G4
Raglan La. BS5 39 F3
Raglan Pl. BS7 29 F6
Raglan Rd. BS7 29 F6
Raglan Walk. BS31 54 A3
Railton Jones Clo.
BS34 22 D3
Railway Ter. BS16 31 H4
Raja Rammohun
Roy Wk. BS16 30 B4
Raleigh Clo. BS31 55 F5
Raleigh Rd. BS3 44 C1
Ralph Rd. BS7 29 G4
Ram Hill. BS36 25 F1
Ramsey Rd. BS7 29 H1
Randall Clo. BS15 32 C6
Randall Rd. BS8 36 C5
Randolph Av. BS13 50 D2
Randolph Clo. BS13 50 D2
Rangers Walk . BS15 47 H1
Rannoch Rd. BS7 21 G4
Ratcliffe Dri. BS34 22 D1
Rathbone Clo. BS36 25 F1
Ravendale Dri. BS30 48 D2
Ravenglass Cres. BS10 21 E4
Ravenhead Dri. BS14 46 A5
Ravenhill Av. BS3 45 H2
Ravenhill Rd. BS3 45 G1
Ravenscourt Rd. BS34 14 A5
Ravenswood. BS30 48 D2
Ravenswood Rd. BS6 37 E2
Rayens Clo. BS41 42 D4
Rayens Cross Rd. BS41 42 D4
Rayleigh Rd. BS9 27 H1
Raymend Rd. BS3 45 F2
Raymend Walk. BS3 45 G2
Raymill. BS4 47 F3
Raymore Rise. BS41 42 D4
Raynes Rd. BS3 44 C2
Rectory Gdns. BS10 20 A4
Rectory La. BS34 21 H3
Rectory Rd. BS36 16 D3
Red House La. BS9 28 A2
Redcar Ct. BS16 24 C4
Redcatch Rd. BS4 45 G2
Redcliff Backs. BS1 7 E5
Redcliff Hill. BS1 7 E6
Redcliff Mead La. BS1 7 F6
Redcliffe Par East. BS1 7 E6
Redcliffe Par West. BS1 7 E6
Redcliff St. BS1 7 E4
Redcliffe Way. BS1 6 D4
Redcross La. BS2 7 H2
Redcross St. BS2 7 G2
Redfield Hill. BS30 49 G1
Redfield Rd. BS34 14 A4
Redford Cres. BS13 50 A4
Redford Walk. BS13 50 B4
Redhill Clo. BS16 30 D5
Redhill Dri. BS16 30 D5
Redhouse La. BS32 8 C3
Redland Ct Rd. BS6 28 D6
Redland Grn Rd. BS6 28 D6
Redland Gro. BS6 37 E1
Redland Hill. BS6 28 C6
Redland Park. BS6 36 C1
Redland Rd. BS6 28 C5
Redland Ter. BS6 28 C6
Redlynch La. BS31 53 H5
Redshelf Walk. BS10 21 E3
Redwick Clo. BS11 19 G4
Redwing Gdns. BS16 31 E2
Redwood Clo. BS30 48 D2
Redwood Ho. BS13 51 F4
Redwood La. BS48 42 A6
Reed Clo. BS10 29 F2
Reedley Rd. BS9 28 A3
Reedling Gdns. BS16 31 E2
Regency Dri. BS4 47 F2
Regent St,
Clifton. BS8 36 C4
Regent St,
Kingswood. BS15 40 A2
Remenham Dri. BS9 28 D3
Remenham Pk. BS9 28 C3
Repton Rd. BS4 46 C1
Retort Rd. BS11 18 A3
Reynolds Clo. BS31 54 D2
Reynolds Walk. BS7 29 H1
Rhode Clo. BS31 54 D4
Richeson Clo. BS10 20 B4
Richeson Walk. BS10 20 B4
Richmond Av,
Montpelier. BS6 37 G1
Richmond Av,
Stoke Gifford. BS34 23 E1
Richmond Clo. BS31 54 A3
Richmond Dale. BS8 28 C6
Richmond Hill. BS8 6 A2
Richmond Hill Av. BS8 36 C3
Richmond La. BS8 36 C4
Richmond Mews. BS8 36 C3
Richmond Park Rd.
BS8 36 C4
Richmond Rd,
Mangotsfield. BS16 32 D3
Richmond Rd,
Montpelier. BS6 37 G1
Richmond Rd,
St George. BS5 38 D3
Richmond St. BS3 45 G1
Richmond Ter,
Avonmouth. BS11 9 C5
Richmond Ter,
Clifton. BS8 36 C4
Ridge View. BS41 43 F3
Ridgehill. BS9 29 E2
Ridgemeade. BS14 52 A3
Ridgeway. BS36 17 F5
Ridgeway Ct. BS10 20 B5
Ridgeway Gdns. BS14 52 B2
Ridgeway La. BS14 52 B3
Ridgeway Par. BS5 30 D5
Ridgeway Rd,
Long Ashton. BS41 43 E3
Ridgeway Rd,
Ridgeway. BS16 30 D5
Ridgewood. BS9 27 H6
Ridgewood Clo. BS13 51 E3
Ridingleaze. BS11 19 E5
Ridings Rd. BS36 17 E6
Ringwood Cres. BS10 21 E5
Ripley Rd. BS5 39 F2
Ripon Ct. BS16 24 C4
Ripon Rd. BS4 39 E5
Risdale Rd. BS3 44 A4
River Rd. BS20 9 A5
River St. BS2 7 G2
River View. BS16 30 D3
Rivergate. BS1 7 G5
Riverland Dri. BS13 50 B3
Riverleaze. BS9 27 F3
Riverside Clo. BS11 26 D3
Riverside Ct. BS4 39 E4
Riverside Dri. BS16 31 H1
Riverside Mews. BS4 39 E4
Riverside Steps. BS4 38 D4
Riverside Wk. BS5 39 E4
Riverside Way. BS15 47 H2
Riverwood Rd. BS16 23 H5
Riviera Cres. BS16 32 B5
Road Three. BS11 11 E1
Road Two. BS11 10 D2
Robbins Clo. BS32 15 E6
Robbins Ct. BS16 33 E2
Robel Av. BS36 16 C3
Robert Ct. BS16 33 E1
Robert St. BS5 38 A4
Robertson Dri. BS4 39 E4
Robertson Rd. BS5 38 B1
Robin Clo, Westbury
on Trym. BS10 20 D3
Robin Clo,
Whitchurch. BS14 52 C1
Robin Hood La. BS2 6 C2
Robinia Walk. BS14 45 H6
Robinson Dri. BS5 37 H2
Rochester Rd. BS4 39 E5
Rock La. BS34 23 E1
Rock Rd. BS31 54 B2
Rockingham Gdns.
BS11 19 E6
Rockland Gro. BS16 30 C3
Rockland Rd. BS16 32 A1
Rockleaze. BS9 28 A6
Rockleaze Av. BS9 28 A6
Rockleaze Ct. BS9 28 A5
Rockleaze Rd. BS9 28 A6
Rockside Av. BS16 24 C6
Rockside Dri. BS9 28 D2
Rockside Gdns,
Downend. BS16 24 C6
Rockside Gdns, Frampton
Cotterell. BS36 17 F4
Rockstowes Way. BS10 21 E3
Rockwell Av. BS11 19 F5
Rodborough Way.
BS15 40 D4

Rodbourne Rd. BS10 29 F2
Rodfords Mead. BS14 45 H6
Rodmead Walk. BS13 50 C3
Rodney Av. BS15 39 G2
Rodney Cres. BS34 22 A3
Rodney Pl. BS8 36 B4
Rodney Rd, St George. BS15 39 F2
Rodney Rd, Saltford. BS31 55 H5
Rodney Walk. BS15 39 F2
Rodway Hill. BS16 32 D4
Rodway Hill Rd. BS16 32 D4
Rodway Rd, Mangotsfield. BS16 32 D3
Rodway Rd, Patchway. BS34 13 G4
Rodway View. BS15 32 C5
Roegate Dri. BS4 38 D4
Rogers Clo. BS30 41 E6
Rogers Walk. BS30 41 F4
Rokeby Av. BS6 37 E1
Roman Farm Ct. BS11 19 G4
Roman Farm Rd. BS4 45 G6
Roman Rd. BS5 38 B1
Roman Walk, Brislington. BS4 46 C2
Roman Walk, Stoke Gifford. BS34 22 D1
Roman Way. BS9 27 G4
Romney Av. BS7 30 A3
Ronald Rd. BS16 31 E2
Ronaldson. BS30 49 F3
Ronayne Walk. BS16 31 H2
Rookery Rd. BS4 45 H2
Rookery Way. BS14 51 G3
Ropewalk. BS1 7 G4
Rose Acre. BS10 20 C3
Rose Clo. BS36 24 B2
Rose Green Clo. BS5 38 D1
Rose Green Rd. BS5 30 C6
Rose La. BS36 17 F5
Rose Mead. BS7 30 A1
Rose Oak Dri. BS36 17 G5
Rose Oak La. BS36 17 G5
Rose Rd. BS5 38 D3
Rose Walk. BS16 31 H5
Rosebay Mead. BS16 30 D4
Roseberry Park. BS5 38 C3
Roseberry Rd. BS5 38 C4
Rosebery Av. BS2 37 H1
Rosebery Ter. BS8 6 A4
Rosedale Rd. BS16 31 H5
Roselarge Gdns. BS10 20 C4
Rosemary Clo. BS32 15 F5
Rosemary La. BS5 30 B6
Rosemeare Gdns. BS13 44 A6
Rosemont Ter. BS8 36 C5
Rosery Clo. BS9 20 B6
Roseville Av. BS30 48 D2
Rosling Rd. BS7 29 G2
Roslyn Rd. BS6 37 E1
Rossall Av. BS34 14 B5
Rossall Rd. BS4 46 C2
Rossiters La. BS5 39 G4
Roundmoor Clo. BS31 55 G4
Roundmoor Gdns. BS14 46 C6
Roundways. BS36 17 F6
Rousham Rd. BS5 30 A5
Rovers La. BS36 17 E1
Rowacres. BS14 51 H1
Rowan Clo. BS16 31 F6
Rowan Ct. BS5 38 B3
Rowan Ho. BS13 51 F4
Rowan Walk. BS31 54 A3
Rowan Way. BS15 47 G2
Rowberrow. BS14 45 G6
Rowland Av. BS16 30 C4
Rowlandson Gdns. BS7 30 A2
Rowley St. BS3 44 D2
Rownham Clo. BS3 44 A1
*Rownham Ct, Rownham Mead. BS8 36 C5
Rownham Hill. BS8 36 A5
Rownham Mead. BS8 36 C5
Roy King Gdns. BS30 41 E5
Royal Albert Rd. BS6 28 C4
Royal Clo. BS10 19 G3
Royal Fort Rd. BS2 6 C2
Royal Oak Av. BS1 6 D5
Royal Park. BS8 36 C3
Royal Rd. BS16 32 C3
Royal York Cres. BS8 36 B4
Royal York Villas. BS8 36 C4
Royate Hill. BS5 30 C6
Roycroft Rd. BS34 22 A4
Royston Walk. BS10 21 F4
Rozel Rd. BS7 29 F3
Rubens Clo. BS31 54 D2
Ruby St. BS3 44 D2
Rudford Clo. BS34 14 B3
Rudge Clo. BS15 32 C6
Rudgeleigh Av. BS20 26 A4
Rudgeleigh Rd. BS20 26 A4
Rudhall Gro. BS10 29 F1
Rudthorpe Rd. BS7 29 G3
Ruffet Rd. BS36 25 E3
Rugby Rd. BS4 46 C2
Runnymead Av. BS4 46 D3
Runnymede. BS15 40 B2
Runswick Rd. BS4 46 B2
Rupert St, Bristol. BS1 6 D3
Rupert St, Redfield. BS5 38 B4
Rush Clo. BS32 14 C1
Rushton Dri. BS36 17 G5
Rushy. BS30 48 D1
Rushy Way. BS16 24 D5
Ruskin Gro. BS7 22 A6
Ruskin Ho. BS34 13 H3
Russ St. BS2 7 H4
Russell Av. BS15 40 B4
Russell Gro. BS6 28 D4
Russell Rd, Fishponds. BS16 31 G6
Russell Rd, Westbury Pk. BS6 28 D4
Russell Town Av. BS5 38 B3
Rutherford Clo. BS30 48 D2
Ruthven Rd. BS4 45 F5
Rutland Av. BS30 48 D3
Rutland Rd. BS7 29 G5
Ryde Rd. BS4 46 A3
Rye Clo. BS13 50 A1
Ryecroft Rise. BS41 43 F3
Ryecroft Rd. BS36 17 E4
Ryedown La. BS30 49 F3
Ryland Pl. BS2 29 H6
Rylestone Clo. BS36 16 C4
Rylestone Gro. BS9 28 B3
Rysdale Rd. BS9 28 B2

Sabrina Way. BS9 27 G4
Sadlier Clo. BS11 19 E6
Sages Mead. BS32 14 D4
St Agnes Av. BS4 45 H2
St Agnes Clo. BS4 45 H3
St Agnes Walk. BS4 45 H2
St Aidans Rd. BS5 39 G5
St Albans Rd. BS6 28 D5
St Aldwyns Clo. BS7 21 G6
St Andrews. BS30 40 D4
St Andrews Rd, Avonmouth. BS11 9 C5
St Andrews Rd, Montpelier. BS6 37 G1
St Andrews Walk. BS8 36 C4
St Annes Av. BS31 54 A1
St Annes Clo, St George. BS5 39 E4
St Annes Clo, Warmley. BS30 48 D1
St Annes Ct. BS31 54 A1
St Annes Dri, Coalpit Heath. BS36 25 F1
St Annes Dri, Oldland Common. BS30 49 E3
St Annes Park Rd. BS4 38 D5
St Annes Rd, St Annes Pk. BS4 38 C5
St Annes Rd, St George. BS5 39 G4
St Annes Ter. BS4 38 D6
St Aubins Av. BS4 47 E1
St Augustines Par. BS1 6 D4
St Barnabas's Clo. BS30 41 F3
St Barnabus Clo. BS4 45 G4
St Bartholomews Rd. BS7 29 G5
St Bedes Rd. BS15 32 A6
St Bernards Rd. BS11 26 C2
St Brelades Gro. BS4 39 E6
St Brendans Way. BS11 9 D5
*St Catherines Ct, Church La. BS3 45 E1
*St Catherines Ter, Church Rd. BS3 45 E1
St Catherines Mead. BS20 26 B5
*St Catherines Pl, Mill La. BS3 45 E1
St Clements Rd. BS31 54 B2
St Davids Av. BS30 40 D5
St Davids Cres. BS4 39 E5
St Dunstans Rd. BS3 45 E2
St Edwards Rd. BS8 36 C5
St Edyths Rd. BS9 27 F3
St Fagans Ct. BS30 49 E3
St Francis Dri. BS36 16 C6
St Francis Rd, Ashton Gate. BS3 44 C1
St Francis Rd, Keynsham. BS31 54 A1
St Gabriels Rd. BS5 38 A2
St Georges Av. BS5 39 E5
St Georges Rd, Canons Marsh. BS1 6 A5
St Georges Rd, Easton in Gordano. BS20 9 B6
St Georges Rd, Keynsham. BS31 54 A2
St Gregorys Rd. BS7 21 H6
St Helena Rd. BS6 28 C4
St Helens Dri. BS30 49 F2
St Helens Walk. BS5 39 F2
St Helier Av. BS4 47 E1
St Hilary Clo. BS9 27 H4
St Ivel Way. BS30 41 F4
St James Barton. BS1 7 E1
*St James Ct, Great Park Rd. BS32 8 D4
St James Par. BS1 7 E2
St James Pl. BS16 32 D3
St James St. BS16 32 D3
St Johns Bri. BS1 6 D2
St Johns Cres. BS3 45 G2
St Johns Ct. BS31 54 B1
St Johns La. BS3 45 E2
St Johns Mews. BS8 36 C2
St Johns Rd Bedminster. BS3 45 E2
St Johns Rd, Clifton. BS8 36 C1
St Johns Rd, Southville. BS3 37 E6
St Johns Steep. BS1 7 E3
St Johns St. BS3 45 E1
St Josephs Rd. BS10 20 D3
St Keyna Rd. BS31 54 B2
St Ladoc Rd. BS31 54 B1
St Laud Clo. BS9 27 G3
St Leonards Rd, Greenbank. BS5 38 C1
St Leonards Rd, Horfield. BS7 29 F3
St Loe Clo. BS14 51 G4
St Lucia Clo. BS7 29 G1
St Lucia Cres. BS7 29 F1
St Luke St. BS5 38 B4
St Lukes Cres. BS3 45 G1
St Lukes Gdns. BS4 46 D3
St Lukes Rd. BS3 45 G1
St Lukes Steps. BS3 45 G1
St Margarets Clo. BS31 54 A1
St Margarets Dri. BS9 29 E3
St Marks Av. BS5 38 B1
St Marks Clo. BS31 54 B1
St Marks Gro. BS5 38 A1
St Marks Rd. BS5 38 A1
St Marks Ter. BS5 38 A1
St Martins Gdns. BS4 46 B3
St Martins La. BS41 43 E3
St Martins Rd. BS4 46 B3
St Martins Walk. BS4 46 A3
St Marys Rd, Leigh Woods. BS8 35 H4
St Marys Rd, Shirehampton. BS11 26 B1
St Marys Walk. BS11 26 B2
St Matthews Av. BS6 37 F2
St Matthews Rd. BS6 37 E2
St Matthias Park. BS2 7 G2
St Michaels Clo. BS36 16 B5
St Michaels Ct. BS15 39 G3
St Michaels Hill. BS2 6 C1
St Michaels Park. BS2 6 B1
St Nicholas Park. BS5 38 A1
St Nicholas Rd, St Pauls. BS2 37 G2
St Nicholas Rd, Whitchurch. BS14 52 B3
St Nicholas St. BS1 6 D4
St Oswalds Ct. BS6 28 D6
St Oswalds Rd. BS6 28 D5
St Patricks Ct. BS31 54 B2
St Paul St. BS2 7 G1
St Pauls Rd, Clifton. BS8 36 C3
St Pauls Rd, Windmill Hill. BS8 37 E6
St Peters Cres. BS36 17 E4
St Peters Rise. BS13 44 C6
St Peters Walk. BS9 28 D3
St Philips Causeway. BS2 38 A4
St Philips Rd. BS2 37 H4
St Pierre Dri. BS30 41 E4
St Ronans Av. BS6 36 D2
St Saviours Rise. BS36 17 E6
St Silas St. BS2 38 A5
St Stephens Av. BS1 6 D4
*St Stephens Clo, Glencoyne Sq. BS10 20 D4
St Stephens Clo, Soundwell. BS16 32 B5
St Stephens Rd. BS16 32 B6
St Stephens St. BS1 6 D3
St Thomas St. BS1 7 F4
St Thomas St East. BS1 7 F4
St Vincents Hill. BS6 28 C6
St Vincents Rd. BS8 36 C5
St Werburghs Pk. BS2 29 H6
St Werburghs Rd. BS2 29 H6
St Whytes Rd. BS4 45 F5
Salcombe Rd. BS4 45 H3
Salem Rd. BS36 16 C5
Salisbury Av. BS15 39 G3
Salisbury Gdns. BS16 32 B3
Salisbury Rd, Downend. BS16 32 B3
Salisbury Rd, Redland. BS6 29 E6
Salisbury Rd, St Annes Pk. BS4 38 D6
Salisbury St, Barton Hill. BS5 38 B5
Salisbury St, St George. BS5 38 D3
Sally Barn Clo. BS30 48 B3
Sallys Way. BS36 16 C5
Sallysmead Clo. BS13 50 D3
Salmons Way. BS16 24 D6
Salthrop Rd. BS7 29 G5
Saltmarsh Dri. BS11 19 E5
Saltwell Av. BS14 52 C2
Sambourne La. BS20 26 B4
Samian Way. BS34 22 D1
Sampsons Rd. BS13 51 E3
Samuel St. BS5 38 B3
Samuel White Rd. BS15 47 H1
Samuel Wright Clo. BS30 41 F5
Sanctuary Gdns. BS9 27 H5
Sand Hill. BS4 46 C1
Sandbach Rd. BS4 46 C1
Sandbed Rd. BS2 37 H1
Sandburrows Rd. BS13 50 A1
Sandburrows Walk. BS13 50 B1
Sandcroft. BS14 51 H1
Sandford Rd. BS8 36 C5
Sandgate Rd. BS4 46 C1
Sandholme Clo. BS16 24 B6
Sandholme Rd. BS4 38 C6
Sandhurst Clo. BS34 14 B3
Sandhurst Rd. BS4 46 C1
Sandling Av. BS7 29 H1
Sandown Clo. BS16 24 C5
Sandown Rd, Brislington. BS4 46 C1
Sandown Rd, Filton. BS34 22 B3
Sandringham Av. BS16 24 B6
Sandringham Pk. BS16 24 B6
Sandringham Rd, Brislington. BS4 46 C1
Sandringham Rd, Longwell Grn. BS30 48 C3
Sandringham Rd, Stoke Gifford. BS34 22 C2
Sandstone Rise. BS36 24 B2
Sandwich Rd. BS4 46 C1
Sandy Clo. BS32 14 D6
Sandy La, Abbots Leigh. BS8 34 A3
Sandy La, Eastville. BS5 30 B6
Sandy Park Rd. BS4 46 B1
Sandyleaze. BS9 28 A1
Sarah St. BS5 38 A3
Sargent St. BS3 45 F1
Sarum Cres. BS10 21 E5
Sassoon Ct. BS30 40 C6
Satchfield Clo. BS10 20 B4
Satchfield Cres. BS10 20 B4
Sates Way. BS9 29 E3
Saunders Rd. BS16 32 B4
Saunton Walk. BS4 45 F5
Savages Wood Rd. BS32 14 C4
Saville Gt Clo. BS9 28 B5
Saville Pl. BS8 36 C4
Saville Rd. BS9 28 B5
Savoy Rd. BS4 38 C6
Saxon Rd. BS2 30 A6
Saxon Way. BS32 14 B3
Say Walk. BS30 41 G4
Scandrett Clo. BS10 19 H4
Scantleberry Clo. BS16 24 A6
School Clo, Eastville. BS5 30 D6
School Clo, Patchway. BS34 14 C4
School Clo, Whitchurch. BS14 51 G3
*School La, Blackberry Hill. BS16 30 D3
School Rd, Brislington. BS4 46 D2
School Rd, Frampton Cotterell. BS36 16 C4
School Rd, Kingswood. BS15 40 A3
School Rd, Oldland Common. BS30 49 E2
School Rd, Totterdown. BS4 46 A1
School Rd, Warmley. BS30 40 D6
Scotland La. BS14 47 F5
Scott Ct. BS30 40 C6
Scott Lawrence Clo. BS16 31 F1
Scott Wk. BS15 42 G4
Sea Mills La. BS9 27 G3
Seagry Clo. BS10 21 F5
Searle Court Av. BS4 38 D6
Seaton Rd. BS5 38 B2
Seawalls. BS9 27 H6
Seawalls Rd. BS9 27 H6
Second Way. BS11 18 B5
Seddon Rd. BS2 29 H6
Sedgefield Gdns. BS16 24 C5
Sedgewick. BS11 26 C1
Sefton Park Rd. BS7 29 G5
Selborne Rd. BS7 29 G3
Selbrooke Cres. BS16 31 G2
Selby Rd. BS5 39 E2
Selden Rd. BS14 52 D2
Selkirk Rd. BS15 39 H1
Selley Walk. BS13 50 C2
Selworthy. BS15 40 B3
Selworthy Clo. BS31 54 A2
Selworthy Rd. BS4 46 B2
Seneca Pl. BS5 38 D3
Seneca St. BS5 38 D3
Serridge La. BS36 25 F2
Seventh Av. BS7 22 A5
Severn Rd, Crooks Marsh. BS10 10 C3
Severn Rd, Pill. BS20 26 A3
Severn Rd, Shirehampton. BS11 26 C2
Severn View. BS11 19 G5
Severn Way, Keynsham. BS31 54 C3
Severn Way, Patchway. BS34 13 G3
Severngrange Rd. BS10 19 G3
Sevier St. BS2 37 H1
Seymour Av. BS7 29 G4
Seymour Rd, Bishopston. BS7 29 G4
Seymour Rd, Easton. BS5 38 A2
Seymour Rd, Kingswood. BS15 40 A2
Seymour Rd, Staple Hill. BS16 32 B4
Seyton Walk. BS34 22 D1

Shackel Hendy Mews. BS16 33 E3
Shadwell Rd. BS7 29 F5
Shaftesbury Av. BS6 37 G1
*Shaftesbury Ter, Barnes St. BS5 38 C3
Shakespeare Av. BS7 21 H6
Shaldon Rd. BS7 30 A4
Shamrock Rd. BS5 30 D6
Shanklin Dri. BS34 22 A3
Shannon Ct. BS1 6 D4
Shapcott Clo. BS4 46 B4
Shaplands. BS9 28 B4
Sharland Clo. BS9 27 H5
Sharland Gro. BS13 51 E4
Shaw Clo. BS5 38 A2
Shaw Ct. BS16 33 E5
Shaw Gdns. BS14 45 H5
Shearmore Clo. BS3 30 A1
Shearwater Ct. BS16 31 E2
Sheene Ct. BS3 45 E2
Sheene Rd. BS3 45 E2
Sheene Way. BS3 45 E2
Sheepscroft. BS13 50 C3
Sheepwood Clo. BS10 20 C4
Sheepwood Rd. BS10 20 B4
Sheldare Barton. BS5 39 G4
Sheldrake Dri. BS16 31 E2
Shellard Rd. BS34 22 A4
Shellards Rd. BS30 48 C2
Shelley Clo. BS5 39 E2
Shelley Ho. BS5 13 H3
Shelley Way. BS7 21 H6
Shellmor Av. BS34 14 B3
Shellmor Clo. BS34 14 B3
Shepherds Clo. BS16 32 B4
Sheppard Rd. BS16 31 G3
Shepton Walk. BS3 45 E3
Sherbourne Av. BS32 14 D5
Sherbourne Clo. BS15 32 C6
Sherbourne St. BS5 38 D3
Sheridan Rd. BS7 21 H5
Sheridan Way. BS30 48 D2
Sherrin Way. BS13 50 A3
Sherston Clo. BS16 31 G3
Sherston Rd. BS7 21 F6
Sherwell Rd. BS4 46 D2
Sherwood Clo. BS34 54 B2
Sherwood Rd, Keynsham. BS31 54 B2
Sherwood Rd, Whiteway. BS15 39 G2
Shetland Rd. BS10 21 E5
Shields Av. BS7 22 A4
Shiels Dri. BS32 14 D5
Shilton Clo. BS15 40 C3
Shimsey Clo. BS16 31 H2
Ship Hill. BS15 39 G5
Ship La. BS1 7 F6
Shipham Clo. BS14 52 B2
Shipley Mow. BS16 33 E2
Shipley Rd. BS9 20 C6
Shire Gdns. BS11 26 B1
Shirehampton Rd. BS9 26 D2
Short La. BS41 43 E3
Short St. BS2 38 A5
Short Way. BS8 42 A1
Shortlands Rd. BS11 19 E5
Shortwood By-Pass. BS16 33 F3
Shortwood Hill. BS16 33 G4
Shortwood Rd. BS13 51 F4
Shortwood View. BS15 40 G2
Shortwood Wk. BS13 51 G4
Showering Clo. BS14 52 C2
Showering Rd. BS14 52 C2
Shrubbery Cotts. BS6 28 C6
Shrubbery Rd. BS16 32 A3
Shuter Rd. BS13 50 A2
Sidcot. BS4 47 F3
Sideland Clo. BS14 52 D1
Sidelands Rd. BS16 31 H1
Sidmouth Gdns. BS3 45 F3
Sidmouth Rd. BS3 45 F3
Signal Rd. BS16 32 B4
Silbury Rise. BS31 54 D5
Silbury Rd. BS3 44 A3
Silcox Rd. BS13 51 E3
Silklands Gro. BS9 27 G2
Silver Birch Clo. BS34 14 C5
Silver St. BS1 7 E2
Silverhill Rd. BS10 20 A3
Silverthorne La. BS2 38 A5
Silverton Ct. BS4 45 H4
Simmonds Vw. BS34 23 F2
Sion Hill. BS8 36 B4

Sion La. BS8 36 B4
Sion Pl. BS8 36 B4
Sion Rd. BS3 44 D1
Sir Johns La. BS5 30 A4
Siston Clo. BS15 32 D6
Siston Common. BS15 40 D1
Siston Hill. BS30 41 E1
Siston Hill. BS30 41 H2
Siston Park. BS15 32 D6
Sixth Av. BS7 22 A5
Sixty Acres Clo. BS8 42 A2
Skippon Ct. BS15 40 B6
Sleep La. BS14 52 C4
Sloan St. BS5 38 C2
Slymbridge Av. BS10 20 C3
Small La. BS16 30 D4
Small St, Bristol. BS1 6 D3
Small St, St Philips Marsh. BS2 38 A5
Smeaton Rd. BS1 45 E2
Smithcourt Dri. BS34 14 C6
Smithmead. BS13 50 D2
Smoke La. BS11 10 A6
Smyth Rd. BS3 44 B2
Smythe Croft. BS14 52 A4
Smyths Clo. BS11 9 D5
Snowberry Clo. BS32 14 D4
Snowberry Walk. BS5 39 E2
Snowdon Clo. BS16 31 E4
Snowdon Rd. BS16 31 E4
Somerby Clo. BS32 14 C5
Somerdale Av. BS4 45 H4
Somerdale Rd. BS31 48 C6
Somerdale Rd Nth. BS31 48 C6
Somermead. BS3 45 E3
Somerset Cres. BS34 23 E1
Somerset Rd. BS4 46 A2
Somerset Sq. BS1 37 G6
Somerset St, Kingsdown. BS2 37 F2
Somerset St, Redcliffe. BS1 7 F6
Somerset Ter. BS3 45 E3
Somerton Clo. BS15 40 B4
Somerton Rd. BS7 29 G2
Somerville Clo. BS31 55 H5
Somerville Rd. BS7 29 F5
Somerville Rd Sth. BS6
Soundwell Rd. BS16 32 A6
South Croft. BS9 29 E2
South Dene. BS9 27 H3
South Green St. BS8 36 B5
South Gro, Bishopston. BS6 29 E3
South Gro, Pill. BS20 26 A5
South Hayes. BS5 30 B4
South Liberty La. BS3 44 A4
South Par. BS8 36 D2
South Rd, Almondsbury. BS32 8 F1
South Rd, Bedminster. BS3 44 D2
South Rd, Kingswood. BS15 40 A2
South Rd, Redland. BS6 37 E1
South St. BS3 44 D1
South View, Frampton Cotterell. BS36 17 E4
South View, Staple Hill. BS16 32 B3
South View Cres. BS36 17 F6
South View Rise. BS36 17 F6
Southampton Gdns. BS7 29 G3
Southampton Mws. BS7 29 G4
Southdown Rd. BS9 20 B6
*Southdowns, The Avenue. BS8 36 B2
Southernhay, Clifton Wood. BS8 6 A5
Southernhay, Staple Hill. BS16 32 A4
Southey Av. BS15 40 B2
Southey Ct. BS15 40 A1
Southey St. BS2 37 H1
Southfield Av. BS15 40 B2
Southfield Clo. BS9 28 C2
Southfield Rd, Cotham. BS6 37 E1
Southfield Rd, Westbury on Trym. BS9 28 C1

Southleigh Rd. BS8 36 D3
Southmead Rd, Eastfield. BS9 28 D1
Southmead Rd, Filton. BS34 21 E6
Southmead Rd, Wesbury on Trym. BS10 28 D1
Southover Clo. BS9 20 B6
Southsea Rd. BS34 13 H4
Southside Clo. BS9 27 F1
Southville Pl. BS3 37 E6
Southway Dri. BS30 41 G5
Southwell St. BS2 6 C1
Southwood Av. BS9 19 G6
Southwood Dri. BS9 27 F1
Southwood Dri East. BS9 19 G6
Spalding Clo. BS7 29 H5
Spaniorum Vw. BS35 12 B2
Spar Rd. BS11 18 B2
Spartley Dri. BS13 50 B1
Spartley Walk. BS13 50 A1
Speedwell Av. BS5 38 D3
Speedwell Rd. BS5 39 E1
*Spencer Ho, Mede Clo. BS1 37 F6
Spinney Croft. BS13 50 B2
Spires View. BS16 30 D3
Spring Gdns. BS4 45 H4
Spring Hill, Kingsdown. BS2 37 F2
Spring Hill, Kingswood. BS15 40 B1
Spring La. BS41 50 C6
Spring St. BS3 37 G6
Spring St Pl. BS3 37 G6
Springfield Av, Horfield. BS7 29 G3
Springfield Av, Mangotsfield. BS16 32 D2
Springfield Av, Shirehampton. BS11 26 B2
Springfield Clo. BS16 32 D1
Springfield Gro. BS6 28 D3
Springfield Lawns. BS11 26 C3
Springfield Rd, Cotham. BS6 37 F2
Springfield Rd, Mangotsfield. BS16 32 D1
Springfield Rd, Pill. BS20 26 A4
Springfields. BS34 21 H4
Springleaze, Brislington. BS4 46 A4
Springleaze, Mangotsfield. BS16 32 D2
Springville Clo. BS30 48 D2
Springwood Dri. BS10 19 H3
Spruce Way. BS34 13 G5
*Sprygham Ho, Bishport Av. BS13 50 C3
Squires Ct. BS30 48 C1
Stackpool Rd. BS3 36 D6
Stadium Rd. BS6 29 E3
Stafford Ct. BS30 40 D5
Stafford Rd. BS2 30 A6
Stafford St. BS3 45 E1
Stainer Clo. BS4 45 F6
Stanbridge Clo. BS16 32 C2
Stanbridge Rd. BS16 32 C2
Stanbury Av. BS16 31 H4
Stanbury Rd. BS3 45 G2
Standfast Rd. BS10 20 B3
Standish Av. BS34 14 B3
Standish Clo. BS10 20 B5
Standon Way. BS10 20 D4
Stane Way. BS11 26 A1
Stanfield Clo. BS7 30 B2
Stanford Clo. BS36 16 C4
Stanford Pl. BS4 45 E6
Stanhope Rd. BS30 48 C3
Stanhope St. BS2 37 H6
Stanley Av, Bishopston. BS7 29 G5
Stanley Av, Filton. BS34 22 A4
Stanley Chase. BS5 38 D1
Stanley Cres. BS34 22 A4
Stanley Gdns. BS30 49 E1
Stanley Hill. BS4 45 H1
Stanley Mead. BS32 14 D2
Stanley Park Rd. BS16 32 B5
Stanley Rd, Cotham. BS6 37 E1

Stanley Rd, Warmley. BS15 41 E2
Stanley St. BS3 44 D2
Stanley St Nth. BS3 44 D2
Stanley St Sth. BS3 44 D2
Stanshaw Clo. BS16 31 F1
Stanshaw Rd. BS16 31 F1
Stanshaws Clo. BS32 14 B2
Stanton Clo. BS15 40 C1
Stanton Rd. BS10 21 F5
Stanway. BS30 49 E3
Staple Gro. BS31 54 A2
Staplegrove Cres. BS5 39 G4
Staplehill Rd. BS16 31 G4
Stapleton Clo. BS16 30 C4
Stapleton Rd. BS5 38 A3
Star Av. BS34 23 F2
Star Barn Rd. BS36 16 B5
Star La, Fishponds. BS16 31 E5
Star La, Pill. BS20 26 B4
Station Av. BS16 31 F4
Station Av Sth. BS16 31 F4
Station Clo. BS15 41 E3
Station Clo. BS5 38 D3
Station La. BS7 29 H4
Station Rd, Ashley Down. BS7 29 H4
Station Rd, Brislington. BS4 46 C3
Station Rd, Coalpit Heath. BS36 25 F1
Station Rd, Filton. BS34 22 A3
Station Rd, Fishponds. BS16 31 F4
Station Rd, Henbury. BS10 20 A4
Station Rd, Keynsham. BS31 54 B1
Station Rd, Kingswood. BS15 32 B4
Station Rd, Montpelier. BS6 37 F1
Station Rd, Patchway. BS34 14 A4
Station Rd, Pill. BS20 26 B4
Station Rd, St Annes. BS4 38 D6
Station Rd, Shirehampton. BS11 26 B3
Station Rd, Warmley. BS30 41 E3
Station Rd, Winterbourne Down. BS36 24 B2
Station Rd Link. BS15 32 B4
Staunton Fields. BS14 52 C3
Staunton La. BS14 52 C3
Staunton Way. BS14 52 C4
Staveley Cres. BS10 20 D4
Staverton Clo. BS34 14 B3
Staverton Way. BS15 40 D4
Stavordale Gro. BS14 52 A1
Staynes Cres. BS15 40 B2
Stean Bridge Rd. BS32 14 D6
Steel Ct. BS30 48 C1
Steel Mills. BS31 54 C3
Stella Rd. BS3 44 D6
Stephen St. BS5 38 C3
Stephens Dri. BS30 40 C6
Stepney Rd. BS5 38 C2
Stepney Walk. BS5 38 C2
Sterncourt Rd. BS16 31 F1
Stevens Cres. BS3 45 G1
Stevens Wk. BS32 14 D4
Stibbs Ct. BS30 48 C1
Stibbs Hill. BS5 39 F3
Stidham La. BS31 55 E1
Stile Acres. BS11 19 E5
Stillhouse La. BS3 45 F1
Stillingfleet Rd. BS13 51 E2
Stillman Clo. BS13 50 A3
Stirling Rd. BS4 46 C1
Stirling Way. BS31 54 B3
Stockton Clo. BS14 51 H3
Stockton Clo. BS30 49 E2
Stockwell Av. BS16 32 D2
Stockwell Clo. BS16 32 C2
Stockwell Dri. BS16 32 C2
Stockwell Glen. BS16 32 C2
Stockwood Cres. BS4 45 G3
Stockwood Hill. BS31 47 H6
Stockwood La. BS14 52 D3
Stockwood Mws. BS5 39 E5
Stockwood Rd, Brislington. BS4 47 E4

Stockwood Rd, Whitchurch. BS14 52 D3
Stockwood Vale. BS31 53 G2
Stoke Br Av. BS34 14 C6
Stoke Cotts. BS9 28 A4
Stoke Gro. BS9 28 A2
Stoke Hamlet. BS9 28 B2
Stoke Hill. BS9 28 A4
Stoke La, Patchway. BS34 14 B3
Stoke La, Stapleton. BS16 31 E1
Stoke La, Westbury on Trym. BS9 28 A3
Stoke Mead. BS34 14 B4
Stoke Meadows. BS32 14 C3
Stoke Paddock Rd. BS9 27 H3
Stoke Park Rd. BS9 28 A4
Stoke Park Rd Sth. BS9 28 A5
Stoke Rd. BS9 28 B5
*Stoke View, Church Rd. BS34 22 A3
Stoke View Rd. BS16 31 E5
Stokeleigh Walk. BS9 27 G3
Stokes Cl. BS30 40 D6
Stokes Croft. BS1 7 E1
Stone Hill. BS15 48 B1
Stone La. BS36 24 B2
Stoneberry Rd. BS14 52 A4
Stonebridge Park. BS5 30 C6
Stonechat Gdns. BS16 30 D2
Stoneleigh Cres. BS4 45 H3
Stoneleigh Dri. BS30 40 C5
Stoneleigh Rd. BS4 45 H3
Stoneleigh Walk. BS4 45 H3
Stoney La. BS7 29 H5
Stoneyfields. BS20 26 A4
Stoneyfields Clo. BS20 26 A4
Stothard Rd. BS7 30 B1
Stottbury Rd. BS7 30 A5
Stoulton Gro. BS10 20 C3
Stourden Clo. BS16 31 F1
Stourton Dri. BS30 48 C1
Stowick Gdns. BS11 19 G5
Stradbrook Av. BS5 39 G4
Stradling Rd. BS11 19 G4
Straight St. BS2 7 G4
Straits Par. BS16 31 G4
Stratford Clo. BS14 51 H4
Strathmore Rd. BS7 29 G3
Stratton Clo. BS34 14 B4
Stratton Rd. BS31 55 G4
Stratton St. BS2 7 G2
Strawberry La, Dundry. BS41 50 A4
Strawberry La, St George. BS5 39 E4
*Strawbridge Rd, Morley St. BS5 38 B4
Stream Clo. BS10 21 F3
Stream Side. BS16 32 C2
Stream Side Wk. BS4 46 D2
Stretford Av. BS5 38 D2
Stretford Rd. BS5 38 D2
Stroud Rd, Patchway. BS34 13 G4
Stroud Rd, Shirehampton. BS11 26 D3
Stuart St. BS5 38 B4
Studland Ct. BS9 28 D2
Sturden La. BS16 23 H3
Sturdon Rd. BS3 44 C2
Sturmey Way. BS20 26 C5
Sturminster Clo. BS14 52 C1
Sturminster Rd. BS14 45 C5
Sullivan Clo. BS4 51 F1
*Summer St, Merrywood Rd. BS3 45 E1
Summerhayes. BS30 41 F5
Summerhill. BS4 45 H1
Summerhill Rd. BS5 39 G3
Summerhill Ter. BS5 39 E3
Summerhouse Way. BS30 41 E4
Summerleaze, Fishponds. BS16 31 H5
Summerleaze, Keynsham. BS31 48 B6
Summers Rd. BS2 37 H1
Summers Ter. BS2 37 H1
Sundays Hill. BS32 8 B3
Sunderland Pl. BS8 6 A2
Sunningdale. BS8 36 D2
Sunningdale Dri. BS30 41 H4

Trevelyan Wk, Henbury. BS10 20 A3
Trevelyan Wk, Stoke Gifford. BS34 23 F1
Trevenna Rd. BS3 44 B3
Treverdowe Wk. BS10 19 H3
Trevethin Clo. BS15 40 A3
Trevisa Gro. BS10 20 D2
Trewint Gdns. BS4 45 G5
Triangle Sth. BS8 6 A3
Triangle West. BS8 6 A3
Trident Clo. BS16 24 D5
Trinder Rd. BS20 26 A4
Trinity Rd. BS2 37 H3
Trinity St, Canons Marsh. BS1 6 C5
Trinity St, St Philips. BS2 37 H3
Trinity Walk. BS2 37 H3
Troon Dri. BS30 40 D4
Troopers Hill Rd. BS5 39 F4
Trowbridge Rd. BS10 21 E5
Trowbridge Wk. BS10 21 E5
Truro Rd. BS3 44 C1
Trym Cross Rd. BS9 27 G3
Trym Leaze. BS9 27 G3
Trym Rd. BS9 28 C1
Trym Side. BS9 27 F3
Trymwood Clo. BS10 20 B4
Trymwood Par. BS9 27 G3
Tucker St. BS2 7 G2
Tuckett La. BS16 31 H1
Tudor Clo. BS30 49 F2
Tudor Rd, Easton. BS5 38 B1
Tudor Rd, Hanham. BS15 39 H5
Tudor Rd, St Pauls. BS2 37 H2
Tuffley Rd. BS10 21 E6
Tufton Av. BS11 19 E6
Tugela Rd. BS13 44 B6
Tunbridge Way. BS16 24 D6
Tunstall Clo. BS9 28 A4
Turley Rd. BS5 38 C1
Turnberry. BS30 40 D4
Turnberry Walk. BS4 46 C4
Turnbridge Clo. BS10 21 E3
Turnbridge Rd. BS10 21 E2
Turner Clo. BS31 54 D2
Turner Gdns. BS7 30 A2
Turner Wk. BS30 41 G4
Turners Ct. BS30 48 C1
Turtlegate Av. BS13 50 A3
Turtlegate Walk. BS13 50 A3
Turville Dri. BS7 29 H2
Tweeny La. BS30 41 F5
Twenty Acres Rd. BS10 20 D4
Twickenham Rd. BS6 29 E3
Two Acres Rd. BS14 45 H5
Two Mile Ct. BS15 39 H2
Two Mile Hill Rd. BS15 39 G2
Tybalt Way. BS34 23 E1
Tyler Clo. BS15 40 B5
Tyler St. BS2 37 H4
Tylers La. BS16 32 A4
Tyndale Av. BS16 31 G4
Tyndale Rd. BS15 40 C1
Tyndall Av. BS8 6 B2
Tyndall Rd. BS5 38 B3
Tyndalls Park Mws. BS2 6 B1
Tyndalls Park Rd. BS8 6 A1
Tyne Path. BS7 29 F6
Tyne Rd. BS7 29 F5
Tyne St. BS2 37 H1
Tyning Clo. BS14 46 A6
Tyning Rd, Knowle. BS3 45 G2
Tyning Rd, Saltford. BS31 55 H5
Tynings La. BS36 16 A2
Tynte Av. BS13 51 F4
Tyntesfield Rd. BS13 44 C5
Tyrone Walk. BS4 45 G5
Tyrrel Way. BS34 22 D1

Ullswater Clo. BS30 41 G4
Ullswater Rd. BS10 20 D5
Underbanks. BS20 26 B4
Union Rd. BS2 37 H4
Union St, Bristol. BS1 7 E2
Union St, St Philips. BS2 37 H4
Unity Ct. BS31 54 D1
Unity Rd. BS31 54 D1
Unity St, Canons Marsh. BS1 6 C4
Unity St, Kingswood. BS15 39 H2
Unity St, St Philips. BS2 7 G3
University Clo. BS9 28 B4
University Rd. BS8 6 B3
University Walk. BS8 6 B2
Uphill Rd. BS7 29 G3
Upjohn Cres. BS13 51 E4
Uplands Dri. BS31 55 H5
Uplands Rd, Saltford. BS31 55 H5
Uplands Rd, Soundwell. BS16 32 A5
Upper Belgrave Rd. BS8 36 B1
Upper Belmont Rd. BS7 29 F5
Upper Berkeley Pl. BS8 6 A3
Upper Byron Pl. BS8 6 A3
Upper Chapel La. BS17 17 F5
Upper Cheltenham Pl. BS6 37 G1
Upper Church La. BS2 6 C2
Upper Cranbrook Rd. BS6 28 D5
Upper Maudlin St. BS2 6 D2
*Upper Myrtle Hill, Station Rd. BS20 26 B4
Upper Perry Hill. BS3 37 E6
Upper Sandhurst Rd. BS4 46 C1
Upper Station Rd. BS16 32 A4
Upper Stone Clo. BS36 17 F4
Upper St. BS4 46 A1
Upper Sydney St. BS3 44 D1
Upper York St. BS2 7 F1
Upton La. BS41 50 B6
Upton Rd. BS3 44 D1
Urfords Dri. BS16 32 A2

Vale La. BS3 44 D4
Vale St. BS4 46 A1
Valentine Clo. BS14 52 B2
Valerian Clo. BS11 26 D2
Valley Gdns. BS16 24 C6
Valley Rd, Headley Pk. BS13 44 C5
Valley Rd, Leigh Woods. BS8 35 G4
Valley Rd, Mangotsfield. BS16 32 D3
Valley Rd, Warmley. BS30 41 F5
Valma Rocks. BS5 39 F5
Vandyck Av. BS31 54 C1
Vassall Ct. BS16 31 G4
Vassall Rd. BS16 31 G3
Vaughan Clo. BS10 20 B3
Ventnor Av. BS5 39 F2
Ventnor Rd, Filton. BS34 22 B3
Ventnor Rd, St George. BS5 39 E2
Vera Rd. BS16 31 E6
Vernon Clo. BS31 55 F4
Vernon St. BS4 37 H6
Verrier Rd. BS5 38 C3
Verwood Dri. BS30 49 F3
Vicarage Ct. BS15 39 G6
Vicarage Rd, Bishopsworth. BS15 50 B1
Vicarage Rd, Coalpit Heath. BS36 17 E6
Vicarage Rd, Hanham. BS15 39 G6
Vicarage Rd, Leigh Woods. BS8 35 H4
Vicarage Rd, Redfield. BS5 38 B2
Vicarage Rd, Southville. BS3 44 D1
Vicars Clo. BS16 31 G4
Victor Rd. BS3 44 D2
Victor St. BS5 38 B5
Victoria Av. BS5 38 B3
Victoria Ct. BS1 7 F5
Victoria Gdns. BS6 37 F2
Victoria Gro. BS3 37 G6
Victoria Par. BS5 38 C3
Victoria Park, Fishponds. BS16 31 F4
Victoria Park, Kingswood. BS15 40 A2
Victoria Pl. BS3 45 E1
Victoria Rd, Avonmouth. BS11 26 A1
Victoria Rd, Hanham. BS15 39 H5
Victoria Rd, St Philips. BS2 37 H6
Victoria Rd, Saltford. BS18 55 G4
Victoria Rd, Warmley. BS30 41 F5
Victoria Sq. BS8 36 C4
Victoria St, Redcliffe. BS1 7 E4
Victoria St, St Philips Marsh. BS2 37 H6
Victoria St, Staple Hill. BS16 32 A4
*Victoria Ter, Polygon Rd, Clifton. BS8 36 B5
Victoria Ter, St Philips Marsh. BS2 38 A5
Victoria Walk. BS6 37 F1
Vigor Rd. BS13 50 D2
Villiers Rd. BS5 38 A2
Vimpany Clo. BS10 20 B3
Vimpenneys La. BS35 12 A3
Vincent Clo. BS11 19 G4
Vine Acres. BS7 29 H3
Vine Cotts. BS16 31 F4
Vining Walk. BS5 38 A2
Vinny Av. BS16 32 D1
Vintery Leys. BS9 28 D1
Vivian St. BS3 45 F2
Vowell Clo. BS13 50 C3
Vyvyan Rd. BS8 36 C3
Vyvyan Ter. BS8 36 C3

Wade St. BS2 7 H1
Wades Rd. BS34 22 A3
Wadham Dri. BS16 23 G5
Wadham Gro. BS16 33 E3
Wainbrook Dri. BS5 30 D6
Wakeford Rd. BS16 32 D1
Walden Rd. BS31 54 D3
Walker Clo, Downend. BS16 32 C1
Walker Clo, Easton. BS5 38 A3
Walker St. BS2 6 C1
Wallcroft Ho. BS6 28 C5
Wallingford Rd. BS4 45 E5
Walliscote Av. BS9 29 E2
Walliscote Rd. BS9 29 E2
Wallscourt Rd. BS34 22 A4
Wallscourt Rd Sth. BS34 22 A5
Walnut Clo, Coalpit Heath. BS36 17 F6
Walnut Clo, Keynsham. BS31 53 H4
Walnut Clo, Kingswood. BS15 40 C2
Walnut Cres. BS15 40 C2
Walnut La. BS15 40 D3
Walnut Tree Clo. BS32 8 B2
Walnut Walk, Bishopsworth. BS13 50 C1
Walnut Walk, Keynsham. BS31 53 H3
Walsh Av. BS14 46 A5
Walsingham Rd. BS6 29 G6
Walter St. BS3 36 C6
Walton Av. BS4 38 D6
Walton Clo, Bitton. BS30 49 F3
Walton Clo, Keynsham. BS31 54 A3
Walton Rise. BS9 28 C1
Walton Rd. BS11 26 C2
Walton St. BS5 38 A2
Walwyn Gdns. BS13 51 E4
Wansbeck Rd. BS31 54 D3
Wanscow Walk. BS9 28 D3
*Wansdyke Ct, Shipham Clo. BS14 52 B2
Wapping Rd. BS1 6 D6
Warden Rd. BS3 45 E1
Wardour Rd. BS4 45 F5
*Ware Ct, Harcombe Rd. BS36 24 A1
Warman Clo. BS14 53 E1
Warman Rd. BS14 53 E1
Warmington Rd. BS14 46 B5
Warminster Rd. BS2 30 A6
Warner Clo. BS15 40 C4
Warren Clo. BS32 14 C1
Warren Gdns. BS14 53 E2
Warren La. BS41 42 C4
Warren Rd. BS34 22 A3
Warrington Rd. BS4 46 C3
Warwick Av. BS5 38 A1
Warwick Clo. BS30 49 E3
Warwick Rd, Easton. BS5 38 A1
Warwick Rd, Keynsham. BS31 54 A3
Warwick Rd, Redland. BS6 36 D2
Washing Pound La. BS14 52 B3
Washingpool La. BS11 10 C5
Washington Av. BS5 38 B1
Watch Elm Clo. BS32 14 D6
Watchill Av. BS13 50 B1
Watchill Clo. BS13 50 B1
Watchouse Rd. BS20 26 B4
Water La, Brislington. BS4 46 C3
Water La, Hanham Grn. BS15 47 G3
Water La, Pill. BS20 26 B4
Water La, Redcliffe. BS1 7 F4
Water La, Windmill Hill. BS3 45 G2
Waterbridge Rd. BS13 50 B3
Watercress Rd. BS2 29 H5
Waterdale Clo. BS9 29 E1
Waterdale Gdns. BS9 29 E1
Waterford Rd. BS9 28 D2
Waterloo Pl. BS2 37 H3
Waterloo Rd. BS2 7 H3
Waterloo St, Clifton. BS8 36 B4
Waterloo St, St Philips. BS2 37 H3
Watermore Clo. BS36 17 F4
Waters La. BS9 28 C1
Waters Rd. BS15 39 H2
Waterside Dri. BS32 13 H2
Wathen Rd. BS6 29 G6
Watkins Yd. BS9 20 C6
Watleys End Rd. BS36 16 B5
Watling Way. BS11 26 B1
Watson Av Nth. BS4 38 C6
Watson Av Sth. BS4 38 C6
Watsons Rd. BS30 48 C2
Watters Clo. BS36 17 G5
Waveney Rd. BS31 54 D4
Waverley Rd, Woolcott Pk. BS6 36 D1
Waverley Rd, Shirehampton. BS11 26 C2
Waverley St. BS5 38 A1
Wayford Clo. BS31 54 D4
Wayleaze. BS36 17 G5
Wayside Clo. BS36 17 E5
*Weare Ct, Canada Way. BS1 36 C5
Webb Clo. BS15 40 C4
Webb St. BS5 37 H2
Webbs Heath. BS30 41 F2
Webbs Wood Rd. BS32 15 E5
Wedgewood Rd. BS16 24 A5
Wedgwood Clo. BS14 52 A2
Wedlock Way. BS3 44 B2
Wedmore Clo. BS15 40 C4
Wedmore Rd. BS31 55 G3
Wedmore Vale. BS3 45 F2
Weedon Clo. BS2 29 H6
Weight Rd. BS5 38 C3
Weir La. BS8 34 B4
Well Clo. BS41 43 F4
Welland Rd. BS31 54 C3
Wellgarth Rd. BS4 46 A3
Wellgarth Walk. BS4 46 A3
Wellhouse Clo. BS9 28 A6
Wellington Av. BS6 37 G1
Wellington Cres. BS7 29 G2
Wellington Dri. BS9 29 E2
Wellington Hill. BS7 29 F2
Wellington Hill West. BS9 29 E1
Wellington La. BS6 37 G2
Wellington Mews. BS11 26 B3
Wellington Pk. BS8 36 C1
Wellington Pl. BS16 23 G5
Wellington Rd, Kingswood. BS15 40 A1
Wellington Rd, St Pauls. BS2 7 G2
*Wellington Ter, Sion Hill. BS8 36 B4
Wellington Wk. BS10 21 E6
Wells Clo. BS14 52 B2
Wells Rd, Brislington. BS4 46 A3
Wells Rd, Dundry. BS41 50 A6
Wells Rd, Hengrove. BS14 46 B4
Wells St. BS3 44 C1
Wellsway. BS31 54 C2
Welsford Av. BS16 30 C4
Welsford Rd. BS16 30 C4
Welsh Back. BS1 7 E5
Welton Walk. BS15 39 H1
Wenmore Clo. BS16 24 A5
Wentforth Dri. BS15 31 H6
Wentworth. BS30 40 D4
Wentworth Rd. BS7 29 F5
Wesley Av. BS15 40 A5
Wesley Clo. BS16 32 A5
Wesley Hill. BS15 40 A1
Wesley La. BS30 41 E5
Wesley Pl. BS8 28 C6
Wesley Rd. BS7 29 F4
Wesley St. BS3 45 E2
Wessex Av. BS7 29 G1
Wessex Ct. BS7 29 H2
West Broadway. BS9 29 E2
West Coombe. BS9 27 H2
West Ct. BS11 26 C3
West Croft. BS9 29 E1
West Dene. BS9 27 H2
West Dundry La. BS41 50 A5
West End, Cotham. BS2 6 D1
West End, Windmill Hill. BS3 37 E6
West Gro. BS6 37 G1
West Leaze Pl. BS32 14 D6
West Mall. BS8 36 B4
West Par. BS9 27 F1
West Park. BS8 36 D2
West Park Rd. BS16 32 B3
West Point Row. BS32 8 D4
West Priory Clo. BS9 28 C1
West Ridge. BS36 17 E5
West Rocke Av. BS9 27 H2
West Shrubbery. BS6 28 C6
West St, Bedminster. BS3 44 D3
West St, Kingswood. BS15 40 A3
West St, Oldland Common. BS30 49 F1
West St, St Philips. BS2 7 H3
West Town Av. BS4 46 C4
West Town Dri. BS4 46 C4
West Town Gro. BS4 46 C4
West Town La. BS4 46 B5
West Town Park. BS4 46 C3
West Town Rd. BS11 26 B1
West View. BS16 32 C2
West View Rd. BS3 44 D2
West Way. BS10 21 F2
Westacre Clo. BS10 20 C4
Westbourne Av. BS31 54 B2
Westbourne Gro. BS3 45 E1
Westbourne Pl. BS8 36 D3
Westbourne Rd, Downend. BS16 24 C6
Westbourne Rd, Easton. BS5 38 B2
*Westbourne Ter, Church Rd. BS16 31 G1
Westbrook Rd. BS4 46 C5
*Westbrooke Ct, Cumberland Clo. BS1 36 C5
Westbury Ct. BS9 28 C1
Westbury Ct Rd. BS9 28 B1
Westbury Hill. BS9 28 C1
Westbury La. BS9 27 F1
Westbury Mews. BS9 28 C2
Westbury Park. BS6 28 C4
Westbury Rd. BS9 28 C2
Westcott Gro. BS11 19 G4
Westcourt Dri. BS30 49 E1
Westering Clo. BS16 32 D4
Westerleigh Clo. BS16 32 C2
Westerleigh Rd. BS16 32 B2
Western Av. BS36 16 D3
Western Dri. BS14 45 G6

Western Rd. BS7 29 G2
Westfield Clo, Keynsham. BS31 54 A2
Westfield Clo, Kingswood. BS15 40 B6
Westfield La. BS34 22 D3
Westfield Park. BS6 36 D1
Westfield Pl. BS8 36 B4
Westfield Rd. BS9 28 C1
Westfield Way. BS32 14 D2
Westland Av. BS30 49 E1
Westleigh Park. BS14 46 A5
Westleigh Clo.BS10 21 E5
Westleigh Rd. BS10 21 E5
Westmead Rd. BS5 39 G4
*Westminster Clo, College Rd. BS9 28 C1
Westminster Rd. BS5 38 C2
Westmoreland Ho. BS6 28 C6
Westmoreland Rd. BS6 28 C5
Weston Av. BS5 38 D3
Weston Clo. BS9 27 G1
Weston Cres. BS7 29 G2
Weston Rd, Failand. BS8 42 A2
Weston Rd, Long Ashton. BS41 42 C4
Westonian Ct. BS9 27 G4
Westons Brake. BS16 24 D5
Westons Hill Dri. BS16 24 D6
Westons Way. BS15 40 C4
Westover Clo. BS9 20 B5
Westover Dri. BS9 20 B6
Westover Gdns. BS9 20 B5
Westover Rise. BS9 20 B5
Westover Rd. BS9 20 B5
Westview Rd. BS31 54 B2
Westward Dri. BS20 26 A5
Westward Gdns. BS41 43 F3
Westward Rd. BS13 44 B6
Westwood Cres. BS4 38 D5
Westwood Rd. BS4 46 C4
Wetherby Ct. BS16 24 C5
*Wetherby Gro, Wetherby Ct. BS16 24 C5
Wetherell Pl. BS8 36 D4
Wexford Rd. BS4 45 F4
Weymouth Rd. BS3 45 F2
Wharf Rd. BS16 31 F5
Wharnecliffe Clo. BS14 52 B2
Wharnecliffe Gdns. BS14 52 A2
Whatley Rd. BS8 36 C2
Wheatfield Dri. BS32 14 C3
Wheathill Clo. BS31 54 A2
Whinchat Gdns. BS16 31 E2
Whippington Ct. BS1 7 E2
Whitby Rd. BS4 38 C6
Whitchurch La, Bishopsworth. BS13 50 C1
Whitchurch La, Dundry. BS41 50 D6
Whitchurch La, Whitchurch. BS14 51 F3
Whitchurch Rd. BS13 50 C1
White Hart Steps. BS8 6 A5
White Lodge Rd. BS16 32 C4
White St. BS5 37 H3
White Tree Rd. BS9 28 D4
Whitecroft Way. BS15 40 D4
Whitecross Av. BS14 52 B1
Whitefield Av, Hanham. BS15 40 A5
Whitefield Av, Speedwell. BS5 39 F1
Whitefield Rd. BS5 39 F1
Whitehall Av. BS5 38 D2
Whitehall Rd. BS5 38 B2
Whitehouse La. BS3 45 F1
Whitehouse Pl. BS3 37 F6
Whitehouse St. BS3 45 F1
Whiteladies Rd. BS8 6 A2
Whiteleaze. BS10 29 E1
Whites Hill. BS5 39 G4
Whiteshill. BS16 23 H3
Whiteway Clo. BS4 38 44
Whiteway Clo. BS5 39 F2
Whiteway Mews. BS5 39 F2
Whiteway Rd. BS5 39 F2
Whitewood Rd. BS5 39 E1
Whitfield Clo. BS16 32 A6
Whiting Rd. BS13 50 C3
Whitland Av. BS13 50 D2
Whitland Rd. BS13 50 D2
Whitley Mead. BS34 22 D3
Whitmead Gdns. BS13 50 D3
Whitmore Av. BS4 47 F2
Whitson St. BS1 6 D1
Whittington Rd. BS16 31 H2
Whittock Rd. BS14 52 C2
Whittock Sq. BS14 46 C6
Whittucks Clo. BS15 40 A6
Whittucks Rd. BS15 40 A6
Whitwell Rd. BS14 46 B5
Whytes Clo. BS9 20 C6
Wick House Clo, BS31 55 G4
Wick Cres. BS4 46 C2
Wick Rd. BS4 46 C1
Wickham Glen. BS16 30 C4
Wickham Hill. BS16 30 D3
Wickham View. BS16 30 D4
Wicklow Rd. BS4 45 F4
Widcombe. BS14 51 H2
Widcombe Clo. BS5 39 F4
Widmore Gro. BS13 50 D2
Wigton Cres. BS10 20 D5
Wilbye Gro. BS4 45 F6
Wilcox Clo. BS15 39 H4
Wild Country La. BS41 42 C5
Wildcroft Rd. BS9 28 D4
Wilder St. BS2 7 F1
Willada Clo. BS3 44 D3
William Mason Clo. BS5 38 A4
William St, Bedminster. BS3 37 F6
William St, Fishponds. BS16 31 G5
William St, Redfield. BS5 38 C3
William St, St Pauls. BS2 37 G2
William St, St Philips. BS2 37 H4
William St, Totterdown. BS3 45 G1
Williams Clo. BS30 48 C2
Williamson Rd. BS7 29 G5
Willinton Rd. BS4 45 G5
Willis Rd. BS15 32 C6
Willment Way. BS11 18 B5
Willmott Clo. BS14 51 G4
Willoughby Clo. BS13 44 C6
Willoughby Rd. BS7 29 F4
Willow Bed Clo. BS16 31 G3
Willow Clo, Long Ashton. BS41 42 D3
Willow Clo, North Common. BS30 41 G5
Willow Clo, Patchway. BS34 13 F4
Willow Gro. BS16 31 H6
Willow Ho. BS13 51 F3
Willow Rd. BS15 47 H1
Willow St. BS2 7 H3
Willow Way, Coalpit Heath. BS36 17 F5
Willow Walk, Henbury. BS10 20 D3
Willow Walk, Keynsham. BS31 54 A3
Wills Dri. BS5 38 A2
Willsbridge Hill. BS30 48 D3
Willway St. BS3 45 F1
Wilmot Ct. BS30 40 D5
Wilmots Way. BS20 26 B4
Wilshire Av. BS15 40 A5
Wilson Av. BS2 7 G1
Wilson Pl. BS2 37 G2
Wilson St. BS2 7 G1
Wilton Clo. BS10 21 E5
Wiltshire Pl. BS15 32 B5
Wimbledon Rd. BS6 29 E3
Wimborne Rd. BS3 44 D4
Winash Clo. BS14 46 C5
Wincanton Clo. BS16 24 C5
*Winchcombe Gro, Dursley Rd. BS11 26 B3
Winchcombe Rd. BS36 16 D3
Winchester Av. BS4 46 C2
Winchester Rd. BS4 46 C2
Wincroft. BS30 49 E1
Windcliffe Cres. BS11 18 D6
Windermere. BS10 21 F4
Windermere Rd. BS34 13 H4
Windermere Way. BS30 41 G4
Windmill Clo. BS3 45 F1
Windmill Hill. BS3 45 F2
Windmill La. BS10 19 H3
Windrush Grn. BS31 54 D3
Windrush Rd. BS31 54 D3
Windsor Av, Jefferies Hill. BS5 39 G5
Windsor Av, Keynsham. BS31 54 B3
Windsor Clo. BS34 22 D2
*Windsor Ct, Windsor Ter, Clifton. BS8 36 B5
Windsor Ct, Downend. BS16 32 B1
Windsor Cres. BS10 19 G2
Windsor Gro. BS5 38 B3
Windsor Pl, Clifton Wood. BS8 36 B5
Windsor Rd, Longwell Grn. BS30 48 C3
Windsor Pl, Mangotsfield. BS16 32 D3
Windsor Rd, Montpelier. BS6 29 F6
Windsor Ter, Clifton. BS8 36 B5
Windsor Ter, Totterdown. BS3 45 G1
Wine St. BS1 7 E3
Wineberry Clo. BS5 38 D2
Winfield Rd. BS30 41 F3
Winford Gro. BS13 44 C5
Wingfield Rd. BS3 45 G3
Winkworth Pl. BS2 37 G2
Winnards La. BS31 54 B4
Winsbury Way. BS32 14 B3
Winscombe Clo. BS31 54 A1
Winsford St. BS5 37 H3
Winsham Clo. BS14 52 A2
Winsley Rd. BS6 37 F1
Winterbourne Hill. BS36 24 A1
Winterbourne Rd. BS34 14 D6
Winterstoke Clo. BS3 44 D3
Winterstoke Rd. BS3 44 B1
Winterstoke Underpass. BS3 44 B1
Winton St. BS4 45 H1
Witch Hazel Rd. BS13 51 G4
Witchell Rd. BS5 38 C3
Witcombe Clo. BS15 40 C1
Witham Rd. BS31 54 D4
Withey Clo East. BS9 28 B3
Withey Clo West. BS9 28 A3
Withington Clo. BS30 49 F3
Withleigh Rd. BS4 46 B2
Withypool Gdns. BS14 52 B2
Withywood Gdns. BS13 50 B3
Withywood Rd. BS13 50 B3
Witney Clo. BS31 55 G4
Woburn Clo. BS30 40 C5
Woburn Rd. BS5 30 B5
Wolferton Rd. BS7 29 G6
Wolfridge Gdns. BS10 20 C2
Wolseley Rd. BS7 29 F6
Wood End Walk. BS9 27 G2
Wood Rd. BS15 40 A3
Wood St. BS5 38 B1
Woodbine Rd. BS5 38 C2
Woodborough St. BS5 38 A2
Woodbridge Rd. BS4 46 A2
Woodbury La. BS8 28 C6
Woodchester. BS15 32 B5
Woodchester Rd. BS10 29 E1
Woodcote. BS15 40 A5
Woodcote Rd. BS16 31 G6
Woodcote Walk. BS16 31 G6
Woodcroft Av. BS5 38 C2
Woodcroft Clo. BS4 38 D6
Woodcroft Rd. BS4 38 D6
Woodend. BS15 40 A4
Woodend Rd. BS36 17 F5
Woodfield Rd. BS6 36 D1
Woodgrove Rd. BS10 19 H4
Woodhall Clo. BS16 32 C2
Woodhouse Av. BS32 8 E1
Woodhouse Clo. BS32 8 F1
Woodhouse Gro. BS7 29 F3
Woodington Ct. BS30 40 C6
Woodland Av. BS15 32 A6
Woodland Clo, Failand. BS8 42 A1
Woodland Clo, Soundwell. BS15 32 A6
Woodland Ct. BS9 27 G6
Woodland Gro. BS9 27 H2
Woodland Rise. BS8 6 C3
Woodland Rd. BS8 6 B1
Woodland Ter, Kingswood. BS15 40 B3
Woodland Ter, Redland. BS6 36 D1
Woodland Way, Failand. BS8 42 A1
Woodland Way, Soundwell. BS15 31 H6
Woodlands. BS16 32 B3
Woodlands Ct. BS32 14 B1
Woodlands La. BS32 8 F2
Woodlands Pk. BS32 8 D4
Woodlands Rise. BS16 32 A2
Woodleaze. BS9 27 F2
Woodleigh Gdns. BS14 52 C1
Woodmancote Rd. BS6 37 G1
Woodmarsh Clo. BS14 51 H3
Woodmead Gdns. BS13 51 E3
Woodside. BS9 27 H5
Woodside Gro. BS10 19 H3
Woodside Rd, Brislington. BS4 38 D5
Woodside Rd, Coalpit Heath. BS36 17 G5
Woodside Rd, Downend. BS16 32 A1
Woodside Rd, Kingswood. BS15 39 H3
Woodstock Av. BS6 37 E1
Woodstock Clo. BS15 40 C3
Woodstock Rd, Kingswood. BS15 40 C3
Woodstock Rd, Redland. BS6 28 D6
*Woodview Clo, Oaktree Ct. BS11 26 C1
Woodward Dri. BS30 48 C1
Woodwell Rd. BS11 26 C2
Woodyleaze. BS15 39 H5
Woodyleaze Dri. BS15 39 H5
Woollard La. BS14 52 C4
Woolley Rd. BS14 52 D2
Wootton Cres. BS4 38 D4
Wootton Park. BS14 46 B4
Wootton Rd. BS4 38 D4
Worcester Clo. BS16 31 G6
Worcester Cres. BS8 36 B3
Worcester Rd, Clifton. BS8 36 C3
Worcester Rd, Kingswood. BS15 40 A2
Worcester Ter. BS8 36 C3
Wordsworth Ho. BS34 13 H3
Wordsworth Rd. BS7 30 A2
Workshop Rd. BS11 18 B2
Worlds End La, Clifton Wood. BS8 6 A5
Worlds End La, Keynsham. BS31 55 E2
Worrall Mews. BS8 36 C1
Worrall Rd. BS8 36 B1
Worrells La. BS16 24 A3
Worsley St. BS5 38 C3
Worthing Rd. BS34 13 G4
Worthy Clo. BS15 40 C4
Worthy Rd. BS10 10 B5
Wraxall Gro. BS13 44 B5
Wraxall Rd. BS30 40 D4
Wren Clo. BS16 30 D1
Wren Dri. BS16 31 F2
Wrenbert Rd. BS16 32 A3
Wright Way. BS16 22 D6
Wrington Clo. BS34 14 C4
Wrington Cres. BS13 44 C5
Wroughton Dri. BS13 51 E3
Wroughton Gdns. BS13 51 E3
Wroxham Dri. BS34 14 B4
Wyatt Av. BS13 50 B2
Wyatt Clo. BS13 50 B2
Wychwood. BS15 40 B4
Wyck Beck Rd. BS10 20 B1
Wycombe Gro. BS4 46 C3
Wyecliffe Rd. BS9 28 D2
Wyecroft Clo. BS10 21 E3
Wyedale Av. BS9 27 F1
Wymbush Cres. BS13 51 E2
Wymbush Gdns. BS13 51 E2
Wyndham Cres. BS4 47 F1
Wyns Ct. BS15 40 B6
Wytherlies Rd. BS16 31 F2

Yanleigh Est. BS41 43 F4
Yanley La. BS41 43 F3
Yate Rd. BS37 17 H1
Yelverton Rd. BS4 46 D4
Yeo La. BS41 43 E4
Yeomans Clo. BS9 27 G3
Yeomanside Clo. BS14 52 B2
Yeomeads. BS41 43 E4
Yew Tree Ct. BS14 52 B2
Yewcroft Clo. BS14 51 H3
Yewtree Dri. BS15 32 C5
Yewtree Gdns. BS20 26 A4
York Av. BS7 29 H4
York Clo, Downend. BS16 24 C5
York Clo, Stoke Gifford. BS34 22 D2
York Gdns, Clifton Wood. BS8 36 B4
York Gdns, Winterbourne. BS36 16 C4
York Pl, Brandon Hill. BS1 6 B5
York Pl, Clifton. BS8 36 C4
York Rd, Bedminster. BS3 37 F6
York Rd, Easton. BS5 38 B2
York Rd, Montpelier. BS6 37 G1
York Rd, Staple Hill. BS16 32 B4
York St, Baptist Mills. BS2 29 H6
York St, Barton Hill. BS5 38 C4
York St, Clifton. BS8 28 C6
York St, St Pauls. BS2 7 F1
York St, St Philips Marsh. BS2 38 A5
Youngs Ct. BS16 33 E1

Zed Alley. BS1 6 D3
Zetland Rd. BS6 29 E6
Zinc Rd. BS11 9 D3

Edition 394 E 11.01.

ESTATE PUBLICATIONS

RED BOOKS

ALDERSHOT, CAMBERLEY
ALFRETON, BELPER, RIPLEY
ASHFORD, TENTERDEN
BANGOR, CAERNARFON
BARNSTAPLE, ILFRACOMBE
BASILDON, BILLERICAY
BASINGSTOKE, ANDOVER
BATH, BRADFORD-ON-AVON
BEDFORD
BIRMINGHAM, WOLVERHAMPTON, COVENTRY
BOURNEMOUTH, POOLE, CHRISTCHURCH
BRACKNELL
BRENTWOOD
BRIGHTON, LEWES, NEWHAVEN, SEAFORD
BRISTOL
BROMLEY (London Bromley)
BURTON-UPON-TRENT, SWADLINCOTE
BURY ST. EDMUNDS
CAMBRIDGE
CARDIFF
CARLISLE
CHELMSFORD, BRAINTREE, MALDON, WITHAM
CHESTER
CHESTERFIELD
CHICHESTER, BOGNOR REGIS
COLCHESTER, CLACTON
CORBY, KETTERING
CRAWLEY & MID SUSSEX
CREWE
DERBY, HEANOR, CASTLE DONINGTON
EASTBOURNE, BEXHILL, SEAFORD, NEWHAVEN
EDINBURGH, MUSSELBURGH, PENICUIK
EXETER, EXMOUTH
FALKIRK, GRANGEMOUTH
FAREHAM, GOSPORT
FLINTSHIRE TOWNS
FOLKESTONE, DOVER, DEAL & ROMNEY MARSH
GLASGOW, & PAISLEY
GLOUCESTER, CHELTENHAM
GRAVESEND, DARTFORD
GRAYS, THURROCK
GREAT YARMOUTH, LOWESTOFT
GRIMSBY, CLEETHORPES
GUILDFORD, WOKING
HARLOW, BISHOPS STORTFORD
HASTINGS, BEXHILL, RYE
HEREFORD
HERTFORD, HODDESDON, WARE
HIGH WYCOMBE
HUNTINGDON, ST. NEOTS
IPSWICH, FELIXSTOWE
ISLE OF MAN
ISLE OF WIGHT TOWNS
KENDAL
KIDDERMINSTER
KINGSTON-UPON-HULL
LANCASTER, MORECAMBE
LEICESTER, LOUGHBOROUGH
LINCOLN
LLANDUDNO, COLWYN BAY
LUTON, DUNSTABLE
MACCLESFIELD
MAIDSTONE
MANSFIELD, MANSFIELD WOODHOUSE
MEDWAY, GILLINGHAM
MILTON KEYNES
NEW FOREST TOWNS
NEWPORT, CHEPSTOW
NEWTOWN, WELSHPOOL
NORTHAMPTON
NORTHWICH, WINSFORD
NORWICH
NOTTINGHAM, EASTWOOD, HUCKNALL, ILKESTON
OXFORD, ABINGDON
PENZANCE, ST. IVES
PETERBOROUGH
PLYMOUTH, IVYBRIDGE, SALTASH, TORPOINT
PORTSMOUTH, HAVANT, WATERLOOVILLE
READING
REDDITCH, BROMSGROVE
REIGATE, BANSTEAD, LEATHERHEAD, DORKING

RHYL, PRESTATYN
RUGBY
ST. ALBANS, WELWYN, HATFIELD
SALISBURY, AMESBURY, WILTON
SCUNTHORPE
SEVENOAKS
SHREWSBURY
SITTINGBOURNE, FAVERSHAM, ISLE OF SHEPPEY
SLOUGH, MAIDENHEAD, WINDSOR
SOUTHAMPTON, EASTLEIGH
SOUTHEND-ON-SEA
STAFFORD
STEVENAGE, HITCHIN, LETCHWORTH
STIRLING
STOKE-ON-TRENT
STROUD, NAILSWORTH
SWANSEA, NEATH, PORT TALBOT
SWINDON, CHIPPENHAM, MARLBOROUGH
TAUNTON, BRIDGWATER
TELFORD
THANET, CANTERBURY, HERNE BAY, WHITSTABLE
TORBAY (Torquay, Paignton, Newton Abbot)
TRURO, FALMOUTH
TUNBRIDGE WELLS, TONBRIDGE, CROWBOROUGH
WARWICK, ROYAL LEAMINGTON SPA &
  STRATFORD UPON AVON
WATFORD, HEMEL HEMPSTEAD
WELLINGBOROUGH
WESTON-SUPER-MARE, CLEVEDON
WEYMOUTH, DORCHESTER
WINCHESTER, NEW ARLESFORD
WORCESTER, DROITWICH
WORTHING, LITTLEHAMPTON, ARUNDEL
WREXHAM
YORK

COUNTY RED BOOKS (Town Centre Maps)

BEDFORDSHIRE
BERKSHIRE
BUCKINGHAMSHIRE
CAMBRIDGESHIRE
CHESHIRE
CORNWALL
DERBYSHIRE
DEVON
DORSET
ESSEX
GLOUCESTERSHIRE
HAMPSHIRE
HEREFORDSHIRE
HERTFORDSHIRE
KENT
LEICESTERSHIRE & RUTLAND
LINCOLNSHIRE
NORFOLK
NORTHAMPTONSHIRE
NOTTINGHAMSHIRE
OXFORDSHIRE
SHROPSHIRE
SOMERSET
STAFFORDSHIRE
SUFFOLK
SURREY
SUSSEX (EAST)
SUSSEX (WEST)
WILTSHIRE
WORCESTERSHIRE

OTHER MAPS

KENT TO CORNWALL (1:460,000)
CHINA (1:6,000,000)
INDIA (1:3,750,000)
INDONESIA (1:4,000,000)
NEPAL (1,800,000)
SOUTH EAST ASIA (1:6,000,000)
THAILAND (1:1,600,000)

STREET PLANS

EDINBURGH TOURIST PLAN
ST. ALBANS

OFFICIAL TOURIST & LEISURE MAPS

SOUTH EAST ENGLAND (1:200,000)
KENT & EAST SUSSEX (1:150,000)
SUSSEX & SURREY (1:150,000)
SUSSEX (1:50,000)
SOUTHERN ENGLAND (1:200,000)
ISLE OF WIGHT (1:50,000)
WESSEX (1:200,000)
DORSET (1:50,000)
DEVON & CORNWALL (1:200,000)
CORNWALL (1:180,000)
DEVON (1:200,000)
DARTMOOR & SOUTH DEVON COAST (1:100,000)
EXMOOR & NORTH DEVON COAST (1:100,000)
GREATER LONDON M25 (1:80,000)
EAST ANGLIA (1:200,000)
CHILTERNS & THAMES VALLEY (1:200,000)
THE COTSWOLDS (1:110,000)
COTSWOLDS & SEVERN VALLEY (1:200,000)
WALES (1:250,000)
CYMRU (1:250,000)
THE SHIRES OF MIDDLE ENGLAND (1:250,000)
THE MID SHIRES (Staffs, Shrops, etc.) (1:200,000)
PEAK DISTRICT (1:100,000)
SNOWDONIA (1:125,000)
YORKSHIRE (1:200,000)
YORKSHIRE DALES (1:125,000)
NORTH YORKSHIRE MOORS (1:125,000)
NORTH WEST ENGLAND (1:200,000)
ISLE OF MAN (1:60,000)
NORTH PENNINES & LAKES (1:200,000)
LAKE DISTRICT (1:75,000)
BORDERS OF ENGLAND & SCOTLAND (1:200,000)
BURNS COUNTRY (1:200,000)
HEART OF SCOTLAND (1:200,000)
GREATER GLASGOW (1:150,000)
EDINBURGH & THE LOTHIANS (1:150,000)
ISLE OF ARRAN (1:63,500)
FIFE (1:100,000)
LOCH LOMOND & TROSSACHS (1:150,000)
ARGYLL THE ISLES & LOCH LOMOND (1:275,000)
PERTHSHIRE, DUNDEE & ANGUS (1:150,000)
FORT WILLIAM, BEN NEVIS, GLEN COE (1:185,000)
IONA (1:10,000) & MULL (1:115,000)
GRAMPIAN HIGHLANDS (1:185,000)
LOCH NESS & INVERNESS (1:150,000)
AVIEMORE & SPEY VALLEY (1:150,000)
SKYE & LOCHALSH (1:130,000)
ARGYLL & THE ISLES (1:200,000)
CAITHNESS & SUTHERLAND (1:185,000)
HIGHLANDS OF SCOTLAND (1:275,000)
WESTERN ISLES (1:125,000)
ORKNEY & SHETLAND (1:128,000)
ENGLAND & WALES (1:650,000)
SCOTLAND (1:500,000)
HISTORIC SCOTLAND (1:500,000)
SCOTLAND CLAN MAP (1:625,000)
BRITISH ISLES (1:1,100,000)
GREAT BRITAIN (1:1,100,000)

EUROPEAN LEISURE MAPS

EUROPE (1:3,100,000)
BENELUX (1:600,000)
FRANCE (1:1,000,000)
GERMANY (1:1,000,000)
IRELAND (1:625,000)
ITALY (1:1,000,000)
SPAIN & PORTUGAL (1,1,000,000)
CROSS CHANNEL VISITORS' MAP (1:530,000)
WORLD (1:35,000,000)
WORLD FLAT

TOWNS IN NORTHERN FRANCE STREET ATLAS
BOULOGNE SHOPPERS MAP
CALAIS SHOPPERS MAP
DIEPPE SHOPPERS MAP

ESTATE PUBLICATIONS are also
Distributors in the UK for:

INTERNATIONAL TRAVEL MAPS, Canada
HALLWAG, Switzerland
ORDNANCE SURVEY

Catalogue and prices from:
ESTATE PUBLICATIONS
Bridewell House, Tenterden, Kent. TN30 6EP.

Tel: 01580 764225   Fax: 01580 763720

www.estate-publications.co.uk